РУССКИЙ БЕСТСЕЛЛЕР

Татьяна
УСТИНОВА

На одном
дыхании!

ЭКСМО

МОСКВА   2010

УДК 82-3
ББК 84(2Рос-Рус)6-4
У 80

Оформление серии *А. Старикова*

В оформлении обложки использован
рисунок *М. Селезнева*

У 80
Устинова Т. В.
На одном дыхании! : роман / Татьяна Устинова. — М. : Эксмо, 2010. — 384 с. — (Русский бестселлер).

ISBN 978-5-699-43068-0

Жил-был Владимир Разлогов — благополучный, уверенный в себе, успешный, очень любящий свою собаку и не очень — супругу Глафиру. А где-то рядом все время был другой человек, знающий, что рано или поздно Разлогову придется расплатиться по счетам! По каким?.. За что?..

Преступление совершается, и в него может быть замешан кто угодно — бывшая жена, любовница, заместитель, секретарша!.. Времени, чтобы разобраться, почти нет! И расследование следует провести на одном дыхании, а это ох как сложно!..

Почти невозможно!

Оставшись одна, не слишком любимая Разлоговым супруга Глафира пытается выяснить, кто виноват! Получается, что виноват во всем сам Разлогов. Слишком много тайн оказалось у него за спиной, слишком много теней, о которых Глафира даже не подозревала!.. Но она сделает почти невозможное — откроет все тайны и вытащит на свет все тени до одной...

УДК 82-3
ББК 84(2Рос-Рус)6-4

ISBN 978-5-699-43068-0

*Посвящается Элине Авдошиной,
только что сделавшей огромное
и очень важное дело*

...И все это время
Они продолжали друг друга любить.
...
Так жили они до последнего мига,
Несчастные дети несчастного мира,
Который и рад бы счастливее стать —
Да все не умеет: то бури, то драки,
То придурь влюбленных...
                            и все это время...

О, Господи Боже, да толку-то что?!

Дм. Быков «Вторая баллада»

*Время было рассчитано по минутам, и события
тоже. Самое главное, чтобы все пошло, как запла-
нировано, без отклонений от графика.*

*Смешное слово — «график»!.. Какое-то школьное
или, может, институтское, общежитское — «График дежурств по комнате», и листочек криво при-
шпилен к двери, расчерчен синей ручкой, и написано
торопливо «пон», «ср», «птн».*

*По «вт» и «четв», а заодно и по субботам с вос-
кресеньями уборка помещения, стало быть, не прово-
дится!*

*Смешное слово «график», особенно когда это гра-
фик убийства. Смерть должна прийти в соответ-
ствии с графиком.*

*Время было рассчитано, и действия были рассчи-
таны, и осталось только... уложиться в расписание.*

Поначалу все удавалось — до минуты, до шага.

*В середине дня вдруг оказалось, что предстоящее
дело очень страшное. Такое страшное, что это почти невозможно вынести.*

5

Следовало приказать себе не думать, но не получалось, не получалось никак!..

Он постоянно лгал, обманывал, а за ложь, особенно за такую, которую нагромоздил он, всегда приходится платить.

Впрочем, это его фраза — рано или поздно придется расплачиваться по счетам, так что лучше их не копить.

Ты накопил столько счетов, что придется расплатиться жизнью. Никакая другая валюта не принимается.

Нужно приказать себе не думать, как бы перескочить через сегодняшний день и жить уже в завтрашнем, когда все самое страшное будет далеко позади. Далеко-далеко, неотчетливо, туманно, как расплываются в сияющем морском мареве уходящие тучи вчерашней грозы.

Завтра все встанет на свои места. А сегодня... сегодня просто день, когда платят по счетам.

Но мозг как будто заело.

Раз за разом он бешено рисовал картины — чудовищные, ужасные, от которых сразу начинало тошнить, выворачивать наизнанку.

Голова, разлетевшиеся кости, пороховая синева на виске, открытый рот, запавшие глаза.

Разрезанное горло, лужа черной крови, скрюченные пальцы с обломанными в агонии ногтями.

Нет. Нет. Нет.

Ничего этого не будет и быть не может.

Будет идеальное убийство, элегантное, простое и ненаказуемое, как в детективном романе, которых перечитано десятки, сотни!.. Попадается только недалекий, тупой, неаккуратный мясник-убийца. Умный, хитрый, расчетливый мститель не попадается никогда!

Недаром составлен график, в котором не может и не должно быть сбоев!..

6

График сбился в середине дня, а мозг все взрывался бешеными картинками. Сквозь огненные камни, оставшиеся после взрывов, стала просачиваться холодная вода животного страха.

Может, все отменить?..

Или хотя бы отложить?..

Пусть ненадолго, пусть только на сегодня, на один день, один крохотный денечек! Потому что сегодня последний день, который можно прожить... не убийцей.

Завтра, послезавтра — и всегда! — придется жить убийцей.

Вот каково это, жить убийцей?

Завтра узнаешь. Завтра почувствуешь. Завтра поймешь.

Заглянуть за эту дверь никак нельзя, она не открывается, как потайная комната Синей Бороды. Эту дверь можно открыть, войти, закрыть ее за собой — и никогда не вернуться обратно.

Отступать нельзя. Все приготовлено, спланировано — и неизвестно, удастся ли все так подгадать в следующий раз.

Огненные камни, ворочающиеся в мозгу, — ерунда, обыкновенный истерический припадок.

Ему просто придется заплатить по счетам.

Самое смешное, что все почти сорвалось!

Из-за чепухи, малой малости идеальное убийство оказалось под угрозой.

Зануда-гаишник в нелепо сидевшей на круглой голове фуражке долго вертел в руках документы, рассматривал так и сяк, потом потребовал страховку и ее тоже вертел и рассматривал.

Он не знал, что из-за его тупоумной медлительности, из-за того, что он никак не сообразит, к чему бы придраться, может все рухнуть! Вся жизнь!

Вся жизнь — и вся тщательно продуманная смерть.

Нельзя было спорить с гаишником, приходилось

улыбаться и кивать, а он все тянул и тянул, и драгоценное время все уходило!..

Но, должно быть, этот день был назначен неспроста. День расплаты по счетам.

Потому что, когда гаишник наконец сунул в окно документы, неразборчиво пробормотал нечто среднее между «Счастливого пути» и «Пойдите вы все к чертовой матери» и машина получила свободу, оказалось, что время еще не ушло, план все еще может быть выполнен!

Все было продумано заранее — как подъехать, где поставить машину, как сделать так, чтобы никто ничего не заподозрил.

Никто и не заподозрил.

Из-за тупого гаишника пришлось торопиться, чтобы все было готово вовремя, и все было готово.

В окно было видно, как он приехал, оглянулся, очевидно, в поисках собаки. Он ее очень любил и доверял ей больше, чем людям.

Впрочем, с собаками он всегда был нежен.

Он вошел, стащил пиджак, привычно бросил его куда-то вправо — ему было удобно туда бросать, вот он и бросил. Ему никогда и в голову не приходило, что пиджак вполне можно убрать «на место», а не швырять невесть куда, что какие-то другие люди, а вовсе не он сам, должны думать о его вещах, документах, ключах от машины. Впрочем, считаться с окружающими его людьми ему тоже в голову не приходило.

Пожалуй, он вообще не догадывался, что они существуют.

Телефон зазвонил, и он досадливо полез туда, где тот звонил, долго рылся, вытащил наконец трубку, посмотрел и не стал отвечать.

Пока все идет так, как нужно. Теперь самое главное сдюжить и довести дело до конца.

Он вошел в комнату, сдирая с шеи нелепый модный

розовый галстук — нужно говорить не «розовый», а «цвета лососины», — взял с обычного места телевизионный пульт. Квадратная, гладкая и огромная, как каток, поверхность телевизора налилась голубым светом, который моментально трансформировался в мечущихся и орущих людей, играющих в мяч.

Телеканал «Спорт», конечно же!..

Сейчас он повернет за угол и...

Он повернул, поднял глаза в длинных, прямых угольно-черных ресницах.

Погибель, а не глаза.

Погибель, погибель...

Кажется, он даже не слишком удивился. Кажется, он даже обрадовался.

— Привет! — сказал он. — Хорошо, что ты здесь. Нам как раз поговорить бы надо.

— ...внезапная смерть тридцативосьмилетнего Владимира Разлогова полностью парализовала деятельность компании «Эксимер», — бойко говорила в телевизоре красотка Катя Андреева. — Владимир Разлогов, возглавлявший «Эксимер» последние четыре года, скончался на минувшей неделе от сердечного приступа у себя на даче. Напомню, что «Эксимер» объединяет несколько химических предприятий, выпускающих продукцию, в том числе и стратегического назначения...

Глафира нашарила пульт и выключила звук. Красотка Андреева продолжала что-то говорить, но, слава богу, уже неслышно.

Глафира посмотрела сначала в пол, а потом на стену. И пол, и стена были обыкновенные, привычные.

Владимир Разлогов, о смерти которого сообщили в новостях, приходился ей мужем.

Посмотрев в стену еще немного, она поднялась

и, по-старушечьи шаркая ногами, вышла на террасу.

Осень шаталась по саду, путалась в деревьях, шуршала листьями. Лужи на дорожках морщились от ветра. Гамак, который позабыли снять, качался между соснами, то появляясь, то пропадая, как привидение.

Если бы не случилось несчастья с Владимиром Разлоговым, гамак бы уже убрали и лужи разогнали с дорожек.

Глафира постояла немного, морщась от ветра — как лужа! — спустилась со ступенек и пошла.

Ноги в золотистых, легкомысленных, изящных и черт знает каких шлепанцах моментально вымокли. От холода Глафира поджимала пальцы с накрашенными ноготками.

Ноготки были розовыми, глянцевыми и немного торчали из пляжных шлепанцев, которыми Глафира загребала воду из луж. Она накрасила ногти на руках и ногах розовым лаком, потому что они с Владимиром Разлоговым собирались на море.

— Что-то устал я, — сказал он, приехав однажды с работы, — сил моих нет. Поедем на море?

— Поедем, — согласилась Глафира.

Надо отдать ему должное, приличий он никогда не нарушал — своих барышень в дом не водил и на курорты с ними не таскался. Мало ли, вдруг там знакомые, на курорте-то?!

Глафира накрасила ногти розовым лаком, купила дикие леопардовые босоножки и сарафанчик с бретельками в «цветах сезона», чтобы не ударить лицом в грязь и не подвести Владимира Разлогова — вдруг там знакомые, на курорте-то!

Осень дунула ей в лицо, как будто припудрила дождевой пылью. Глафира зажмурилась и потрясла головой, словно усталая лошадь. На участке никого не было, Глафира выставила всех вон. Можно никого не опасаться, не «делать лицо»! Она шагнула с дорожки в пожухлую мокрую траву и пошла, загребая шлепанцами.

Сосны шумели в вышине неодобрительно, гулким осенним шумом.

Наверное, нужно уехать в город. Наверное, следовало сделать это сразу после того, как она вернулась... *оттуда*. Наверное, не стоит бродить по лужам в нелепых леопардовых пляжных босоножках!..

Глафира дошла до сосны, положила обе руки на ее мокрый темный шершавый бок, подняла голову и долго смотрела вверх. Когда голова закружилась, перестала смотреть.

Владимир Разлогов поступил с ней ужасно. Впрочем, не с ней одной! Ему наплевать на окружающих! То есть было наплевать, конечно. Вот и работа компании «Эксимер» парализована!

Тут Глафира засмеялась, и смеялась довольно долго. Хорошо, что она выставила всех вон и никто не слышит, как она смеется! А что прикажете делать?.. Плакать, что ли?!

Телефон зазвонил, и она удивилась — ей казалось, что в этой странной, другой жизни, где она бродит в пляжных шлепанцах по осеннему саду, телефон звонить не должен. Хотя он только и делал, что звонил, и каждый раз она вяло удивлялась.

— Але?

— Глафира Сергеевна, Дремов беспокоит. Разрешите прежде всего выразить вам глубочайшие соболезнования по поводу кончины нашего дорогого...

Очень дорогого, вставила Глафира беззвучно. Наш дорогой — бриллиантовый! — Разлогов столько тебе платил, что впору не соболезнования выражать, а пойти и повеситься.

Но Дремов, по-видимому, вешаться не собирал-ся, был печально деловит и трагически озабочен.

— Глафира Сергеевна, всей душой осознавая, как вам тяжело, я все же хотел бы, чтоб вы обозна-чили — хотя бы прикидочно! — сроки, в которые мы с вами можем встретиться.

Глафира вновь подняла голову и смотрела на со-сны, которые все качались и качались в вышине, а юрист все гудел и гудел в трубке, безостановочно, как овод над коровьим хвостом.

— ...некоторые обстоятельства! Боюсь, вам при-дется лично заниматься этим вопросом или деле-гировать полномочия...

В конце концов Глафире он надоел, и она попы-талась остановить басовитое гудение.

— Это срочно?

Овод, совсем было пристроившийся к коровьему хвосту, неожиданно смолк. Глафира ждала. Овод помалкивал настороженно, ворочался на том кон-це телефонной линии, топырил слюдяные крылья.

— Глафира Сергеевна, я не смею настаивать, понимая ваше состояние...

Состояние в мильон, беззвучно добавила Гла-фира.

— ...но тем не менее хотелось бы повстречаться в обозримые сроки. Дело в том, что у Владимира Андреевича, к сожалению, остались незавершен-ные дела. Его кончина была столь неожиданной...

— Через две недели, — твердо сказала Глафи-ра. — Ваши дела терпят две недели?

— Две недели?! — ужаснулся юрист и опять за-гудел, как овод: — Голубчик, это слишком долго, невозможно долго! Поймите, при всем сочувствии к вам я не могу столько ждать...

— Две недели, — повторила Глафира твердо. — Раньше я не могу.

Подумала и добавила, подпустив в голос слезинку:

— Он же умер! Понимаете, умер!

Это прозвучало на редкость фальшиво, но овод-Дремов никакой фальши не заметил.

Интересно, что за проблемы были у моего благоверного, равнодушно подумала Глафира, распрощавшись с юристом. И как они меня касаются?..

Телефон опять зазвонил, и она опять вяло удивилась.

— Глаша, это я, — произнес ей в ухо Андрей. — Глаша, я только прилетел, я ничего не знал! Вот сейчас в «Новостях»...

Глафира слушала и кивала, как будто он мог ее видеть.

Ну конечно, не знал. Ну конечно, только прилетел. Ну конечно, «держись, хорошая моя девочка»! Я держусь. Собственно, ничего не происходит.

— Как ты там, маленькая? Как ты... пережила?

— Что, Андрюш?

— Да все! Похороны, речи, всю эту... чушь собачью?

— А ничего не было.

— Как... не было?

— Так, не было. Его увезли в Иркутск, он же оттуда родом, и все. На похоронах никого не было, я не разрешила. Я... только что вернулась.

— Почему ты мне не позвонила?! Я бы сразу прилетел. С кем ты там, Глаша? И где?!

— На даче.

— Почему не в Москве?! Он же, насколько я понял, как раз на даче и... и ты там...

— Я здесь, — согласилась Глафира.

Почему-то именно сейчас, «в эту трудную минуту», как пишут в плохих романах, ей не хотелось с ним разговаривать.

— Я немедленно приеду, — решительно заявил

Андрей, разговаривать с которым ей нынче почему-то не хотелось, — это ужасно, что ты там одна!
Можно мне приехать?..

Если бы он не спросил, она бы не сопротивлялась, конечно. В конце концов, надеяться ей больше не на кого, только на него, на Андрея! Но он
зачем-то спросил — можно? — и она ответила:

— Нет.

Он опешил:

— Что — нет?

— Нет — значит нет, — пояснила Глафира безмятежно. — Нет — значит не приезжай, Андрюша.

Он помолчал, и молчание его выражало недоумение и огорчение. Он умел хорошо, выразитель-
но молчать.

— Глаша, — начал он осторожно, — что происходит?

Ей стало смешно, и она засмеялась. Вот действительно!.. Что происходит?..

— Ничего не происходит, — сказала она весело. — Просто у меня муж помер, и я его только что
похоронила... Я как раз с похорон прилетела, я тебе об этом уже сообщила!

— Я не виноват, что он помер, Глаша.

— Конечно, нет, — успокоила его она, спохватившись.

Раз от раза она как будто забывала эту его черту
и потом вспоминала — с огорчением. Во всём и
всегда он искал виноватых, кажется, с единственной целью — установить, что он не виноват. Никогда. Ни в чем.

— Никто не виноват, Андрюша, — повторила
Глафира задумчиво. — Я одна виновата.

— Ты что, с ума сошла?! Чокнулась от горя?!
Ты-то в чем можешь быть виновата?!

— Да во всём, — твердо сказала Глафира, и он
через свою трубку, прижатую к уху, вдруг почувст-

вовал, как далека она от него и как стремительно удаляется, исчезает, вот-вот совсем исчезнет.

Он не обладал чрезмерным воображением, но эту картину увидел *всерьез, на самом деле,* и она его напугала.

Что он станет без нее делать?! Как жить?! Чем и для чего?!

Сделав над собой усилие, он разогнал туман, в котором она исчезала.

Какая-то чепуха на постном масле. Почему он должен что-то такое делать... без нее?! В конце концов, никаких препятствий теперь вовсе не осталось. Муж — главное препятствие! — взял да и помер, неожиданно для всех. Это он хорошо придумал. Освободил. Разрубил узлы.

Мысль была настолько... стыдной, что Андрей заговорил быстро и горячо:

— Короче, я сейчас приеду! Чего там сидеть, на этой даче! Я тебя отвезу к маме, по дороге мы где-нибудь поедим, и ты мне все расскажешь.

— Андрюш...

— Надо было сразу мне позвонить, я бы прилетел!

— Ты это уже говорил.

— Глафира! Что с тобой?!

— Ты это уже спрашивал.

Он растерялся. Переговоры зашли в тупик. Вернее, пошли по кругу. Это он уже говорил, а об этом уже спрашивал...

— Короче, я сейчас буду, — объявил он, запутавшись между кругами и тупиками.

За спиной у Глафиры вдруг что-то с силой бабахнуло так, что эхо прокатилось над соснами, она вздрогнула и уронила телефон со смятенным Андреевым голосом внутри.

И медленно оглянулась.

Странное дело. Дверь на террасе, двустворчатая,

15

высоченная и тяжеленная, которую Глафира оставила нараспашку, теперь была наглухо закрыта.

Но она не может закрыться... сама по себе!

Она специально сделана с какими-то «стопорами» и «упорами», чтобы случайный сквозняк не мог ее захлопнуть!.. Разлогов говорил, что, если такими дверьми хорошенько хлопнуть, ровно половина участка окажется засыпанной битым стеклом.

Извержение вулкана Везувий. Гибель Помпеи.

Позабыв про телефон, Глафира быстро пошла к дому. Поскользнулась на жухлой траве и чуть не упала.

Сердце сильно колотилось, и ладони вспотели. Сосны шумели в вышине, и их шум вдруг показался Глафире угрожающим.

Перед террасой, спускавшейся в сад широкими пологими ступенями, было светлее. Глухие заросли жасмина и старой сирени отступали к беседке и мангалу, которым Разлогов очень гордился и даже на работу не ездил, когда его устанавливали, — наблюдал и помогал класть печь, это Разлогов-то!..

Шлепая нелепыми тапками, Глафира взобралась по ступеням на террасу и потянула на себя дверь. Дверь не шелохнулась. Глафира перевела дыхание, зачем-то подергала холодную и влажную ручку и опять потянула.

Так, спокойно. Она не может захлопнуться — «стопоры», «упоры» и всякое такое...

Эту дверь закрыть и запереть можно только изнутри.

Изнутри... Изнутри...

Глафира скатилась со ступеней, оступилась, шлепанец свалился с ноги. Бежать в одном было неудобно, но она бежала.

Были еще два входа — со стороны ворот и подъездной площадки, и в цокольный этаж вела отдельная дверца, которой пользовался в основном садовник Юра, а зимой голый Разлогов сигал из нее в сугроб, насидевшись до обморока в сауне.

Глафира *точно знала*, что обе эти двери заперты, но все же бежала.

Парадный вход в ее — в разлоговский! — дом был закрыт наглухо.

Его не открывали с того самого дня, когда она, Глафира, приехав домой, нашла на полу в гостиной Разлогова. Беломраморное нелепейшее крыльцо с балюстрадой было застлано мокрыми листьями, которые никто больше не убирал.

Глафира навалилась на дверь, но что толку наваливаться!..

Внезапно ледяной и плотный ветер как будто кинулся холодом ей в лицо, раскидал волосы, обдал горящие щеки, и листья полетели под ноги, как карты из рассыпавшейся колоды.

Глафира замерла.

Там, в доме, кто-то ходил. Неясная тень прошла в окне, Глафира видела ее смутное шевеление. С улицы казалось, что в доме темно, но все же тень шевелилась — совершенно отчетливо!

— Господи, — пробормотала Глафира, и зубы у нее стукнули.

Два стрельчатых окна гостиной выходили на парадное крыльцо по обе стороны высоченной готической двери, и там, за этими окнами, кто-то чужой ходил по ее дому!

Он, этот чужой, запер двери и теперь хозяйничает там, внутри!..

Он, этот чужой, знает, что у дома больше нет хозяина, а Глафира не в счет! Ее можно оставить на улице, запереть у нее перед носом двери, только и всего!..

Конечно, безразличие и апатия последних дней, когда Глафира целыми часами сидела в кресле и смотрела в стену, рано или поздно должны были закончиться. Они и закончились — в эту самую секунду.

Зарычав от бессильного бешенства, Глафира голой ногой стукнула дверь — та даже не шелохнулась, — скатилась с крыльца и помчалась к гаражу — где были сложены кирпичи, с тех самых пор, как возводили мангал и беседку. Она разобьет окно, влезет в дом и разберется со всеми тенями, которые шатаются там, внутри! Никто не смеет без спроса влезать в ее дом!

Трава была скользкой и мокрой, и оставшийся на ноге шлепанец ей очень мешал, на ходу она его скинула, и он улетел куда-то в сторону дрожащих от ветра облетевших кустов жасмина.

Есть же еще одна дверь! Я совсем про нее забыла.

С кирпичом в руке Глафира повернула за угол, к клумбам и альпийской горке, над которой смеялись все разлоговские гости. Горки давно вышли из моды, но Разлогову было наплевать. Ему очень нравилась его горка.

Глафира проломилась через горку, осыпая камушки и ломая стебли еще оставшихся цветов, выскочила на плитку и уже взялась рукой за кованую решетку, ограждавшую несколько ступеней в цокольный этаж, но потянуть дверь не успела. Что-то с силой дернуло ее за волосы, она взвизгнула, отшатнулась, присела от боли, и тут как будто камни обрушились на нее с вершины горы.

Больше она ничего не видела.

Больше всего на свете Андрей Прохоров ненавидел автомобильные пробки, бесталанных журналистов и гламурных барышень.

В пробках он зверел, матерился, тыкал в кнопки

приемника, и от речей и песнопений, которыми разражался приемник, зверел еще больше.

...губернатор ...кской области поздравил ветеранов с годовщиной битвы под... Эта волнительная встреча проходила в только что открытом в областном центре ледовом дворце...

...а я стою у окна, за горизонтом весна-а, а я одна и одна-а, ла-ла, ла-ла!

...расценивает происходящее событие с точки зрения рядовых граждан, для которых характерна именно такая точка зрения, о которой я сейчас говорю, а навязывать им другую точку зрения вопрос не простой, и мы, депутаты, обязаны, так сказать, в общем и целом разделять точку зрения нашего народа, даже если она где-то расходится с нашей личной точкой зрения.

...а в небе луна, и она не права, это была не я, я похожа на волка и слегка на тигрицу, ламца-дри-дри-дрица, вою я на дверь, вою я на дверь!..

...вчера наши ребята особенно отличились в матче с Новой Гвинеей. Несколько особо опасных моментов сложилось во втором тайме, когда вратарь гвинейцев отбил мяч и упал, а добить его было некому...

И так везде, и так повсюду, и каждая кнопка приемника — как дырка в чьем-то болезненном, извращенном сознании, и через эту дырку вырывается, посвистывая, нечто серое, бесформенное, но очень заразное, как это полюбившееся всем в последнее время слово «волнительно»!

Нет такого слова! Не существует его в природе!

Бесталанных журналистов Андрей Прохоров терпеть не мог, потому что в основном с такими ему и приходилось работать.

Андрей Прохоров был главным редактором журнала.

Свой журнал он любил, но сотрудников подчас

ненавидел. Половина из них была уверена, что Бен Гурион связан кровными братскими узами с Бен Ладеном, и оба эти «Бена» еще как-то связаны с самолетами и аэропортами. Другая половина в текстах употребляла выражения типа: «Несколько теплых слов», «умные руки хирурга», «усталые, но довольные глаза губернатора», «стол ломился от изобилия и гостеприимства».

С этим ничего нельзя было поделать.

— Как вас учат?! Чему вас учат?! — гремел главный редактор на летучках и напрягал очередным шедевром. — Что это такое — премьера прошла при большом скоплении истеблишмента и селебритис? Какое такое «скопление истеблишмента», а?! Научитесь сначала слова различать, а потом лезьте в журналистику!

Подчиненные отводили глаза, сопели, ерзали, но писали по-прежнему плохо, глупо, топорно! Совсем никудышных Прохоров увольнял, приходили следующие, и все начиналось сначала.

Гламурные барышни тоже некоторым образом являлись частью его работы, и это была самая трудная и нелюбимая ее часть. Время от времени о них приходилось писать, и... — боги, боги! — что это были за материалы. Барышень, как правило, Андрею «заказывали» — за деньги, по дружбе или за «просто так».

«Просто так» — это когда звонил издатель и говорил:

— Старина, нужно, понимаешь, одну лебедушку в плавание пустить! Сделаешь?..

«Стариной» издатель называл Прохорова всегда, как будто не мог запомнить его имя.

«Лебедушками» были все барышни без исключения. Им могло быть двадцать лет, а могло и сорок, они могли трудиться в поте лица на ниве журналистики или дизайна, а могли просто украшать собой жизнь какого-нибудь хорошего и небедного человека. Они могли проживать в Горках-Вторых или в небольшой, всего сто восемьдесят метров, квартирке-студии на Моховой. Какая разница... Лебедушка, она и есть лебедушка. Андрей никогда не вникал, какой интерес у его издателя именно к данной лебедушке, хотя тот иногда пытался объяснять, и объяснял так путано и туманно, что Андрею в конце концов становилось смешно.

По дружбе и за деньги заказывали материалы про новых жен, про потенциальных или уже состоявшихся любовниц и — очень редко! — «про сестру моего армейского кореша».

— Кореш — правильный пацан, у него сеть спортивных супермаркетов «Кросс», знаешь? И струха подросла, классная деваха, сейчас свою линию одежды хочет создать! Помоги по дружбе, а?..

Андрей «помогал», но такого рода материалы были до крайности однообразны, похожи друг на друга, как голландские розы в букете, а потому скучны до зубовного скрежета.

Гламурной барышне полагалось три профессии на выбор — дизайнер, продюсер или журналист. Эта последняя иногда трансформировалась в «телеведущую», хотя Андрею Прохорову за семь лет на посту главного редактора так ни разу и не удалось увидеть, чтобы «телеведущая» хоть что-нибудь хоть куда-нибудь вела. Интервью формировалось в основном в зависимости от места, оставшегося под фотографиями.

Фотографий полагалось по две на каждый из исторических моментов жизни «звезды». Вот «школьные годы чудесные» — очаровашка в бантах и локонах — первый раз в первый класс, и та же очаровашка в локонах и декольте на выпускном балу. Вот «дебют» — очаровашке непременно вручают какой-то диплом на какой-то сцене. Тоже две фотографии, непосредственно с дипломом и с тем же дипломом, но рядом с каким-нибудь «узнаваемым лицом» — Андреем Малаховым, Павлом Астаховым или Дмитрием Гориным. Как правило, «узнаваемые» на таких фотографиях смотрят в сторону, и вид у них неуверенный, словно они до конца не понимают, что происходит. Обязательной была также пара изображений в купальнике, в одиночестве или в обнимку с бойфрендом, который, собственно, материальчик и оплачивает. Ну и конечно, «в интерьере». Те самые Горки-Вторые или квартира-студия на Моховой — стеклянные стены, черные полы, похожие на асфальтовые, светильники в виде пауков, деревянные стулья, приколоченные ножками к потолку, свечи, непременно белые, красные и черные, в неправдоподобно огромных стеклянных колбах. Просторы, ломаные линии, хромированные поверхности, босые ноги очаровашки, попирающие лохматый ковер, непременно белоснежный. Необъятное озеро гигантского монитора, лучше всего с символикой «Apple». И нигде ничего похожего на... обычную жизнь. Ни книг, ни брошенных кофейных чашек, ни надкушенной булки.

Гламурным барышням не полагается жить обычной жизнью и откусывать от булки!

Андрей, конечно, ставил такие материалы — а куда денешься-то?! — но старался делать это не слишком часто, чтоб уж очень-то не ронять престиж журнала, и под каким-нибудь приемлемым соусом. Ну то есть вроде бы материал про престижную бизнес-премию, а тут, как рояль, или лучше сказать, балалайка, в кустах — ать, и барышня! И говорит в том смысле, что очень хотела бы эту премию получить, когда ее, барышнин, бизнес уже выйдет на международный уровень!

Сегодня с самого утра, едва вернувшись в Москву, он получил все удовольствия сразу — и пробки, и мелкий моросящий дождь, и очередной шедевр про очередную светскую львицу. У этой даже профессии никакой не было, зато все время повторялось, что она — именно львица.

— Точно львица? — спросил Прохоров у Дэна Столетова, который писал текст. — Ну в смысле не тигрица?.. Не пума? Не снежный барс? Или как ее тогда... барсица? Барсетка?

Дэн Столетов, сообразивший, что дело клонится к скандалу — или пахнет керосином, кому как больше нравится, — коротко вздохнул, положил ногу на ногу и независимо посмотрел в стену.

Вы можете кричать тут хоть до ночи, а материал в набор ушел давно — вот что означал его вид, и Прохоров это прекрасно понял.

— Кто хоть она такая, Дэн? Чья?

Журналист, ожидавший грандиозного скандала, — материал был плох, и он отлично это знал! — немного приободрился.

— Так это... А вы что, забыли, Андрей Ильич? Это новая пассия Разлогова!

Андрей Прохоров, главный редактор журнала «День сегодняшний», выглянул из-за компьютера и уточнил совершенно равнодушно:

— Покойного Разлогова?

Все бы ничего, только ладони моментально стали мокрыми. Прохоров снял руки с клавиатуры.

— Ну да! — радостно подтвердил Дэн Столетов. — Это еще до вашей командировки было! Ну мы тогда смеялись на летучке, помните? Что у Разлогова они с каждым годом все моложе и все краше!..

На летучке смеялись над Разлоговым, а в курилке смеялись над Прохоровым, который, с одной стороны, амурничал с разлоговской законной супругой, а с другой стороны, за денежки пиарил разлоговских телочек!

Чем не жизнь! Хорошо шеф устроился, грамотно.

Прохоров поделал руками непонятные пассы, как бы ища на столе сигареты. Ясное дело, не нашел и полез в карман пиджака, сначала в один, потом в другой. Время таким образом было выиграно. Несколько секунд, чтобы все осознать.

Да, конечно. Полтора месяца назад позвонил издатель, сообщил про очередную «лебедушку».

— Это для Володьки Разлогова, — поделился издатель доверительно. — Хороший парень, умница и деловой! В общем, сделай все как надо, старина. Даже лучше, чем надо, сделай!

Прохоров пообещал, что все будет в лучшем виде, и тут вдруг издатель захохотал, как будто вспомнил нечто приятное.

— Помнишь, ты про его жену материал ставил? Ну Глафира Разлогова!.. Такая... фактурная такая! А теперь вот про подружку!

Андрей распорядился относительно «подружки».

Пока он был в командировке, Разлогов умер, его вдова куда-то подевалась, оказалось, что она летала его хоронить, а подружка «ушла в набор».

— Вы фотографии-то видели? — подал голос Дэн Столетов. В голосе сквозило ехидство. — Сапогов снимал, отлично получилось!

Прохоров, отмахиваясь от собственного сигаретного дыма, пощелкал мышью, полистал туда-сюда.

М-да. Получилось действительно отлично.

Беловолосая львица — снежная барсица — была представлена во всех необходимых для такого материала ипостасях. Тут были и балы выпускные, и, так сказать, «впускные», и светские рауты, и «домик в деревне» — особняк с белыми колоннами, — и океанский простор, и песок на загорелой коже, и сам Разлогов, прищурившийся и раздраженный, на заднем плане.

— Эту тоже поставили?! — Прохоров ткнул сигаретой в монитор. — А, Дэн?

— Какую? — Столетов рысью обежал стол и засопел у Прохорова над ухом. — А... ну да! А что, Андрей Ильич? Разлогов уже того... ну, в смысле, ему все равно, а фотография красивая такая, из ее личного архива. Ей, наверное, приятно будет... Напоследок на него в журнале посмотреть...

Прохоров опять пролистал фотографии туда-сюда.

Сапогов постарался, это точно! Классные фотографы иногда позволяют себе такое. Умеют. Могут.

Все вроде хорошо и правильно. И красота вроде налицо, и вроде необыкновенно красивая красота! И пейзажи расстилаются, и наряды развеваются. Все как надо.

Но... лучше не надо, ей-богу!

Что-то эдакое фотографы умеют то ли подчеркнуть, то ли выделить, то ли затемнить, но общее впечатление получилось однозначным и убийственным. Фальшь. Сплошная фальшь.

Длинные белые волосы — хорошо, если крашеные, а не накладные! Бюст — два кубометра силикона, гадость какая. Пухлые зовущие губы пошлы и развратны. Дом с колоннами — съемная хата для дорогих проституток, ничем не лучше вокзальной ночлежки, разве что почище. Никакого цельного образа — львицы, тигрицы или просто красивой девушки — нет и в помине. Все отдельно, вразнобой, разобрано по деталям, и эти детали отвратительны.

М-да...

Дэн Столетов все сопел за плечом, видимо, был в восторге от их общей с Сапоговым придумки.

— Это нельзя ставить, — тихо и грозно сказал Прохоров и, оглянувшись, очень близко посмотрел в мальчишеские шоколадные глаза журналиста. — Ты что, не понимаешь?

Дэн отшатнулся и сразу заскулил, как мелкий жулик, пойманный за руку в чужом кармане.

— Не, ну при чем тут?! Андрей Ильич, я тут ни при чем! А вам что, фотографии не нравятся?

— Мне ничего не нравится! — рявкнул Прохоров. — Отзывай материал из набора! Где Феофанов, мать его!

Феофанов сегодня был дежурным редактором.

— Да как его отзывать, он же проплатной, — по инерции бормотал Дэн Столетов, — и чем мы место забьем, три полосы...

— Не твое собачье дело!.. Галя! — заорал Прохоров в селектор. — Галя!

Селектор не отзывался, и главный вновь повернулся к корреспонденту, который на всякий случай отодвинулся подальше.

Ишь, как взбеленился! Должно быть, из-за разлоговской вдовицы! Не хочет, должно быть, покойнику посмертную репутацию портить, хотя больше уж не испортишь!

Стеклянная дверь распахнулась, открылся редакционный коридор, залитый синим офисным светом, и всунулась секретарша. Прохорова всего перекосило.

— Где тебя носит, Галя?!

— Что вы хотели, Андрей Ильич?

— Феофанова я хотел! И хочу!

Секретарша помолчала, выполнять приказание не кинулась.

— Что непонятно, Галя?! Если главный редактор просит срочно найти сотрудника, значит, нужно срочно найти, Галина!

Секретарша пожала плечами совершенно хладнокровно.

— Постараюсь, Андрей Ильич.

26

И закрыла дверь. Главный и корреспондент уставились друг на друга.

Ой что будет, со сладким ужасом подумал корреспондент.

Ой что сейчас будет, мрачно решил про себя главный.

Извержение вулкана Везувий. Гибель Помпеи.

Дверь распахнулась, и влетел Феофанов, худой, нервный и издерганный. Он ничего не понимал и вины за собой никакой не чувствовал.

Ну был материал про какую-то Олесю Светозарову, все по договоренности, как заплатили, три полосы, восемь фотографий, полный цвет! Что не так-то?

— Вернуть из набора! — загремел Везувий. — Ты что, Феофанов? Фоток не видел?! И Разлогов перекинулся, а за материал этот он платил!

— Да все проплачено вперед, Андрей!

— И х... с ним! Это неприлично просто, ты чего, не догоняешь?! Он там есть, в материале!

— Кто?!

— Разлогов, мертвый! То есть тогда еще живой!

— И чего?!

— Он помер, а мы его живого ставим, да еще с бабой! Меняй материал, Феофанов! Кому говорю!

Тут дежурный редактор посмотрел на главного как будто с сочувствием и сказал осторожно:

— Андрюш, ты там, в своей... Венесуэле, счет дням потерял. Сегодня уже... десятое, а не восьмое и не третье. Тираж в типографии, вечером продаваться будет...

Дэн Столетов замер, и рот у него приоткрылся, как у идиота. Сегодня и вправду десятое, елки-палки! Это что значит? Зарплата скоро, вот что это значит!

А тираж и впрямь почти в продаже!.. Изменить ничего нельзя.

И тут, словно в подтверждение того, что ничего уже не изменить, за матово-стеклянными стенами кабинета главного пронеслась какая-то тень, ломающаяся на углах и стыках, а за ней еще тени, погуще и пожирнее, и только потом добавились шум, гул и топот, и Феофанов изумленно поднял брови, а Дэн Столетов вытянул шею.

— Остановитесь! Остановитесь, кому говорю!

— Девушка! Девушка, предъявите паспорт!

— Задержите ее! Стой, стой!

Прохоров быстро пошел к двери, но она сама распахнулась ему навстречу, и в кабинет ввалилась целая толпа.

— Что?! Что происходит?

Дэн Столетов — из соображений безопасности! — юркнул в открытую балконную дверь и там затаился.

— Андрей Ильич, мы ничего не могли... — начал один из ввалившихся охранников. Он с трудом дышал и вращал глазами. — Ну не бить же ее, Андрей Ильич!

— Я требую разбирательств! — собравшись с силами, вдруг закричала платиноволосая тоненькая девушка, и секретарша Галя отшатнулась в сторону. — Я в милицию заявление напишу! Вы что, не понимаете, что это уголовное дело?!

— Мы ничего не могли, Андрей Ильич, ничего! Ну не бить же, на самом деле...

За матовой стеной кабинета было черным-черно от собравшегося в коридоре народа.

Прохоров хотел что-то сказать и осекся. Дэн Столетов потихоньку выбрался из-за балконной двери. Тоненькая девушка продолжала бушевать.

— Если это подтвердится, если только подтвердится, вы все, — тут она ткнула охранника пальцем в грудь, — пойдете под суд! И вы тоже!

Это она выкрикнула в лицо Прохорову, и Дэн

Столетов с холодеющим, как в минуты сильной опасности, сердцем узнал в ней героиню сегодняшнего злополучного материала, любовницу покойного Владимира Разлогова Олесю Светозарову — львицу или тигрицу, у которой он сам две недели назад брал интервью.

Тут она вдруг заметила Дэна и пошла на него, замахиваясь смешной крошечной сумочкой. Глаза у нее налились слезами.

— Это ты, ты! Куда ты его дел?!

Дэн попятился, зацепился за стул и с размаху сел на пол. Стул покачнулся, не устоял и тоже рухнул. Дэн взвизгнул от боли — стул ударил его по коленке, больно.

— Ти-хо! — гаркнул Прохоров, про которого все забыли, и вдруг наступила тишина. Только сопели охранники и всхлипывала девушка. Даже в коридоре стало необыкновенно тихо.

— Что случилось? — среди этой тишины спросил Прохоров. — Вы ведь... госпожа Светозарова, если не ошибаюсь?

— Да, да! — закричала девушка. — Не ошибаетесь! Ваши... ваши... бандиты брали у меня интервью. И особенно этот!

Она вздернула подбородок и им показала на Дэна. Видимо, хорошие манеры не позволяли ей показать пальцем.

— А еще про маму мою спрашивал, мерзавец!

Прохоров растерялся:

— Почему бандиты?! Почему мерзавец, госпожа Светозарова?! — Он быстро взглянул на Дэна. — Это... наш корреспондент, Денис Столетов, и никакой он не...

— Он вор, нет, он грабитель! — завизжала девушка. — Пока один фотографировал, другой грабил!

Все посмотрели на Дениса Столетова, который ничего не понимал.

— Я вор? Я грабитель? — переспросил он и вдруг улыбнулся на одну секунду доброй мальчишеской улыбкой. А потом побагровел до ушей, до корней волос. — Я у вас украл?!

— Или ты, или тот, второй, — выпалила девушка. — Ну что ты на меня смотришь?! Ты думал, я никогда не хвачусь, да?!

— Что у вас украли?! — Это Прохоров вступил. — И почему вы уверены, что украли именно... мои люди?

Девушка открыла свою крохотную смешную сумочку — руки у нее сильно тряслись — и достала пакетик с салфетками. Открыть его у нее получилось не сразу.

Все стояли и смотрели, ждали, пока она откроет. Зарычав, она разорвала пакетик и выхватила салфетку.

— У меня украли перстень, — отчеканила она и приложила салфетку к лицу. — Очень дорогой, вы даже не можете себе представить, насколько! И это не просто перстень! Это подарок самого близкого человека, и перстень пропал! А человек умер! Понимаете, умер! И он подарил мне кольцо, а эти... сволочи его стащили!

Прохоров невольно покосился на Дениса, и тот, залитый тяжелым, жгучим, температурным румянцем, забормотал по-детски:

— Я не брал... Я ничего не брал, Андрей Ильич, правда...

— Девушка, милая, с чего вы решили, что...

— Я вам не милая! — прорыдала милая девушка из-за своего скомканного бумажного платка. — И не смейте так говорить! Я точно знаю, что это они утащили!

— Да почему?!

— Потому что мы разговаривали в алькове. —

Она так и сказала «в алькове». — А туда никто из посторонних никогда не заходит! Даже слуги!

Она так и сказала «слуги», и Галя, секретарша, вдруг стрельнула в нее глазами и усмехнулась недобро.

— Так, хорошо, — быстро подхватил Прохоров, — слуги не заходят, и дальше что?!

— Дальше они сказали, — снова подбородок вперед, в сторону Дэна Столетова, — что нужна интимная обстановка! Что чем интимней, тем лучше! Ну для интервью лучше! И для фотографий, чтоб красиво было. Ну я их и пригласила в альков!..

Прохоров вдруг как будто очнулся, оглянулся по сторонам — неистовое, первобытное, жаркое любопытство истекало из горящих глаз, сочилось с полуоткрытых губ, собиралось и закручивалось в смерч, в центре которого были Прохоров и красотка.

— Я прошу всех немедленно выйти, — тихо и твердо сказал Прохоров.

И, чуть повысив голос:

— Пожалуйста, без дискуссий!

Ясное дело, никто не двинулся с места — еще бы!..

— Я заявление в милицию напишу, я всем газетам расскажу! А тебя, гаденыш, я своими руками!..

Нет, решил Прохоров, дело так не пойдет! Мягко, но твердо он взял обоих охранников за надувные резиновые плечи, развернул к двери и подтолкнул. Охранники переступили слоновьими ногами, и дальше дело застопорилось. Прохоров кивнул Гале, рывком поднял валявшийся на полу стул и так, со стулом в руках, пошел на журналистов. Умная Галя раскинула руки, как наседка крылья, и тоже двинулась на толпу.

Девушка всхлипывала и порывалась вцепиться в

волосы Столетову, а тот отмахивался от нее, как от мухи, делая нелепые пассы руками.

В несколько приемов, не сразу, Гале с Прохоровым удалось вытолкать всех за дверь — теперь темная туча народа за матовым стеклом выглядела угрожающе, как грозовая.

Галя оглянулась, и Прохоров велел:

— Воды принесите!

Секретарша кивнула, зачем-то осмотрела кабинет, шагнула вон и плотно прикрыла за собой дверь. Шум голосов отдалился и звучал теперь смутно, как раскаты дальнего грома. Гроза, гроза прошла...

— Зна-чит, аль-ков, — почти по слогам выговорил Прохоров. — Да встань ты уже, Дэн!

Столетов посмотрел, не сразу сообразив, чего от него хотят, а потом все же поднялся.

— Ну да, да, альков, — заговорила девушка с ожесточением, — у меня там был перстень. Ну тот самый, который Володя подарил, он в специальной коробочке лежал, а они его сперли! Я это дело так не оставлю! Я в милицию пойду!

— А что такое альков? — задумчиво уточнил Прохоров. — А?..

— А?! — повторил Дэн.

Девушка громко высморкалась в скомканный платочек.

— А это у меня в доме такой... будуар, — выдала она. — Он примыкает к спальне и к гардеробной, и я никому не разрешаю туда заходить, даже горничной.

— Альков и будуар, — повторил Прохоров. — А там у вас что? Сейф?

— У меня вообще нет сейфа! И перстень просто так лежал, в коробочке, а потом пропал! А я только сегодня обнаружила! Потому что я его и не надела ни разу, только на съемку! Которую вот эти двое делали! Они сказали, что в алькове будет лучше всего!

— Дэн, чего вас понесло-то с Сапоговым?! В альков им захотелось! Девушка... Олеся, вы перстень в последний раз видели именно на съемке? И больше нет?

— Я его сняла и положила в коробочку после первого «лука». На второй «лук» мы в гостиную перешли, к камину. Я хотела потом проверить, но, просто... Володя приехал, а потом он уже... умер, и я вспомнила про перстень только сегодня. Полезла, а его нет! Его никто, никто не мог взять, кроме этих двух!..

— Да не брали мы ничего, Андрей Ильич!

— А что, этот будуарный альков запирается на замок?

Девушка кивнула и опять высморкалась.

— Еще на какой! Я там и пыль сама стираю, и убираюсь сама!

— Убираю, — машинально поправил Дэн Столетов, грамотей и умник, и Прохоров с девицей посмотрели на него с изумлением.

— А что? — перепугался Дэн. — Что такое? Правильно говорить «я убираю», а не «я убираюсь».

— Вот что, — вдруг решительно сказала девица, — я в милицию не пойду. Я Марку пожалуюсь. Вы знаете, кто такой Марк?

Прохоров с силой выдохнул.

— Кто такой Марк?

— Волошин. Заместитель Володин. И он, к счастью, жив и здоров! Он не оставит меня без защиты. Он знал, как Володя... как Володя ко мне относился. И он мне поможет! — Она выпрямилась и запулила бумажным катышком в урну. И не промахнулась. — Кстати, это хорошо, что вы не знаете Марка. Он человек... страшный. С ним лучше вообще... не знакомиться. И я все, все ему скажу!..

— Вы нас не пугайте, девушка... Олеся... — огрызнулся Прохоров.

Господи, еще и кольцо пропало! Прохорову уже давно нужно было позвонить, он то забывал, то вспоминал об этом!

Словно отвечая на его мысли, на столе зазвонил телефон. Совершенно уверенный, что это Галя интересуется, подавать ли кофе — или что там? Воду? — Андрей нажал на черном мигающем аппарате кнопку громкой связи.

— Але!

— Прохоров? — спросил равнодушный голос, совсем незнакомый.

Андрей перестал расхаживать по кабинету и сверху посмотрел на телефон.

И сказал осторожно:

— Да?

— Мне известно, что именно вы убили Владимира Разлогова, — продолжал равнодушный голос, как будто по бумажке читал. — Известно, за что и каким способом.

Девушка судорожно вздохнула и вцепилась тоненькими пальчиками в рукав Дэна Столетова.

— Вам надлежит обдумать эту информацию, — продолжал чеканить голос из телефона, — я сообщу вам, что хочу получить в обмен на молчание. Ждите звонка.

— Стойте! — заорал Прохоров и сорвал трубку со сверкающего черной пластмассой аппарата. — Подождите! Кто вы?!

Но в трубке только пунктирно и пронзительно гудело.

Волошин некоторое время посидел в машине. Хорошо бы так до вечера просидеть. В мире было холодно, неуютно и осенне-печально. В машине славно пахло сигаретами, играло радио, из решетки отопителя дуло ровным теплом.

Деревья качались высоко-высоко, и небо в разрывах дождевых нахмуренных облаков было очень синим. Почему такое небо бывает только осенью?..

Волошин посидел еще немного, потом вытряхнул из пачки сигарету, малодушно решив, что хочет курить. Он курил и думал, что курить вовсе не хочет. От каждой затяжки на языке оставалась тошнотворная вязкость. Листья вдруг сыпанули на лобовое стекло, должно быть, ветер принес. Волошин включил «дворники», согнал осеннюю разноцветность вниз. Один листок, самый стойкий, зацепился и теперь мотался вместе с «дворником».

Тук-тук — равномерно постукивал «дворник».

Тук-тук — постукивало в такт сердце. Оно у него побаливало последнее время.

Ну все. Хватит разводить антимонии — или антиномии, он никогда не мог запомнить! Кажется, это что-то из «большой литературы» — какой-то герой путался так же, как и Волошин, демонстрировал необразованность.

Он затолкал окурок в переполненную пепельницу и решительно выбрался из машины. Ничего не поделаешь, надо идти.

Когда Разлогов умер, было еще тепло, листва, яблоки на траве. А сейчас такая глухая безнадежная осень, как будто с тех пор прошло сто лет.

Хорошо бы с тех пор прошло сто лет!..

Волошин сунул руки в карманы и посмотрел сначала в одну сторону, потом в другую. Пуста была поселковая улица. Только голые рябины дрожали на ветру и кусты сирени все сыпали и сыпали некрасивые скрученные, как будто побитые плетью листья.

...Почему так? Почему даже листья умирают по-разному? Одни — красиво, гордо и разноцветно, а другие — глупо, скрюченно, торопливо?

Волошин перепрыгнул лужу, подошел к калитке, похожей на врата готического замка, и позвонил.

Конечно, никто не ответил.

Разлоговская вдова, насколько было известно Волошину, в первую очередь выгнала всех из дома. Не осталось никого, ни водителя, ни домработницы, некому дверь открыть!..

Дура, мать ее, даже на похороны никого не пустила!..

Волошин помедлил и позвонил снова. Никакого ответа. Впрочем, ничего другого он и не ожидал.

Забор, в духе крепостной стены все того же готического замка, шпилями и башенками почти упирался в облака. Волошин поднял голову и посмотрел.

...Почему так? Почему даже в самом сером и безысходном небе всегда бывают ослепительно-синие просветы, в которых кувыркается солнце? Почему так никогда не бывает в жизни?

Шпили и башенки, а также флюгер с флагом и кошкой, выгнувшей презрительно хвост, придумал знаменитый архитектор Данилов — фантазер и эпатажник.

Разлогов с ним дружил, а Волошин был уверен, что Данилов больной.

Больной или здоровый, архитектор Данилов тем не менее спроектировал забор так, что штурмом его было не взять — надо отдать должное и Данилову, и забору. Но попасть на участок несанкционированно все же было можно. Этот способ попадания придумал сам Разлогов, который то и дело забывал ключи.

Волошин еще раз глянул по сторонам — никого — и решительно полез в заросли бузины и рябины, которыми был обсажен разлоговский участок.

Полоумный архитектор Данилов насоветовал. Сказал, что рябина с бузиной вполне средневековые деревья. Средневековые деревья осыпали Волошину на куртку и за шиворот листья и тяжелые осенние капли.

Волошин, отряхиваясь, как мокрый пес, добрался до выступа в стене, сделанного в виде башенки, и зашарил по влажным, как будто замшелым, кирпичам. Пальцы нащупали резиновый козырек, а под ним толстую упругую кнопку.

Волошин вдавил кнопку, которая важно и громко щелкнула, и стал выбираться из средневековых — вполне! — зарослей. Выбравшись, он зачем-то потопал по гравию ногами, словно вылез из сугроба, и толкнул калитку, подавшуюся удивительно легко.

Ну вот. Все очень просто.

Между деревьями виднелся дом, и — вот что хотите делайте! — вид у него был нежилой и мрачный, как будто дом знал, что хозяин больше никогда сюда не вернется.

Волошин аккуратно прихлопнул за собой калитку и пошел по веселой дорожке, вымощенной, как в сказке, желтым кирпичом. На дорожке стояли лужи.

Раньше никаких луж не было. Садовник Юра «разгонял» их длинной шваброй, и лужи весело сливались в водостоки, и листья подметали, и плитку чистили, чтобы не было «запустенья», которого Разлогов терпеть не мог.

Дом вдруг выступил из деревьев, будто шагнул навстречу Волошину — двери закрыты, в окнах темно, балюстрада парадного входа засыпана листьями.

Может, и впрямь никого нет!.. Впрочем, Волошин точно знал, что есть.

Он поднялся по широким ступеням, позвонил —

дом даже не дрогнул, ничто не отозвалось за стенами из серого камня. Архитектор Данилов построил крепость в прямом смысле этого слова!

Ну что ж, попробуем с другой стороны.

Волошин пошел в обход — собственно, в разлоговский дом почти никто и никогда не заходил с парадного входа, и этот путь к двери, открывающейся в сад, был привычен и хорошо знаком.

Вон гамак между соснами. Вон проглядывает беседка, а рядом с ней площадка с островерхой печью. Здесь летом жарили мясо, пили вино и жгли костер — любимое разлоговское место. Вон на идеально ухоженном газоне навалены камни, а между камней натыканы какие-то невразумительные цветы. Разлогов утверждал, что эти цветы — вереск, а камни — альпийская горка.

Волошин вдруг улыбнулся и наступил в лужу.

Конечно, Разлогов был мужик тяжелый и неприятный, что говорить!.. Но вот горку свою любил. И костер, и горячее мясо, и собак любил тоже. По всей видимости, больше никого и ничего он не любил, но и этого вполне достаточно, чтобы оставаться... человеком.

Волошин обогнул кованую решетку, окружавшую несколько ступенек в цокольный этаж, повернул за угол и...

Вдова Разлогова лежала на нижней ступеньке широкого пологого крыльца. Обе створки стрельчатых двойных дверей за ее запрокинутой головой были распахнуты настежь. Мобильный телефон, видимо отлетевший в сторону, когда она упала, вдруг зазвонил, и Волошин первым делом поднял его и сунул себе в карман.

— Глафира Сергеевна! Але! Але! Вы живы?

Ничего глупее этого самого «але» придумать было нельзя, но Волошин не знал, как именно следует обращаться... к трупу.

...Или она пока не труп?

Он потянул ее за руку, бледную, совсем не загорелую, с голубыми прожилками вен. Рука была холодной и влажной, и Волошина чуть не стошнило от отвращения.

Неврастеник, твою мать! Слюнтяй и неврастеник!..

Но что делать, если Волошин никогда не служил в спецназе, не работал в МЧС, не ездил на «Скорой» в морг, и вообще ничего героически-показательного или показательно-героического никогда не совершал. Полжизни он учился математике, а вторую половину жизни просидел перед компьютером, и что нужно делать с человеком, который уже умер или только собирается умереть, Волошин не знал!

Пульс. Кажется, нужно щупать пульс. Для этого снова придется взяться за влажную, безжизненную руку в голубых прожилках вен.

Чужой телефон у него в кармане трезвонил, выводил незнакомую мелодию не переставая. Волошин зачем-то вынул его, посмотрел и опять сунул в карман.

— Глафира Сергеевна, вашу мать...

И взялся за ее руку, как за нечто отвратительное, змею или лягушку. И наклонился к ее лицу — дышит или не дышит?..

Вдруг на этом лице, таком же бледном и неприятном, как и рука, распахнулись глаза, мутные и страшные. Волошин отшатнулся и руку бросил. Она гулко ударилась о деревянную ступеньку.

— Вы... живы? Але!

По ее шее прошла судорога, поднялись и опали ключицы, и Глафира резко села. И в ту же секунду стала заваливаться назад и повалилась бы, если б Волошин ее не подхватил.

Он подхватил и посадил ее прямо.

— Глафира Сергеевна, что с вами?! Вам плохо?

— Хорошо.

— Что?!

Она опять гулко, с судорогой сглотнула и повторила отчетливо:

— Мне хорошо.

Придерживая за плечи, Волошин пытался держать ее прямо, но она все заваливалась.

— Вы что? Упали?

— Меня ударили.

— Кто?!

Она открыла глаза, уже не такие мутные, но все же достаточно бессмысленные.

— Кто вас ударил, Глафира?!

Словно из последних сил, она пожала плечами.

— Вы вышли из дома, и вас ударили?!

Она кивнула.

Волошин неловко, под мышки, подтащил ее к балюстраде и кое-как прислонил.

— Я посмотрю. Вы можете сидеть?

Не отвечая, она снова закрыла глаза. Он обошел ее и осторожно вошел в дом.

В огромном — на самом деле огромном! — зале на первом этаже было тепло и пусто. Волошин стремительно огляделся.

Плед на диване, забытая кофейная чашка, трубка городского телефона на полу. Волошин аккуратно поднял трубку и нажал кнопку. Трубка не отозвалась, то ли разрядилась, то ли телефон был выключен. Зато телевизор работал! По бескрайней телевизионной глади скакал Михаил Пореченков в роли агента национальной безопасности Лехи Николаева. Он бодро скакал, раскидывая врагов разящими взмахами рук и ног. Кажется, в зубах он еще держал пистолет и разил неприятеля из пистолета тоже. Спецназ ему помогал. Волошин ему позавидовал. В его распоряжении не было ни пистолета, ни спецназа.

В камине осталась гора остывшей золы, видимо, разлоговская вдова его не чистила, а дверь в кабинет была закрыта.

На стойке, отделявшей так называемую кухню от просторов средневековой залы, залежи грязной посуды, остатки какой-то еды, начатые и брошенные пачки кофе, просыпанное печенье, крошки, бумажки!..

Волошин терпеть не мог неаккуратность, особенно... женскую. Особенно такую... нарочитую, похожую на специальную октябрьскую демонстрацию для окружающих — я горю́ю, я страдаю, вот же и посуда не мыта, и камин не чищен!..

И, конечно, нигде никого.

Волошин взбежал по лестнице и для проформы с площадки осмотрел второй этаж, хотя что он мог увидеть?! Не обходить же все комнаты, а также третий и цокольный этажи!

Волошин вернулся на первый этаж, на ходу покосился в сторону распахнутых двустворчатых дверей, за которыми маячило нечто неопределенное — разлоговская вдова, сидевшая на ступени, — вошел в небольшую комнату рядом с кабинетом.

Здесь был «мозговой центр» замка Владимира Разлогова. Негромко гудел сервер, темнели мониторы на стене, прикрытые железной дверцей, тянулись ряды электрических пробок, сюда же сходились кабели от камер видеонаблюдения.

Неизвестно зачем Волошин пробормотал:

— Простите! — и включил ближайший монитор. Потом следующий. Потом третий.

Затем зачем-то открыл железную дверцу, посмотрел на ряды пробок, потом распахнул длинный офисный шкафчик. На каждой полке шкафчика, один над другим, стояли системные блоки, абсолютно мертвые.

Вдова выключила сложную систему видеонаблюдения.

...Интересно, зачем ей это понадобилось? Что именно могли запечатлеть камеры, чего никто и никогда не должен узнать?

Волошин подумал немного и вышел к Глафире.

Она сидела на верхней ступеньке, сильно наклонившись вбок и опершись на локоть, голова опущена низко-низко. Волошин решил, что ей опять плохо, но оказалось, что лучше, чем было. Почти лежа щекой на широких и гладких досках, вытянув губы дудочкой, она пила из лужи.

— Глафира Сергеевна, что вы делаете?!

Она попыталась выпрямиться, не смогла, и Волошин помог ей, не без отвращения. Ну ничего он не мог с собой поделать!..

— Вы что, пить хотите?!

Она кивнула и облизала растрескавшиеся губы.

— Я принесу воды. Сидите спокойно. Или, может, вам... врача?

— Там посуда немытая, — зачем-то сказала Глафира ему в спину. — Принесите бутылку из холодильника.

Волошин принес.

Она отпила немного, а потом с заметным усилием приложила холодную бутылку к голове, видимо, к тому месту, которое ушибла, когда упала.

— Как вы упали? Поскользнулись?

Она разлепила глаза и посмотрела на него. Волошину на секунду стало стыдно за то, что он ее так... ненавидит.

— Я не упала. Меня ударили.

Волошин пожал плечами.

— В доме пусто. И на участке тоже никого нет. Я с той стороны шел, никого не видел.

— Меня ударили, — монотонно выговорила она. — Я вышла на улицу. Дверь, конечно, оставила открытой.

— Зачем вы вышли?

— Подышать. Какое-то время я просто гуляла, а потом...

— Вы гуляли?!

Она кивнула, сморщилась и передвинула бутылку, которую все прижимала к голове.

— В чем вы гуляли? В этом?!

Она проследила за его рукой. Он показывал на ее «леопардовые» шлепанцы, из которых торчали намазанные лаком ноготки.

...Они с Разлоговым собирались в отпуск, на море. Она приготовилась, купила шлепанцы и сарафан, ногти накрасила, но никакое море не состоялось.

Тут Глафира вдруг осознала, что идиотские шлепанцы у нее на ногах — оба!..

Но этого просто не может быть! Один она потеряла где-то поблизости, а второй зашвырнула в заросли на бегу. И ударили ее не здесь, а возле решетки цокольного этажа!..

— Подождите, — сказала она Волошину и поднялась, цепляясь за балюстраду. Он слегка ее поддержал, помог и отстранился.

— Подождите, — повторила Глафира, как будто он ей мешал. — Я была в саду, когда бабахнула дверь. Потом оказалось, что она захлопнулась.

— Дверь открыта, — заметил Волошин, решив быть чутким.

— Я попробовала ее открыть, — не слушая его, продолжала Глафира, — но она не открывалась. Да, точно. И я побежала на ту сторону, к тому крыльцу. И тапку я потеряла! Я пару раз поскользнулась, и она свалилась.

— Свалилась, — повторил Волошин.

Глафира отняла от головы бутылку и попила из нее. Струйка полилась изо рта, потекла по шее, залилась за воротник.

Волошин отвернулся.

— Те двери тоже были закрыты. Они всегда закрыты, понимаете, Марк! Но я посмотрела в окно. И в доме кто-то был! Я ничего не смогла разглядеть, но там совершенно точно кто-то ходил!

— Откуда вы это взяли, если ничего не могли разглядеть?

— Я знаю! — Она почти кричала. — И я побежала к двери в цоколь! Ну да! Я побежала, а вторая тапка мне все время мешала, и я ее куда-то зашвырнула. Не помню, в кусты! Я почти добежала, и тут меня... ударили. И я упала.

— А что вы хотели сделать с дверью в цоколь? Взорвать? Взломать?

Тут она как будто сообразила. Посмотрела на него, ладошкой вытерла мокрую шею и спросила с удивлением:

— Вы мне не верите, Марк?

Он посмотрел на сосны. Они качались торжественно и красиво. Сосны всегда напоминали ему органный зал.

— Вы вчера алкоголем не злоупотребляли, Глафира Сергеевна?

— С чего вы взяли?

— Вы лежали на крыльце, и двери в дом были открыты. Ни в доме, ни на участке никого нет. Ваша... — он поискал слово, — обувь на месте. Должно быть, вы выпили, потеряли равновесие, упали, ударились затылком...

— Телефон, — завопила Глафира. — У меня был телефон! Я его уронила, когда двери бабахнули! Точно! Я разговаривала и от неожиданности уронила, от звука, понимаете?!

— Где уронили? — уточнил Волошин.

Она махнула рукой в сторону сосен — органного зала.

— Там. Я же говорю вам, что вышла подышать! Звонил Дремов, и он мне очень надоел. Это я уже на улице была! А потом телефон опять позвонил, и я его уронила...

Волошин вынул из кармана трубку:

— Этот телефон вы уронили?

Глафира посмотрела:

— Ну... да. А где вы его нашли?

— Он был у вас в руке, — сказал Волошин сухо. — Ну почти в руке. Я его поднял, потому что он звонил.

— В руке? — оторопело переспросила вдова Разлогова.

Глафира как во сне взяла у него телефон, словно не знала, что это за предмет и для чего может быть ей нужен.

— Вы его держали, — повторил Волошин, проводив мобильник глазами. — А потом уронили. Когда упали.

Он весь подобрался от накатившей брезгливости и сказал громко:

— Да и в этих... с позволения сказать, туфельках вряд ли можно гулять, Глафира Сергеевна! А камеры вы зачем все повыключали?

— Какие камеры?

Если играет, значит, играет виртуозно. Инна Чурикова в роли Жанны д'Арк!

— Видеонаблюдения.

— Я не выключала.

Волошин вдохнул и выдохнул.

— Ну, кроме вас, некому, Глафира Сергеевна.

— Я не выключала!

— Но они выключены. Вам, наверное, хотелось... побыть одной, чтобы вас никто не видел и не слышал, да? Так сказать, погоревать в одиночестве. Вы и выключили. И забыли.

Это прозвучало так фальшиво, что он сам смутился.

— Я не забывала и не выключала, Марк!

— Кто звонил вам из Иркутска?

Тут что-то случилось. Превосходная актриса Инна Чурикова куда-то делась, и на ее месте оказалась перепугавшаяся до смерти, не слишком искушенная во вранье, совершенно не умеющая притворяться девчонка.

— Мне?! — ненатуральным голосом воскликнула Глафира с ненатуральным же удивлением. — Из какого Иркутска?!

— Который на Ангаре, — сказал Волошин, соображая, что бы такое могли значить подобные превращения.

— Мне никто не звонил ни из какого Иркутска! У меня там никого не осталось после того, как Разлогов... умер. И вообще, с чего вы взяли, что кто-то звонил именно из Иркутска?!

— Ваш телефон...

Она вдруг прижала трубку к своему боку.

— Зачем вы его трогали, Марк?! А тот, кто звонил из Иркутска, просто ошибся номером!

— Кого он спрашивал?

— Какое ваше дело?! Какую-то Люду, по-моему! А я сказала, что никакой Люды не знаю.

— И что?

— И я отключилась.

— Понятно, — сказал Волошин.

То он все отводил глаза, не смотрел на нее, а тут вдруг глянул быстро и остро. И она выдержала его взгляд. Посмотрела в ответ недоуменно, но твердо.

Воцарилась тишина, только сосны шумели, и тяжелые осенние капли со стуком падали на широкие половицы крыльца. И гамак покачивался между двумя соснами, поскрипывал.

— Почему гамак не сняли? — вдруг спросил Волошин.

— Так.

И они опять взглянули друг на друга, быстро и странно.

...Чего ты от меня хочешь? Что тебе нужно?.. Зачем ты приехал?..

...Зачем ты врешь? Твое вранье уже убило человека, и ты продолжаешь врать?!

— Отвезите меня в Москву, — вдруг попросила Глафира и наклонила голову, чтобы не видеть его лица. — Мне невмоготу здесь что-то...

Волошин не ожидал такого поворота и растерялся.

— Да ради бога, — пробормотал он таким тоном, как если бы бормотал «отвяжитесь от меня».

— Тогда я... соберусь, — и Глафира мило улыбнулась в сторону. — Я умею собираться быстро.

— Да ради бога, — глупо повторил Волошин.

Глафира пошла было к готическим двустворчатым дверям, но остановилась на полдороге.

— Кофе не предлагаю, — сообщила она. — У меня и чашек-то чистых не осталось.

— Спасибо, я недавно пил.

Это было чистой воды вранье, но ему не хотелось, чтобы она его угощала. Это было бы... уступкой, а уступать он не собирался.

Глафира еще постояла, словно что-то хотела сказать, повернулась, чуть не упала, схватилась бледной, отдающей в зелень рукой за полированные широкие перила, и Волошин вытаращил глаза.

Завитки светлых, почти белых волос пониже макушки у нее были красными, все в свежей крови. Волошин, кажется, даже ахнул тихо, не по-мужски.

— Что? — тревожно спросила Глафира Сергеевна и оглянулась по сторонам, не понимая, что он такого увидел. — Что случилось, Марк?!

— У вас... вон там... на голове...

— У меня на голове? Что? Рога? — Она пощупала волосы, отняла руку и взглянула на свои пальцы. — Кровь, — сказала она с некоторым удивлением и потерла подушечки, растирая красное и липкое. — Это, наверное, когда меня стукнули! А что вы так побледнели, Марк? Или вы вида крови не выносите?

— Вы... выношу, — выдавил Волошин, старательно отводя глаза. — Может, все-таки врача вызвать? Раз у вас там,.. рана?

— Марк, вы прекрасно знаете, что вызывать врача нельзя! Или вы хотите, чтоб завтра во всех газетах написали что-то вроде: «Приехавшая «Скорая» застала вдову Владимира Разлогова с травмой головы, а его заместителя в обмороке»?

— Я не в обмороке, — возразил Волошин сухо.

Она была права. Какого сейчас вызывать врача, когда новость «номер один» — внезапная кончина главы «Эксимера», — еще не остыла, не отступила на второй план, не перестала будоражить умы и сердца журналистов?!

Умы куриные. Сердца холодные. Ну уж какие есть!

Глафира опять повернулась, чтобы идти, и опять от вида ее волос на Волошина накатила дурнота. И сердце забилось как-то странно, с перерывами. Стукнет и молчит. Стукнет и опять молчит.

— Перевязку все равно нужно сделать, — сказал он, преодолевая дурноту. — Заедем в офис, у нас есть медпункт...

Глафира ничего не ответила.

— Вам в Москве куда? — спросил Волошин сухо. — На квартиру?

— Что за ефрейторский вопрос, Марк? — удивилась Глафира. — Какая вам разница?

— Никакой, вы правы.

— Мне нужно заехать к... Марине Олеговне и непременно сегодня. Вы меня к ней завезете.

Волошин ничего не понял.

Ей нужно к Марине?! Бывшей разлоговской жене?! И непременно сегодня, с разбитой головой?!

— Как скажете.

Она вошла в дом и, кажется, стала подниматься по лестнице, когда у нее зазвонил телефон. Волошин, услыхав заливистые трели, бросился следом, бесшумно вошел и встал так, чтобы его точно не было видно с лестницы.

После некоторого молчания вдова сказала быстро и приглушенно:

— На этот номер больше не звони. Я сама с тобой свяжусь, когда смогу.

Телефон пискнул, разъединяясь, и больше ничего Волошин не слышал.

— Маринушка, там опять в телефон звонют!..

— Ну так ответьте, Вера Васильна!

— Дак чего отвечать-то?!

Марина пожала плечами, словно старуха могла ее видеть.

— Ах ты, господи помилуй!..

Шаркающие шаги, удалявшиеся от двери, какое-то шевеление, и Верин недовольный голос откуда-то из глубины квартиры:

— Ал-ле! Ал-ле!

Марина улыбнулась и снова уткнулась в книжку.

Сегодня ей особенно не хотелось никакой... ерунды. Какие-то звонки, телефоны, разговоры, да еще Вера вот-вот начнет приставать с обедом! Уехать бы отсюда, забраться подальше, поглуше, чтоб за окнами было ненастье, чтоб ветер рвал с деревьев беззащитные дрожащие листья, чтоб дождь барабанил в жестяной подоконник и старая береза бы все скрипела и скрипела...

А в доме тепло, на вымытых полах домотканые половички, рыжий кот ступает неслышно, усаживается на приступку и длинно зевает, а потом начинает дремать. И так уютно на душе от его дремы и от ненастья за окнами, и весь мир сосредоточен вокруг теплого бока голландской печки, где стоит продавленный ковровый диванчик и лежит страницами вниз брошенная книжка...

— Ах, какая вы, матушка, нынче странная! — сама себе сказала Марина и засмеялась, услышав собственный голос.

Пожалуй, говорить это следовало не так, поглубже, погуще, не столько с удивлением, сколько с легкой завистью к другому, недоступному миру сложных чувств.

Марина повторила, и со второго раза ей все понравилось.

Ах какая вы, матушка, нынче странная!..

Следовало читать, но читать больше не хотелось.

Ну почему, почему она не может сейчас оказаться в деревне, в ненастье, на ковровом диване и с котом?! Никто бы не мешал, и мысли бы не скакали, как непоседливые белки!

Впрочем, мыслями своими Марина сегодня была вполне довольна.

Сегодня они были правильные, ровные, спокойные и строгие, маршировали все в ногу, как солдаты на параде.

Фу, какое ужасное сравнение!

Покосившись на книжку, Марина встала с дивана и, волоча плед, пошла в эркер. Кипенно-белые, топорщившиеся от крахмала шторы ей мешали... Она досадливо затолкала тюль за батарею и с ногами забралась в кресло.

Перед ней лежал город, огромный, серый, залитый дождем. Река, всклокоченная ветром, плескала свинцовую воду на гранитные ступени набережной.

В новой пьесе Марине предстояло играть старуху, такую же злобную и всклокоченную, с серыми немытыми космами — как эта река.

Нужно что-то придумать такое особенное, характерное. Может быть, старуха должна хватать всех за руки, как река выплескивается на гранитные ступени? Хватать, а потом отступать так же внезапно? И чтобы всем остальным героям были неприятны прикосновения старухи!

Марина подумала немного, порассматривала реку, потом зевнула.

Она была превосходной актрисой, номер один, и то, что она сейчас делала, называлось «готовиться к роли». Марина готовилась всегда одинаково — читала, мечтала, валялась, смотрела на реку, немного капризничала, немного шалила.

Эту роль — актрисы, готовящей новую роль! — она особенно любила.

Никто не смел ее беспокоить, когда она «готовила», домочадцы ходили на цыпочках, домработница не приставала с глупостями вроде обеда и денег на покупки, даже телефон звонил приглушенно.

Марину оставляли в покое в ее комнате — самой лучшей комнате в квартире! — наедине с книжками, пледом и любимым диваном.

— Дождь-то, дождь, — сказала Марина, опять прислушиваясь к собственному голосу, — ишь, как разошелся!

Нет, не годится. Равнодушнее, холоднее, более отстраненно — ей, старухе, по большому счету нет никакого дела до дождя. Ей ни до чего нет дела. И выговор, выговор простонародней!

— Вот ить как, — выговорила Марина. — Дошшь, видать, до самых Петровок зарядил!..

Вот так лучше, гораздо лучше!

Машины на той стороне набережной стояли мертво, фары мутно желтели в дождевой мгле, словно огромная змея в горящей желтым чешуе извивалась вдоль реки.

А сравненьице-то банальное! Змея в чешуе, подумаешь! Может, лучше лента? Пестрая лента из какой-то дурацкой детективной истории! Или лучше ожерелье? Ожерелье из желтых топазов, обнимающее морщинистую шею старухи-реки!

Впрочем, она же не писатель, а актриса! И для актрисы она придумывает совсем неплохо!

Жаль, что нельзя «работать над ролью» постоянно! Рано или поздно роль будет сыграна, и сыграна, как всегда, блестяще. На премьеру соберутся сильные мира — политики, богачи, знаменитости, их жены и девки. Пресса напишет об очередном триумфе — и неудивительно, ведь в главной роли сама Марина Нескорова! Все, к чему прикасается Марина, обращается... нет, не в золото. В триумф, в успех!

А лучше бы в золото, конечно.

Хотя кто знает!.. Золото не вечно, как и успех, и только идиоты уверены, что слава проходит, а богатство остается.

Ничего не остается. Ничего. И даже свобода, хитрая бестия, исчезает, стоит только сделать один ее глоток!

Глоток свободы — кажется, так называлась какая-то книжка.

Марине сразу представились баррикады, костры на улицах Парижа, перевернутые повозки, разо-

52

бранные булыжные мостовые, горячие лошади, оборванцы — лихорадочные пылающие глаза!..

Глоток, всего один, но от него оживает душа — засохшая, сморщенная, обескровленная.

Марина дорого заплатила за свой глоток свободы, и он того стоил!

Но почему, почему один?!

Марина выпрямилась в кресле. Руки похолодели.

Неужели никогда не настанет время, когда можно будет захлебываться этой свободой, упиваться, купаться в ней?!

— Настанет, — твердо и тихо сказала себе Марина, — оно уже настало. И не смей думать по-другому!..

В дверь тихонько поскреблись, и она оглянулась — гневная, пылающая. Кто посмел?!

Разумеется, никто не вошел, и Марина не произносила ни звука, только тяжело дышала.

Это было почти невероятно, но тихое поскребывание повторилось! Домработница еще туда-сюда, она совсем выжила из ума, но скреблась явно не домработница!

— Кто там?! — Она подумала и добавила тоном Марии-Антуанетты, возводимой на эшафот: — Ради всего святого!

— Марина, не сердись.

Ах, как она была хороша — обернувшаяся в кресле, румяная от гнева, на фоне залитой дождем серости огромного города!

Ах, как она была хороша, как правдива, как бесконечно более высока, чем весь этот серый, залитый дождем мир!

— Ей-богу, я не хотел тебе мешать.

— Костенька, — сказала Марина растерянно, и губы у нее дрогнули и медленно сложились в милую усталую улыбку.

Улыбка — усталая и милая — была чистейшей

импровизацией и необходима для того, чтобы муж почувствовал себя скотиной.

— Костенька, — повторила она, как бы приходя в себя, — заходи, дорогой!

По его лицу и по тому, как он вошел, было ясно, что он чувствует себя правильно — скотиной. С Разлоговым такие штуки невозможно было проделывать никогда. Он не верил.

Ах какое счастье, что Разлогов — это прошлое! Да еще такое, как будто его не было вовсе. Хорошо, что он умер и отпустил ее на свободу!

Всего глоток, но как хорошо...

— Костенька, — повторила Марина, думая о Разлогове, выпростала из пледа горячую руку и протянула ее мужу. — Что ты? Соскучился один?

Он подошел, взял руку, припал в поцелуе. Поверх его округлой спины Марина посмотрела на часы-башенку в углу огромной комнаты. Маятник взблескивал латунью, отражал время.

Скоро шесть, может, и обедать пора?..

— Знаю, знаю, — выговорил муж глухо, ибо был все еще наклонен «к ручке», — и занята, и в мыслях, и устала, и я не вовремя!

Марина молчала. Нужно дать ему время поооправдываться. Сейчас он скажет про «вторжение» и еще что-нибудь про собственное ничтожество.

— Прости, что вторгаюсь, — словно по заказу сказал муж, разогнулся и шагнул к низенькой скамеечке. Он всегда сидел у ее ног. — Да и повод, собственно, ничтожный, но я уверен, что тебе это покажется... забавным.

Смеясь глазами — она это умела! — Марина отвернулась к окну, за которым вечерело по-настоящему.

Впрямь обедать пора!.. Не кликнуть ли Веру?

— А что такое? — вслух спросила она у мужа. — У тебя все в порядке, милый? Ты здоров?

Он развел руками. В одной — правой — почему-то был зажат журнал. Сейчас скажет — твоими молитвами!..

— Здоров и счастлив! Твоими молитвами, Мариночка.

Выискал какую-нибудь рецензию, решила Марина про журнал. Пишут, что я новая Фаина Раневская, но с обаянием Мэрил Стрип и красотой Мишель Пфайффер. Пишут, что Ларс фон Триер предлагал мне роль, а я отказалась. Потому что считаю, что Достоевского нельзя играть в Голливуде — только на русской почве, только у наших, кондовых, посконных режиссеров, истинных русаков.

Бедному Косте все это очень нравится, сейчас он станет зачитывать, и обеда теперь не дождешься.

Прасковья, отнеси индейку и стерлядей на ледник, а лафит я сама в буфет запру!..

— Дождь зарядил, — сказала Марина, потянулась и погладила его по густым, прекрасно сохранившимся волосам, — теперь уж до самого Покрова!..

Кажется, в прошлой реплике дождь зарядил «до самых Петровок», впрочем, какая разница!..

— Да-с, — поддержал муж. — Неприятно.

— А я люблю осень. — Марина перебирала его волосы — прекрасно сохранились, удивительно даже! Говорят, тестостерона маловато, что ли! У мужа совершенно точно маловато. Вот у Разлогова этого самого тестостерона было с избытком.

Глоток свободы, всего один, ах как мало!..

...Но обедать-то подадут сегодня?

Зная, что муж может так просидеть и час, и два, Марина нагнулась, легко поцеловала его в дивные, вкусно пахнущие волосы и спросила нежно:

— Ну что, Костенька?

— Ах да, Марина! Вот же! — Он взмахнул журналом. — Я хотел, чтобы ты взглянула...

Он торопливо пролистал туда, потом обратно, не нашел, взглянул виновато и опять пролистал.

Марина ждала — все с той же нежной улыбкой. Как хорошо, что все сложилось именно так. Как хорошо, что Разлогов умер...

— Вот! — радостно сказал Костя и сунул распахнутый журнал ей к лицу. — Вот, полюбуйся!..

Марина видела плоховато — не девочка все-таки, да и сумерки клубились в комнате, мешали читать!

— Что там, Костенька? — спросила с неудовольствием. Она не любила, когда ей напоминали о возрасте, даже случайно. — Ты же знаешь, я не читаю журналов!..

Она была совершенно уверена, что там рецензия, в которой написано, что она Фаина Раневская и Мишель Пфайффер в одном лице, и к тому, что последовало, готова не была.

Муж вдруг поднялся со скамеечки у ее ног и зажег в эркере свет. Марина зажмурилась. Окно в серый город разом потемнело и как будто провалилось.

— Костенька!..

Но он уже сунул ей под нос журнал.

Марина ничего не поняла.

Ну журнал. Ну какая-то деваха из молодых, неинтересная, как все нынче, — волосы завитками, белые, ноги палками, длинные, зубы жемчугом, вставные, груди полусферами, наливные, сапоги до бедер, ботфортами.

Все стандартно, неинтересно. Марина рассердилась. Она всегда сердилась, когда чего-нибудь не понимала.

— Костенька? Зачем, милый, ты принес мне эту... чепуху?! Я занята, над ролью работаю, у меня сейчас момент такой сложный...

— Да вот! — Муж перевернул страницу и хохотнул совершенно по-мужицки. — Посмотри, Марина! Это ж твой Разлогов! Ну хорошо, хорошо, не сердись, душенька, не твой! Но ты посмотри только! Ты только посмотри! Его уж похоронили, а журналы все... печатают!

Он запнулся и заключил торжественно:

— Гадость какая!

И такая радость была в его голосе, такое превосходство — живого над мертвым, правого над неправым, — что Марине стало противно по-настоящему.

Юлии Павловне Тугиной было так же противно при виде Вадима Дульчина в четвертом акте «Последней жертвы»!

...Или в третьем ей было противно?..

— Ты посмотри, посмотри, Марина!

Она взяла журнал с осторожной брезгливостью и посмотрела.

На фотографии была все та же, ногастая-грудастая-губастая, вся загореленькая, лоснящаяся, в нужных местах присыпанная белым пляжным песочком, а на заднем плане... Марина поднесла журнал к глазам.

Ну да, да. На заднем плане Разлогов, отчетливо видный, раздраженный до крайности, губы поджаты, черные, прямые, густые до странности ресницы почти сошлись — так прищурился.

— Ты только представь себе, — горячо говорил муж над ухом, — большой человек, бизнесмен, да еще женатый!.. И покойный, он же... умер, а тут такие вещи...

Марина все смотрела на Разлогова — теперь покойного.

Ах как она знала эту привычку щуриться от раздражения! Как она знала... все, руки, плечи, ноги, массивные, тяжелые от тренированных мышц. И щеки, заросшие жесткой щетиной... Знала их запах, прикосновение к разгоряченной коже, знала, как часто он дышит, когда хочет ее, Марину!

Куда там Вадиму Дульчину в четвертом акте «Последней жертвы»! Или это был третий?..

Марина коротко и глубоко вздохнула, еще раз посмотрела на живого Разлогова, подняла подбородок и сказала нараспев:

— Бедная, бедная... Господи, бедная девочка...

— Ка... какая девочка?

Марина на него взглянула — он нацепил очочки-половинки и тоже рассматривал картинки. С упоением.

— Кто девочка, Марина?

Его жена, конечно. То есть вдова.

— Вдо-ова!.. — удивился муж.

Не буду больше смотреть на живого Разлогова, решила Марина и опять посмотрела...

На его двери в общежитском коридоре висел «График дежурств». Она подходила и читала по слогам «Раз-ло-гов» и думала, как она будет Марина Разлогова.

...А фамилию, кстати сказать, она так и не поменяла!..

Костя опять забубнил что-то, но она вся уже была там, в этом общежитском коридоре, пропахшем щами, плесенью и табаком, у заветной двери с «Графиком дежурств», и сердце у нее замирало, как тогда, когда она стучала и изо всех сил ждала, когда Разлогов появится на пороге и скажет громко и радостно:

— Как?! Опять приперлась?!

А потом за шею втянет ее внутрь, целуя безостановочно и жарко, словно в последний раз, и она всем телом, от макушки до пяток, будет чувствовать его, такого сильного, такого безрассудного, храброго от желания!..

Такого юного.

Такого живого.

Такого любимого.

Такого отвратительного. Такого чужого. Ненавистного.

— Костенька, — сказала Марина почти своим голосом, и выпрямилась в кресле, и отшвырнула журнал. Журнал полетел в угол, муж проводил его глазами. — Костенька, не пора ли обедать?

В дверь вдруг опять постучали — что за наказанье! Или сегодня все забыли, что она «работает над ролью»?!

— Что, что такое?!

— Мариночка, — Вера остановилась у порога и постно сложила сухие руки, и глаза вперила в пол, — там пришли до вас и спрашивают.

— Вера, вы с ума сошли, — скороговоркой выпалил Костенька, косясь на Марину из-за половинчатых очочков. — Кто еще пришел?!

— Пришли Марк Анатольевич Волошин, — выговорила бабка отчетливым экзаменационным голосом. — И с ним новая вашего бывшего, ныне покойного. Вас спрашивают.

Муж ничего не понял, а Марина все поняла, конечно.

— Что-то случилось! — Она вскочила. — Неужели опять беда?..

Это уже не Островский, это, пожалуй, Бертольт Брехт.

— Да кто приехал-то, Вера?! — продолжал недоумевать муж. — Марина, что ты всполошилась?

Но она уже летела мимо него, мимо посторонившейся в дверях Веры, и тревога была у нее в глазах — почти настоящая.

Только Разлогов умел отличить настоящее от

ненастоящего, когда она предлагала ему на выбор, но Разлогов умер.

Слава богу!..

— Глафира?! Что случилось, почему вы здесь? Марк, что такое?

— Здравствуйте, Марина Олеговна, — Волошин старался на нее не смотреть.

Марина знала совершенно точно, что бывшую жену Разлогова Волошин обожает, а настоящую терпеть не может, и это доставляло ей скромную женскую радость.

— Марк, что случилось?! Почему так неожиданно, без звонка?!

Волошин пожал плечами. Марине нравились его плечи — прямые и какие-то определенные под тонкой кожаной курткой. И вся его манера — суховатая, отстраненная — нравилась тоже. Марина даже слегка на него засмотрелась, позабыв, что она... «в роли».

— Марин, вы меня простите, — хрипло сказала Глафира, — это я попросила Марка заехать к вам. А позвонить не догадалась...

— Но ничего ужасного не случилось?

— Нет-нет!

— Да что же мы стоим?! — вдруг как будто спохватилась Марина. — Костенька, приглашай гостей! Вера Васильна, проводите! Может быть, обедать?..

Волошин моментально и категорически отказался, а *та* словно ничего не слышала.

Сопровождаемая суровой Верой, Глафира шла по коридору в сторону гостиной, и Марина проводила ее глазами.

— Марк, в самом деле ничего не случилось? — спросила она с беспокойством, когда Глафира скрылась. — Это так неожиданно!

— Я заехал на дачу, — сказал Волошин, — и Глафира Сергеевна попросила меня завезти ее к вам. О причинах она не сообщала, и я, признаться, не спрашивал.

— Но с ней все в порядке?..

— Кажется, она упала, — морщась, сообщил Волошин, — я ничего не понял, но она была без сознания, когда я приехал. Потом пришла в себя и попросилась к вам.

— Мне всегда казалось, что она не в себе, — вступил Маринин муж, — странная девушка, ей-богу!

— Упала? — задумчиво переспросила Марина. — Молодая, здоровая, с чего бы ей...

Глафира Разлогова в гостиной разматывала с шеи шарф. Старуха-домработница караулила каждое ее движение, а ей так хотелось послушать, о чем там они говорят негромкими, встревоженными голосами.

Ей необходимо было послушать!

Глафира стянула с плеч куртчонку и вместе с шарфом сунула старухе в руки, в надежде, что та уйдет, но она, приняв вещи, продолжала стоять.

Сфинкс в египетской пустыне. Только очень недовольный сфинкс!..

Ну ладно.

Глафира огляделась, подошла к камину, в котором весело пылали березовые поленья, и протянула руки.

Она терпеть не могла эту квартиру, просто ненавидела. Разлогов отлично об этом знал и привозил ее сюда за всю совместную жизнь всего пару раз — когда-то очень давно, и вот, совсем недавно, можно сказать, на днях! Впрочем, их совместная жизнь была не слишком длинной — шесть лет, чего там! Квартиру купил, ясное дело, Разлогов, и она в точности соответствовала положению его бывшей жены.

Великая русская актриса.

Натура тонкая и противоречивая. Гениальная и страстная. Глубоко русская внутри — Чехов, Достоевский, Гоголь, а также Шишкин, Нестеров и Левитан, конечно же, конечно!.. Чуть призападненная снаружи — ровно настолько, насколько нужно, чтобы нравиться концептуальным иностранным театралам.

От каминного тепла у Глафиры заломило затылок — все-таки ее стукнули довольно сильно! Ранка небольшая, только кожа содрана — Глафира старательно изучила свою голову в большом зеркале с помощью второго зеркальца, — а все равно больно.

Старуха-сфинкс переступила с ноги на ногу и опять замерла недовольно.

Глафира стала рассматривать сначала штучки на камине, потом фигурки на комоде, потом перешла к картинам.

Вся обстановка здесь напоминала старый фильм или спектакль «из прошлой жизни». Бронзовые зеркала, подсвечники, бисквитный фарфор за стеклом горки. Портьеры с бомбошками, шахматный столик с наборной крышкой, пейзажи старой Венеции, но видно, что писаны русским живописцем. Набор курительных трубок в отдельной витрине — дань англоманству нынешнего Марининого мужа. Круглый стол, огромный, на слоновьих ногах, но в этой комнате вполне уместен. На столе, конечно, самовар с начищенными медными ручками, самодовольно и сыто сияет даже хмурым осенним вечером.

Попав первый раз в эту квартиру, Глафира долго прикидывала, спросить или не спросить, а потом все же спросила.

— Скажи мне, Разлогов, — сказала она, когда они сели в машину, — ты вправду там жил?!

— Почти нет, — ответил Разлогов, выворачивая на набережную. Легко ответил, без раздумий. — Когда я понял, что здесь предполагаются... инсталляции на тему русской дворянской жизни, мне уже было все равно.

— Инсталляции? — задумчиво переспросила Глафира. — По-моему, это как-то по-другому называется!..

— Какая, на хрен, разница, как это называется! — огрызнулся Разлогов вяло. — Ко мне это не имеет никакого отношения. Я на работу ходил, понимаешь? И там работал, на работе-то! Понимаешь?

Тогда она ничего не поняла, но сейчас, пожалуй, уже понимает.

Это не имеет ко мне отношения, и точка. В этом весь Владимир Разлогов! Как только он понимал, что человек, или событие, или что угодно «не имеет к нему отношения», его невозможно было ни остановить, ни удержать. Он делался равнодушен и скучен, и казалось, проще умереть, чем вернуть его интерес и внимание.

Только вперед, всегда вперед, а события, вещи, люди — просто отработанный материал. Было и прошло.

— Очень чаю хочется, — пробормотала Глафира и глянула в сторону старухи-сфинкса. Старуха пожевала губами и ничего не ответила.

Глафира вздохнула.

Интересно, как Разлогов жил — с ними обеими, со старухой и актрисой? Как он тут ел, спал, просыпался, курил? Где лежали его вещи и спала его собака?

У Разлогова всегда были собаки. Бразильский мастиф Димка, названный так в честь поэта и писателя Дмитрия Горина, с которым Разлогов дружил, пропал из дома, когда хозяина не стало.

Глафира была твердо убеждена, что мастифа убили.

Живой мастиф никогда и никого не подпустил бы к живому Разлогову, и в этом состояла одна из самых трудных загадок, которые Глафире предстоит разгадать!..

— Принесите мне чаю! — громко сказала она старухе. Сейчас нельзя думать о Димке и о Разлогове, никак нельзя! — Слышите?..

Старуха посмотрела сначала на Глафиру, а потом на ее вещички, которые держала в руках.

— Вот Марина Олеговна распорядится...

Двустворчатые двери с льняными занавесками на латунных растяжках — ничего общего с дверьми в разлоговском доме! — распахнулись, и на пороге показалась Марина. Щеки пылали лихорадочным румянцем, аристократическая рука придерживала у горла белую пуховую шаль. В другой руке она почему-то держала журнал.

— Простите, Глафира, — Марина кинула журнал на стол, подошла, бесшумно и стремительно, и коснулась ее плеча. — Вы... присели бы. Марк сказал, что вам... нехорошо.

— Они чаю просили, — буркнула старуха. — Подавать?

— Может, обедать?

— Нет-нет, — перепугалась Глафира.

Обед был бы очень кстати, ей многое нужно выяснить у бывшей разлоговской жены, но после удара по голове многочасового сидения за столом в обществе великой русской актрисы она бы не вынесла. В обморок хлопнуться еще не хватает.

— Марина, можно я скажу вам два слова... наедине? — серьезно попросила Глафира. — И поеду! Мне правда нехорошо.

Старуха моментально канула за дверь, и они остались вдвоем среди фарфора, штучек и итальянских пейзажей, писанных русским живописцем.

Марина постояла, а потом прошла мимо Глафиры и устроилась в полосатом широком кресле на гнутых ножках.

И кресло, и шаль, и серая река за окнами, и живопись, и желтый размытый свет — все удивительно шло к ней. И куталась в шаль она удивительно уютно, и серые глаза смотрели правдиво и ласково.

Чертов Разлогов!.. Его нет, и теперь Глафира должна сделать то, что должна!

Впрочем, это не она должна. Это Разлогов ее заставляет!

— Вы не волнуйтесь так, — сказала Марина тихо. — Ну что вы?..

Глафира думала, что все знает про женщину в кресле. Глафира думала, что у нее получится, она даже специально готовилась!

Но у нее ничего не получалось, а Марина улыбалась ей печальной, усталой и нежной улыбкой.

Чертов Разлогов!..

— Марин, вы не подумайте... Вы извините меня... Я...

Шея и уши у Глафиры запылали, в затылке застучало.

— Да что же вы так волнуетесь! — негромко воскликнула Марина, рассматривая ее. — Я тоже сейчас начну волноваться!

Это, кажется, из какого-то французского драматурга. Там самоуверенная глупая кошечка делилась своими бедами со стремительной, умной и грозной хищницей. Только кошечка была уверена, что хищница годится ей в подруги!..

— Ну-ну, — подбодрила Марина, — может, правда чаю подать? Горячего, с вишневым вареньем!

— Нет-нет, спасибо, — забормотала кошечка.

3-2768

Подошла и неловко пристроилась в соседнее кресло, на самый краешек. И руки сложила на коленях.

...Интересно, что было у Разлогова в голове, когда он женился на... этой?

— Марина, вы встречались с Володей в тот день, когда он... умер?

Этого великая русская актриса никак не ожидала, и не готова была, и собраться с мыслями не успела, а потому спросила оторопело:

— С чего вы взяли-то?!

Глафира смотрела на нее почти в упор.

— Я просто спрашиваю, — сказала она наконец. Голос был слегка удивленный. — Встречались?

— Да нет, конечно! — Чтобы ее не рассматривали столь бесцеремонно, Марина поднялась и поворошила поленья в камине. — Зачем?.. Господи, какие глупости!

Она смотрела в огонь и лихорадочно думала — знает или не знает? Если не знает, почему спрашивает? Зачем она приехала и почему именно сегодня?..

Нельзя, нельзя паниковать! Еще не хватает!

— Что такое, милочка? — шутливым тоном спросила Марина, не поворачиваясь от камина. — Вы решили закатить мне сцену ревности, так сказать, посмертно?..

Нет, не годится! Можно подумать, что Марина воспринимает ее как соперницу, а это немыслимо!

Где ты и где я? Кто ты и кто я?! Опомнись, девочка!

— Нет, ну при чем тут ревность! — сказала принявшая все за чистую монету Глафира. — Я просто хотела узнать, как Володя прожил последний день. Свой последний день.

— Зачем вам это?

Глафира пожала плечами.

— Нет, я его не видела, — задумчиво проговорила Марина. Вот так-то лучше! — Я... Понимаете, он совсем меня не интересовал. Может, и нехорошо так говорить о близком человеке, — «близкого человека» она упомянула специально и похвалила себя за это, — но после того, как мы расстались, его для меня не стало.

Не стало раньше, намного раньше, задолго до того, как он умер по-настоящему.

Глафира смотрела на нее очень внимательно, и в этой сдержанной, недоверчивой внимательности Марина вдруг увидела Разлогова, которого никогда нельзя было обмануть.

Он не верил.

— Он перестал меня интересовать задолго до того, как мы расстались! Володя... как бы вам это доходчиво объяснить... Есть люди плоские — ну вот как пятиалтынный! Он вроде и блестит, и всем нравится, а сам весь плоский. И через три года уже знаешь все наперед — что он сделает, что скажет. А есть люди с глубиной, как... как озеро Байкал! Там и впадины, и разломы, и шпили, и никогда не угадаешь, куда попадешь, на вершину или во впадину! Так вот, Володя был пятиалтынный. Со всех сторон плоский.

Она врет, подумала Глафира. И то, что не встречалась в последний день с Разлоговым, и про пятиалтынный, и про Байкал. Зачем?..

— Как только я это поняла, — очень быстро! — я перестала с ним общаться. Совсем, навсегда. Неинтересно стало.

— Но вы жили на его деньги, — выпалила Глафира.

Марина засмеялась — громко, от души.

— Кто вам это сказал?

...Знает точно или зачем-то проверяет? Если проверяет, то для чего? Если знает, то от кого? Неужто от Разлогова, плоского, как пятиалтынный?!

Ах как в этот момент Марина его ненавидела!.. Мертвого ненавидела!

— Марина, — начала Глафира, пожалуй, с сочувствием, — я знаю, что он давал вам деньги. И знаю, сколько давал! За что он платил вам так много, Марина?

— Не твое дело!..

Это было совсем некстати, но она на самом деле вышла из себя. Как смеет это ничтожество говорить с ней о деньгах?! Это никого не касается, никого!

— Вы явились сюда, чтобы оскорбить меня? — ясными, чистыми, яростными глазами Марина уставилась Глафире в середину лба. — Если так, я позову мужа, и вам придется уйти!

— Я хотела узнать, виделись ли вы с Володей в день его смерти, — повторила Глафира упрямо. Почему-то Марининого гнева она совсем не испугалась, нисколечко. — Простите, если я вас обидела!

— Вы не можете меня обидеть! — Марина подумала и всплеснула руками. — Ни он, ни вы, ни его цыпочки! — Она вдруг схватила со стола и кинула Глафире на колени журнал, раскрытый на каких-то фотографиях. Глафира машинально взяла. — После того, как мы расстались, я встречалась с ним очень редко, всего пару раз и всегда по его настоянию! Он приводил вас на смотрины, помните? И я тогда сказала ему, что вы показались мне симпатичной. Недалекой, но вполне... приемлемой.

— Спасибо.

Марина на нее даже не взглянула.

— Он приезжал еще, по-моему, опять с вами...

— Со мной.

— Просто ему было невыносимо скучно в том мире, который он себе создал, — заключила Марина почти в изнеможении. — Скучно на работе, скучно с вами, скучно с цыпочками! Недаром он заезжал совсем недавно, хотя столько лет прошло с тех пор, как мы расстались! Я говорю это не для того, чтобы вас позлить, а просто потому, что это правда. Впрочем, вы наверняка и сами знаете! Его тянуло ко мне, но я не хотела его видеть. Он меня не интересовал. А за что он мне платил — не ваше дело...

Глафира поднялась с журналом в руке.

— Мне сегодня звонил Дремов, — сказала она невыразительно. — Это наш юрист. То есть юрист Разлогова.

Марина после проведенной трудной сцены почти не слушала глупую кошечку и не смотрела на нее, а тут вдруг насторожилась.

И Глафира увидела, что она насторожилась.

— У Дремова ко мне какие-то срочные вопросы, — продолжала Глафира, — но дело не в этом. Просто в связи с Дремовым я вспомнила, что Разлогов всегда переводил вам деньги именно десятого числа.

Великая русская актриса вдруг взялась двумя руками за горло.

— Я не знаю его завещания, и распоряжений никаких он, естественно, не оставил! Доступа к его счетам у меня, разумеется, нет, — продолжала Глафира.

Марина задышала свободней. Так вот в чем дело! Кошечка хлопочет о своих денежках, только и всего. Боится конкуренции!..

— Я переведу вам деньги с моего собственного счета, — твердо заключила Глафира, — пока я не знаю, что и кому завещал Разлогов, все будет так, как при нем.

— Мне не нужны ваши деньги!

— Это его деньги, Марина, — успокоила Глафира. — Откуда у меня свои?.. Простите, если я вас... расстроила.

Она пошла было к высоким двустворчатым дверям, перетянутым льняными занавесочками, но остановилась.

— Я никак не могу прийти в себя, — как будто пожаловалась она. — Так что извините меня.

— Не врите, что вы его любили, — посоветовала Марина, — не поверю.

Глафира помолчала.

— Но ведь мы с вами обе верим, что его убили, — вдруг сказала она. — Мы же это точно знаем!

И она ушла, а Марина осталась.

В машине Глафира перевела дух и попросила у Волошина сигарету.

— Куда вас отвезти, Глафира Сергеевна?

Глафира затянулась, выдохнула дым и сказала бесстрашно:

— Отвезите меня к Андрею Прохорову, в Варсонофьевский переулок. Вы знаете?..

Волошин кивнул угрюмо.

Машина вырулила на набережную и покатилась вдоль взъерошенной осенней реки.

— Поразительная женщина, — сказала Глафира задумчиво. — Как Разлогов мог быть на ней женат? Да еще много лет!

— Он ее любил, — мстительно сообщил Волошин. — Так бывает, вы никогда не слышали?

Глафира кивнула, и было непонятно, слышала она или не слышала.

— Только зачем она врет?

— Кто?!

— Марина.

— Бросьте, Глафира Сергеевна. Что за ерунда?

— Марк, — вдруг сказала Глафира, затолкала в пепельницу окурок и, не спрашивая, вытащила у него из пачки еще одну сигарету, — вот скажите, вам нравился Разлогов?

— Нет. То есть я хотел сказать, что...

— Да ладно, Марк! Он никому не нравился. А можно о нем сказать, что он был человек... блестящий?

Волошин молчал.

— Марк?

— Что вы все выдумываете, Глафира Сергеевна! — выговорил он с досадой. — Может, к врачу все-таки, а? Разлогов — блестящий человек!

— Вот именно, — Глафира задумчиво кивнула. — А когда бывшая жена, с которой он много лет прожил, так о нем говорит, значит, она или дура, или врет. Она не дура, значит, врет. Зачем?..

Волошин сбоку посмотрел на нее.

Ты-то врешь все время, говорил его взгляд. Ты врешь, и врала всегда! А Марина... Марина тебе не чета, она человек талантливый и сложный, и Разлогов ее на самом деле любил!.. А любил ли тебя — неизвестно.

Глафира Разлогова, рассматривавшая какие-то журнальные фотографии в свете встречных фар, вдруг вскрикнула так, что машина Волошина вильнула, и сзади сердито загудели.

— Вы что?! С ума сошли?!

— Это же... Разлогов!

— Где?!

— Да вот же!

Трясущейся рукой Глафира зажгла лампочку над лобовым стеклом и стала совать журнал Волошину.

Он отпихивал журнал.

— Но этого не может быть, — она все совала ему журнал. — Этого просто быть не может!

— Глафира Сергеевна, мы сейчас в речку улетим!

Тут она вдруг почти закричала — истеричка чертова.

— Я ничего не понимаю, Марк! — кричала она. — Совсем ничего!

Волошин кое-как приткнул машину возле ворот какого-то банка, включил аварийную сигнализацию и вытащил у нее из рук журнал.

Олесю Светозарову он узнал сразу. Ну и что? Ну Олеся! Мало, что ли, их было на разлоговском мужском веку?..

— Да не тряситесь вы, — велел он вдове сердито.

Конечно, он сочувствовал ей, но не слишком. Подумаешь, какая цаца! Ну увидела разлоговскую барышню в журнале, ну и что? Можно подумать, до этого она никаких таких барышень не видела и не знала об их существовании¹

— Я спрошу у Вари, нашей секретарши, что это за материал и откуда он взялся, — продолжал Волошин. Тут он сообразил, перегнул страницы и посмотрел на обложку.

И скривился.

— Впрочем, у Вари можно ни о чем не спрашивать, как я понимаю. Это ваш... почти что личный журнал, если можно так выразиться...

Но вдова все тряслась и показывала на одну из фотографий, где за полуголой девицей угадывался раздраженный Разлогов.

Волошин посмотрел внимательней и ничего не увидел.

— Ну и что?

— Этого не может быть, — выговорила Глафира с усилием и прикрыла глаза. — Этого просто не может быть!

— Чего не может быть, Глафира Сергеевна? — Волошин кинул журнал на щиток, включил «поворотник» и уставился в боковое зеркало.

Лампочка «поворотника» мигала, и физиономия разлоговского заместителя то появлялась, то пропадала. В зеленом мигании он походил на вампира, выискивающего в темноте и холоде очередную жертву.

Подумав про вампира, Глафира вдруг вспомнила, что так и не спросила его о самом главном.

— А зачем вы сегодня приехали ко мне на дачу, Марк?

Он обернулся, лампочка полыхнула, и Глафира подумала совершенно отчетливо: сейчас он меня убьет.

...Варя все еще продолжала усердно печатать, когда в дверь приемной сунулся Вадим. И очень удивился — или сделал вид, что удивился.

— Ты все сидишь?!

Она подняла глаза и улыбнулась — или сделала вид, что улыбнулась.

Он вошел, прикрыл за собой дверь и покрутил головой в разные стороны, выражая изумление.

Варя печатала.

— А что так поздно-то?

Не взглянув, она пожала плечами.

— Не, ну чего сидеть-то?

Она подняла глаза:

— У меня работа срочная. Я ее доделываю.

— Блеск! — оценил Вадим. — Срочная работа у нее, когда шеф все равно кони кинул!

Варя опустила очки на кончик носа и наконец посмотрела на него как на одушевленный предмет — удостоила, рублем подарила.

— А что такое? — спросил он, не собираясь сдаваться, и с размаху опустил себя в кресло для посетителей. — Кинул же, да? А ты все на него ломаешься! Или уже на другого?..

— Вадим, — отчетливым учительским тоном начала Варя, — во-первых, я терпеть не могу таких выражений, ты знаешь! Кони кинул!.. Во-вторых, у меня срочная работа.

— Подумаешь, какое выражение... — протянул Вадим и осмотрелся.

Сидеть в приемной ему нравилось. Здесь было красиво, богато и удобно. Вадим называл это «кучеряво».

Кучеряво жил покойный шеф, ничего не скажешь!.. Тут тебе и ковры, и диваны кожаные, и стены белые, и камин натуральный, и компьютеры разнообразные, и потолок стеклянный, и секретарша красотка, хоть и в очках!

Кофе пахнет днем и ночью — сутками они его пьют, что ли?.. Духами тянет, сигаретным дымком, приятно — Варька, что ли, пошаливает, пока нет никого?..

— А это что? Пальму новую приволокли, что ли? Вроде не было ее!..

— Что?..

— Говорю, дерево у вас новое!

Она опять глянула и опять мельком — занятость свою показывала.

— А это... Разлогов хотел зимний сад на крыше устроить. Пальму просто так привезли, прикинуть.

— На крыше?! — поразился Вадим. — Обалдеть! Во делать нечего, сады на крыше разводить!

— Вадим, ты мне мешаешь.

— Я тебе не мешаю.

Некоторое время она печатала, а он смотрел, как она печатает, и дивился — надо же такому быть, пальцами перебирает, будто на фортепьяно играет, даже не глядит, куда нажимает!

— Варь, а, Варь?..

— М-м?..

— А откуда ты знаешь, куда пальцами тыкнуть?

— М-м?

— Ну ты же не видишь, куда тычешь! А, Варь?

— Вадим, ты мне мешаешь.

Он еще посидел, порассматривал картины на стенах, потом задрал голову и порассматривал стеклянный потолок. Красиво!..

— А вот чего ты мне кофе не предлагаешь? — опять завел он, когда надоело рассматривать. — Вот ты всем всегда предлагаешь, а мне никогда!

— Если хочешь кофе, возьми сам.

Но он не хотел никакого кофе! Он точно знал, что она на месте, и пришел, чтоб за ней «ухаживать».

Ну ухаживать! И что?..

С тех пор как Разлогов перекинулся, Вадим жил очень скучно. У заместителей были свои водители, и Вадима гоняли по мелким поручениям — стой там, иди сюда, подай птичьего молока. Вадим не любил такую работу. Он ее «перерос». Он был «личник» — личный водитель при «теле», то есть при шефе. Тела больше нету, возить нечего, вот его и гоняют, Вадима! По-хорошему, надо место искать, а где его сейчас найдешь, когда сокращения кругом! И все начальники, как один, притихли, словно суслики возле своих норок. Было дело, по три водителя держали, да охраны штат, чтоб круглосуточно дежурили, чтоб в сортир сопровождали, и в баню, и к любимой, а нынче...

Нынче что ж? Не тот стал размах, измельчали все как будто, пылью подернулись!..

Поду-умаешь, какой шик — пальмы на крыше развести, деревьев наставить и стеклянные полы настелить! Мелочовка! У прежнего шефа — он Японией очень увлекался и тамошние японские примочки очень ценил, — в багажнике был люк вырезан, а под этим люком целый сад в миниатюре, ей-богу! И самый настоящий! Садовник специальный за ним ухаживал, за садом-то, отдельно нанимали садовника, из Японии выписывали! Как куда приезжали, багажник нараспашку, и все садом любуются, удивляются, ахают!

Так и ездил с садом в жопе, прежний шеф-то! Потом, правда, в его «Майбах» какой-то перец на «Хаммере» въехал, и сад пришлось ликвидировать вместе с «Майбахом», потому что перец не слабо въехал, но зато какой в багажнике был размах! И красота!

Вадим зевнул, не разжимая челюстей, и посмотрел на Варю. Хорошенькая, деловая, очки на носу — как из кино!

— Варь, а Варь!

— М-м?..

— Давай я тебя домой отвезу. Поздно уж. Что ты сидишь шарашишь? Все разошлись давно!

— Меня Волошин попросил.

— А он тебе сверхурочные платит, твой Волошин?..

— Вадим, ты мне мешаешь. — Тут она вдруг оторвалась от клавиш и спросила с тревогой: — А правда, сколько времени?

Вадим вскинул руку с часами. Часы подарил когда-то Разлогов, кинул с барского плеча. Они были не просто дорогими, а баснословно дорогими, и Вадиму нравилось вскидывать руку.

— Да пол-одиннадцатого уже!

— О господи, — прошептала Варя, будто вдруг поняла, что на город надвигается цунами. — Господи!

Она проворно, как белка, выбралась из-за компьютера и пролетела мимо Вадима в соседнюю комнату — он подобрал длинные ноги, чтобы она не споткнулась. За ней осталась полоска тонких и слабых духов, и он с удовольствием потянул носом.

Хорошая девушка! Подходящая.

Хорошая девушка выскочила из-за двери. В руках у нее был мобильный телефон.

— Восемнадцать неотвеченных вызовов, — бормотала она будто в лихорадке, — как же я забыла!

Держа телефон возле уха, она нагнулась над столом, выдвинула и задвинула ящик, пощелкала «мышью» и сунула в гнездо сверкнувший в свете настольной лампы диск.

— Мамочка? Слушай, у меня телефон был в другой комнате, я его на зарядку поставила. И не слышала! Ну у нас здание очень старое, стены толстые, не слышно ничего! — Она говорила быстро, и ласково, и виновато. — Мамочка, прости меня! Да, выхожу. Ты не волнуйся, меня Вадим подвезет. Да уже скоро, скоро! Ты, главное, не волнуйся!

Она кинула телефон на бумаги, продолжая смотреть в монитор и щелкать «мышью». Синий свет отражался в ее очках.

— Переживает мамаша? — проявил сочувствие Вадим. Он был доволен, что Варя сказала мамаше — мол, Вадим привезет! Как нечто само собой разумеющееся сказала! Оно ведь неплохо, а?

Кое-как Вадим выковырнул себя из кресла — он называл их «утопическими», потому что в них можно было утонуть, — подтянул брюки и похлопал по карманам, проверяя ключи.

Все на месте. Можно и ехать, помолясь!

Варя собрала со стола бумаги в огромную растрепанную кучу, компьютер выплюнул диск, она выхватила его, защелкнула в коробку, пристроила сверху на свою кучу и попросила нетерпеливо:

— Открой мне!

— Что?..

— Вадим, дверь в кабинет открой, пожалуйста!

Вадим потянул тяжеленную дверь, за которой раньше сидел Разлогов. Там, за дверью, было темно и тихо.

Странная штука — жизнь человеческая, подумал Вадим и вздохнул. А смерть еще страннее! Вот жил человек по имени Разлогов, жил-поживал, добра наживал — и много нажил! Ел, пил, спал — и не с какими-нибудь завалящими, с самыми лучшими спал! Деньги ковал, карьеру делал — и сковал, и сделал!.. И тут вдруг — бац! И нету его. И ничего нету.

Кому нужна теперь его карьера? С кем будут спать те самые, что спали с ним? Куда денется нажитое добро?

...И в кабинете темно и пусто, и в приемной никого, только секретарша от нечего делать молотит по клавишам, и водителю некуда себя приткнуть!..

Тут, словно отвечая на его мысли, разлоговский кабинет изнутри залился светом, и Варя пробежала в глубине, от стола к стенному шкафу, и пропала из глаз.

Вадим подумал-подумал и тоже зашел. Варя, распахнув двери шкафа, что-то возилась с сейфом, спрятанным в глубине, и мельком на него взглянула.

Вадим подошел к столу и вздохнул еще горше.

Вот ведь странная штука жизнь!..

Громадный разлоговский стол, всегда неряшливо и как попало заваленный бумагами, был чист и пуст, будто тундра в день первого снегопада. Ни пылинки, ни соринки, ни бумажки. Ни следа Разлогова, который, бывало, нагромождал вокруг себя кофейные чашки, пепельницы, ручки, записные книжки, початые и брошенные пачки сигарет, пластмассовые зажигалки, золотые зажигалки и коробки спичек.

Вадим, во всем любивший порядок и опрятность, всегда косился на начальничий стол с неудовольствием — надо же, как люди не умеют за собой смотреть! На собственном столе такой бардак развел! Клавиатура у Разлогова всегда валялась отдельно от монитора, и, чтобы напечатать что-нибудь, он долго и бестолково ее искал, зато уж печатал, как из пулемета по врагам строчил, куда там секретарше Варе!

Телефоны он терял и забывал где ни попадя, и сколько раз Вадиму приходилось с полдороги возвращаться на работу, везти оставленный в машине телефон!

Ручки покупал дорогие, но не брезговал и пластмассовыми, с дурацкими школьными колпачками, и они потом глупо торчали из кармашка его пиджака, чем причиняли Вадиму невыносимые страдания. Он любил, чтобы все было безупречно.

К машинам Разлогов всегда был равнодушен, но тут Вадим маленько подозревал его в неискренности. Вроде бы и равнодушен, а никогда и ничего дешевле представительского «Мерседеса» себе не брал. В выходные ездил на тяжелом и мощном английском джипе, в багажнике возил свою псину — господи, прости, исчадие ада, а не собака! Морда квадратная, уши висят, слюни текут, хвост палка палкой, но толщиной в мужскую руку. А воняет!.. А линяет!.. Вдвоем с собакой за выходные они так уделывали джип, что Вадим брезговал в него садиться, хоть газетку подстилай.

Газетку он не подстилал, конечно, но прежде чем гнать джип на мойку, долго и всерьез демонстрировал скучающим и незанятым дружбанам-водителям разлоговские безобразия — нет, вы гляньте только, до чего шеф свою машину довел!

И где теперь Разлогов? И что будет с его джипом? Продадут ведь, верняк, продадут!

— Странно, — вдруг встревоженно сказала Варя, про которую Вадим и позабыл совсем. — Очень странно.

Она все возилась в книжном шкафу, гремела ключами.

— Чего странно-то?

— Да не открывается!

— Чего там у тебя не открывается?..

Вот ведь бабы, а?.. Двери у них никогда не открываются, ключи застревают, каблуки подворачиваются, вместо тормоза как-то само собой на газ нажимается, и туда же — эмансипация у них!..

Вадим подошел и стал у Вари за спиной. Она бестолково тыкала ключиком в замочную скважину, а ключик не входил.

— Дай я!..

— Да он не подходит!

— Варь, отойди, дай я открою!

Она посторонилась и протянула ему ключ, теплый от ее ладошки. Странное дело, ключ и вправду решительно отказывался лезть в замок, хотя Вадим очень старался.

Да нет, ну что за фигня?! У него-то должно открыться, он же не баба, в конце-то концов!..

Не открывается.

Вадим изучил ключ. Потом изучил сейф.

Ну да, все правильно! Немецкая фирма «Крупп», название написано и на сейфе, и на ключе! Только не лезет, зараза!..

— Варь, фонарик есть?

— Какой фонарик?

— Такой! Светить. Есть?

Она растерянно пожала плечами и оглянулась, как бы в поисках фонарика.

— Да нет у нас, откуда?

— Тогда я в машину схожу, принесу.

— Зачем?!

— Посветить, — объяснил Вадим резонно. — Вдруг там чего застряло. А мы не видим.

— Где застряло?

— В замке, где, где!..

— Да ну тебя, Вадим, — сказала Варя с умеренной досадой, — что там могло застрять?! К этому сейфу не подходил никто, кроме Владимира Андреевича! Ну и я изредка, когда он просил убрать или достать что-нибудь! И ключ он всегда у себя держал.

— А это тот ключ-то?

Варя уставилась на ключ.

— Ну... тот, конечно! Да он у нас один. Разлогов все боялся его потерять. Говорил, если потеряю, придется сейф взрывать, его ни один медвежатник не откроет.

— Чего это он так плохо про медвежатников-то... — пробормотал Вадим задумчиво, рассматривая равнодушный и неприступный сейф.

Варя взяла у него ключ и снова стала тыкать.

— Да без толку! Он туда вообще не лезет.

— Я вижу, — огрызнулась Варя и взглянула на часы. — Я только не понимаю, что теперь делать!

— Домой ехать, чего еще! Завтра утречком доложишь Волошину, а он уже решит...

— А до утра я бумаги с собой буду носить?

— Секретные, что ль, они?

Варя вдруг в ужасе на него уставилась, как будто ненароком выболтала государственную тайну.

— Я не знаю, — пролепетала она испуганно. — Я... понятия не имею! Мне Волошин велел их в сейф положить...

— Ну утром и положишь! Все равно сейчас он не открывается! Поедем, а, Варь?

Она подумала немного, потом аккуратно прикрыла дверцы шкафа, слегка потеснив Вадима плечом. Он подвинулся.

Варя взяла с края разлоговского стола растрепанную кипу бумаг, сунула ключик в карман пиджака и пошла к двери. Вадим еще постоял и не спеша двинул за ней.

— Марк Анатольевич? Извините, что так поздно! Вот дура, а?! Все-таки она ему звонит! Ведь ясно, чем дело кончится, — Волошин сейчас скажет, что бумаги сверхважные и просто так их бросить никак нельзя. Посадит ее бумаги стеречь. Сам приедет в два часа ночи из какого-нибудь клубешника или от крали, из теплой кралиной постельки. Заберет бумаги, пожмет секретарше руку и отбудет. А после окажется, что секретные бумаги — контракт на производство резиновых калош!..

Вадим вышел в приемную. Варя говорила в мобильный телефон, сильно наклонившись к столу — как поклон отвешивала тому, с кем говорила!..

— ...не смогла открыть! Такое впечатление, что ключ не подходит. Нет, я несколько раз попробовала! Марк Анатольевич, что мне делать с бумагами?..

Ну теперь точно пиши пропало! Зря он, Вадим, столько времени убил, дожидаясь! Лучше б уехал давно. Сходил бы с задушевным другом Саней пивка попить, давно ведь собирались!

— Хорошо. Хорошо, — сказала между тем Варя после короткой паузы, нерешительно. — А, может быть, вы все-таки подъедете, Марк Анатольевич? Я могла бы вас дождаться...

Как будто об одолжении его просила! Вадим громко засопел, чтобы она обратила на него внимание, загримасничал и даже рукой махнул — не надо, мол, дожидаться, поедем лучше, да и мамаша там на нервах. Ты что, забыла?

— Хорошо, Марк Анатольевич, — тихо и обреченно сказала Варя, — до завтра.

— Ты что?! Хочешь, чтоб он тебя до утра засадил эти бумаги чертовы караулить?! «Подъезжайте, Марк Анатольевич! Я вас подожду, Марк Анатольевич!» Тебе домой не надо, что ли?!

— Надо, — не глядя на него, сказала Варя.

— Вот и поехали, раз надо! Чего он тебе велел с бумажками сделать?

— Убрать в мой сейф, — отчеканила Варя. — Который здесь, в приемной.

— Ну и убирай с богом, и пошли!

Она заперла бумаги в крохотный белый металлический ящик, погасила везде свет. И они вышли на улицу, к машине.

Разлоговский «Мерседес» в одиночестве дремал под фонарем — полированный, громадный и устрашающий, как подводная лодка.

— Стоишь? — спросил у «Мерседеса» Вадим, и горло у него внезапно перехватило. — Ну стой, стой...

Он мимоходом похлопал автомобиль по холодному и влажному капоту и, обогнув его, двинул к своей машине.

— Вадим, не переживай.

— Да ладно!

— Всем тяжело. Мы стараемся об этом не говорить, но...

— Да ладно!

— А я тоже все время смотрю, знаешь?.. Смотрю и вспоминаю. Только ты на машину, а я на бумаги, на ежедневники, где он дела записывал. Смешно: его нет, а дела остались...

— Да ладно! Полезай давай!

Вадим распахнул перед ней дверь, и Варя, вздохнув, полезла в холодное темное автомобильное нутро. Он плюхнулся на водительское сиденье и повернул в зажигании ключ. Мотор бодро зафыркал, «дворники» прошлись по стеклу, смахивая дождь. Варя смотрела в сторону, на спящий разлоговский «Мерседес».

Спящий, а не мертвый. Как странно.

Шлагбаум поднял полосатую руку, выпуская их на пустую узкую улочку, залитую дождем и размытым светом фонарей.

Поздно, поздно... Уже совсем поздно. Ничего изменить и поправить нельзя.

Далеко они не уехали.

Машина вдруг вильнула, присела, Вадим выкрутил руль, включил «аварийку» и медленно съехал вправо. Варя вопросительно на него посмотрела.

— Щас гляну, — буркнул он и выскочил из машины.

«Дворники» тихо и усыпляющее постукивали. Варя сдержанно зевнула и оглянулась. Вадим вынырнул откуда-то сбоку, нажал на капот, так что машина присела еще больше, посмотрел, смешно вытягивая шею, а потом полез в багажник и стал там шуровать. Варя, уже все поняв, опустила стекло.

— Иу что?

— Колесо, — пыхтя, крикнул Вадим из багажника. — Ты не журись, в два счета поменяем!

— Мне выйти?

— Можешь сидеть, только тихо!

— В каком смысле... тихо?

— Ну не прыгай.

— Да я и не прыгаю, — под нос себе пробормотала Варя.

Дождь все моросил, заливал в открытое окно, капли сыпались на Варино светлое пальто. Мама очень сердилась, когда Варя его купила. Говорила, что это не пальто, а «выброшенные деньги». Разве можно в нашем климате и в нашей экологии... в светлом? Серенькое, коричневое еще туда-сюда, но светлое-то куда?! И вообще лучше не выделяться, быть как все. А Варе так хотелось именно... выделяться! Чтоб не как все, а как те мужчины и женщины, которых она видит каждый день, — как Разлогов, Волошин, их жены и любовницы!..

Бедная мама! Она всю жизнь проработала в НИИ, где десятки одинаковых женщин и мужчин — в основном женщины, конечно! — сидели за одинаковыми столами, разговаривали одинаковые разговоры, получали одинаковую зарплату и одинаково ничего не делали!..

Папа называл НИИ, в котором работала мама, «богадельней».

Маленькую Варю мама брала с собой на работу, когда ее не с кем было оставить. Варя тогда сидела на стуле, таращила шоколадные мышиные глаза и непрерывно ела конфеты, которыми ее угощали одинаковые мамины сослуживицы. Варя была щекастая, крепенькая, в туго повязанных бантах, в свитере и ватном комбинезоне — мама была уверена, что девочка у нее «ослабленная» и часто болеет, хотя Варя болела совершенно обыкновенно, как все московские дети, которых в семь утра, в дождь и слякоть, в холод и в жару, в ведро и в ненастье, тащат в детский сад, а в группе еще двадцать таких же страдальцев, и если у одного сопли, то остальные уж точно заразятся, с гарантией!

Мамины подруги и коллеги были совершенно такими же, как мама, — в ботах, ворсистых, плохо сидящих брюках и трикотажных кофтах, сереньких, коричневых, в общем, подходящих. Только у одной красотки были ярко-алые лаковые босоножки, обутые на теплые шерстяные носки, и легкомысленная прозрачная блузка с бантом на шее. Сверху для тепла — мохнатый жилет. Впоследствии выяснилось, что красотка — «звезда и смерть», увела мужа у кого-то из соседнего отдела, и вообще считалась опасной штучкой.

Варя сидела на стуле — велено было сидеть тихо, — поедала конфеты и болтала ногой в надежде, что с ноги свалится теплый сапог. Во-первых, жарко было невыносимо, во-вторых, когда сапог сваливался, подбегала мама и начинала его натягивать. Какое-никакое, а все развлечение!

«Подруги» называли друг друга исключительно

Олечка, Леночка или Ирочка, а тех, кто постарше, по имени-отчеству — Наталья Леонидовна, Мария Ивановна. И разговаривали все время об одном и том же — станет Валера начальником сектора после того, как Юрий Павлович уйдет на повышение, или не станет, и кто займет Леночкино место у окна, потому что Леночке вот-вот в декрет.

Варя качала ногой и думала, что такое «декрет». Декрет-секрет, смешно!..

Еще говорили про квартальную премию, про назначение нового генерального — кто его знает, каким он будет! Говорят, он где-то в Газпроме проштрафился, так его к нам, чтобы отсиделся! А эти, которые из Газпрома, лихие ребята! Сдаст он все площади под склад или общежития для гастарбайтеров, и прощай тогда научный институт!..

Говорили, что картошку вот-вот должны привезти. Завхоз Брыкалов договорился с каким-то тамбовским фермером, и каждую осень в захламленный и неухоженный двор НИИ заезжал, бодро гудя, грузовик с тамбовской картошкой. Из кузова прыгали дядьки в ватниках и с папиросами в зубах, откидывали борт, сгружали на растрескавшийся институтский асфальт железные весы и толстопузые мешки с чистой, желтой, крупной картошкой, и институт оживал, становилось весело, и у всех как будто появлялось интересное и важное дело. После серой скуки будней приезд картошки казался праздником. Все потихонечку спускались вниз к грузовику, с сумочками и пакетами, спрашивали друг у друга, кто сколько берет, толковали про тамбовскую дешевизну, про то, что надо бы мешок взять, да негде хранить, и что в прошлом году в магазинах вся картошка была перепорченная, а эта долежала до весны!..

Варя стояла с мамой в очереди, крутила головой

в сползающей шапке, выглядывала, волновалась, что «не достанется», хотя всегда всем доставалось.

Эти же мамины подруги от нечего делать научили Варю печатать — когда она уже постарше была. Теперь приходы на мамину работу приобрели особый, радостный смысл — Варя залезала на стул, стаскивала чехол с древней пишущей машинки, сопя, заправляла в валик бумагу, двигала каретку и начинала щелкать клавишами — поначалу медленно-медленно, а потом, когда получилась, быстро-быстро, и это было так увлекательно! Поначалу ее к компьютеру близко не подпускали, все работают, компьютеры заняты — пасьянсами да «саперами», Варя, бродившая между столами, считала, сколько пасьянсов, и сколько «саперов». Пасьянсов выходило всегда больше. А потом, когда она научилась печатать, ее не только пускали — усаживали, и она с упоением набирала длиннющие тексты непонятных техзаданий, а мамины подруги в курилке переживали, станет ли Валерка начальником отдела после того, как Юрия Павловича проводят на пенсию, и кто займет Леночкино место у окна, потому что Леночке вот-вот в декрет, уж третий по счету!..

Окончив институт, вполне приличный, вполне технический и открывающий двери в светлое будущее, то есть в тот же самый НИИ, Варя пошла работать секретаршей.

Дома разразился скандал.

— Ты же инженер! — гремел отец. Он метался по кухне, смешной и трогательный, в тренировочных штанах и застиранной майке, и негодовал страшно. — Ты человек с образованием! А что это за работа — секретарша?! Чай будешь подавать?! Бутерброды резать?

— И буду, — упрямо говорила Варя, стараясь не смотреть на отца. Ей было его жалко.

— А еще какие услуги будет оказывать моя дочь?! Моя дочь, человек с высшим образованием!

— Папа, ты пойми, я никому не нужна с этим образованием! В НИИ не пойду, я там умру. Ты сам всю жизнь говорил про богадельню!

— Это лучше, чем... чем, — ее интеллигентный бедолага-отец вдруг пятнами покраснел, подтянул тренировочные штаны, собрался с духом и выпалил: — Лучше, чем бордель!

Они долго препирались, и Варя вышла на работу с некоторой опаской. Вдруг от нее и впрямь потребуют оказания... интимных услуг? Вдруг папа прав?! Готовая немедленно дать решительный отпор кому угодно — сначала дать отпор, а потом немедленно убежать и спрятаться, — Варя пришла на собеседование к Разлогову.

— Смотрины?! — гремел отец, когда она собиралась. — Товар лицом показывать будешь?!

Она нервничала, боялась, уже почти соглашалась с отцом и поэтому выглядела плохо — юбка и пиджак казались вытащенными из маминого гардероба, туфли на низком каблуке смотрелись калошами, и колготки плотные-плотные, больше похожие на рейтузы, а на улице жара!

Она вошла, и Разлогов, сидящий за громадным, заваленным бумагами столом, поднял на нее серые глаза в угольно-черных прямых ресницах.

Погибель, а не глаза!..

Напротив него, ближе к Варе, сидел Волошин, который учтиво и быстро поднялся, когда она вошла. В эту секунду все и решилось, так сказать, определилось раз и навсегда. Не то чтобы они не стали к ней приставать. Не то чтобы они не рассматривали ее сальными взглядами и не отпускали двусмысленных шуток. Не то чтобы они не задавали двусмысленных вопросов!..

Они ее не заметили. То есть вообще. То есть совсем. Нет, они поняли, должно быть, что это существо у дверей — новая разлоговская секретарша, и только.

Разлогов быстро сказал что-то про отдел кадров. Отдел кадров считает Варю вполне подходящей для этой должности, и он, Разлогов, нисколько не возражает. Раз уж отдел кадров так считает, займите свое рабочее место.

Волошин не сказал ни слова, смотрел в окно, пережидал, когда закончится никому не нужная аудиенция.

Варя заняла рабочее место, тихо радуясь тому, что не пришлось спасать свою честь, и слегка недоумевая, почему эти люди не обратили на нее никакого внимания. То есть вообще. Ну совсем.

В два счета она «сделала карьеру» и через три месяца была уже разлоговским помощником. В отделе кадров ее должность называлась «ассистент».

Разлогов не замечал ее, когда она была секретаршей, и, когда стала помощником, не замечал тоже.

Волошин был холодно-любезен и, обращаясь к ней, каждый раз немного медлил, как будто вспоминал, как ее зовут. Два других зама работали в «новом офисе» — так называлось только что отстроенное шикарное здание «Эксимера» где-то за МКАДом, и Варя их почти не знала.

Папа потихонечку угомонился, мама переживала, что ездить далеко, а Варя купила себе светлое пальто. Вызов собственной жизни, маминому НИИ, папиным тренировочным штанам и подъезду в многоэтажке на улице Тухачевского, в котором она прожила всю жизнь!

Все не так. Все совсем не так, как представлялось с улицы Тухачевского. «Жизнь наверху» оттуда, с Тухачевского, виделась сияющей и блестящей, беззаботной и легкой и, самое главное, очень красивой. Дорогие машины, деловые костюмы, горные лыжи, экономический форум в Давосе, прием в «Мариотте», каникулы в Ницце. При этом никто ничего особенного не делает, все озабочены, как бы повеселее провести время и произвести на окружающих подобающее впечатление.

Принцы женятся на золушках. Министры на секретаршах, миллионщики на манекенщицах, бизнесмены на королевах красоты и молоденьких певичках.

Принцам быстро надоедают золушки, певички и королевы красоты, и, измученные скукой и непониманием, принцы берутся за ум и принимаются искать «хороших девушек» — воспитанных, порядочных, добрых и умных, — чтобы осчастливить их, «создать семью» и завести очаровательных малышей и большую собаку. Семейный автомобиль, зеленую лужайку и дом с камином.

Варя, будучи девушкой здравомыслящей и как раз «из хорошей семьи», о женихах «высокого полета» вовсе не мечтала, конечно, но... присматривалась. Верила, что самое главное оказаться в нужное время в нужном месте, а там... посмотрим.

Угольно-черные ресницы Разлогова долго не давали ей покоя. Ей повезло — она работала вроде бы в офисе, а вроде бы и нет — на шестой «начальничий» этаж офисная мошкара залетала редко, почти никогда, только во время каких-нибудь совсем больших совещаний и торжественных заседаний под праздники. Варя всегда была с «большими» — начальниками и их ближайшим окружением, то есть как бы над болотом, в котором селились лягушки и роилась мошкара. Девушки, цокающие на шпильках с утра в будние дни, девушки, в хмурых осенних рассветных сумерках являвшиеся на работу в декольте и ярко-алой губной помаде, были ниже, населяли те самые пять этажей, куда Варя спускалась только «по делу».

Принцы, таким образом, были в ее полном распоряжении и безраздельном владении, по крайней мере в рабочее время.

И тут подвела ее улица Тухачевского и прочитанные на диване кипы глянцевых журналов!

Там, в журналах, ничего не говорилось о том, что принцам прежде всего нужно... работать. Что работа — главное в их жизни, альфа и омега, первое и последнее, что у них есть, а все остальное лишь приложение к ней.

Принцы куют деньги и проводят в кузнице куда больше времени, чем на курортах, в Давосе и на горных склонах.

Принцам скучно — как с певичками, так и с порядочными девушками «из хороших семей». Детьми они обзаводятся только для того, чтобы в далекой перспективе было кому оставить кузницу вместе с горнилом. Семейный автомобиль водит шофер. В дом с лужайкой и камином принцы наезжают крайне редко, предпочитая ночевать «в городе», в громадных московских квартирах, предназначенных «для одного» — и вовсе не за тем, чтобы предаваться там непременному и соблазнительному разврату, а для того чтобы выспаться и не стоять с утра в гигантских пробках. Ведь надо на работу!

Принцы оценивали людей — и мужчин, и женщин — исключительно с точки зрения их полезности для дела.

Варя была им полезна, и они относились к ней по-своему прекрасно.

И все. Все!..

В Женеве, куда ее взяли переводить в магазинах и ресторанах (в свое время она окончила курсы английского), она увидела Монблан. Идиллическая картинка, воспроизведенная на кружках, открытках, майках и просто сувенирной чепухе! Изумрудные лужайки, голубые ручьи, сахарная приветливая вершина в безоблачном, чистом, нерусском небе. Варя садилась на газон на набережной, откусывала от багета и любовалась, и фотографировала. А потом Разлогова зачем-то понесло в горы, и они заехали далеко и высоко, остановились возле какого-то шале, от которого можно было подниматься только пешком. Здесь было холодно, дул ледяной и острый ветер, скалы нависали угрожающе, и вершина, мерещившаяся снизу такой соблазнительно сверкающей, вовсе не сверкала, была припорошена песком и гранитной крошкой и оказалась мрачной и недостижимой.

— Так всегда бывает, — сказал ей подошедший Разлогов. Он мерз и часто шмыгал носом. Варя искоса на него взглянула. — Заберешься на вершину, и ноги не держат, и сил больше нет, и стоять неудобно, и холодно, и одиноко, а впереди только следующая вершина. Но если долго не двигаться, голова закружится, и в пропасть сорвешься!

И постепенно за это их упорство, за умение не стоять на месте, за то, что в пропасть не сорвались, Варя стала их уважать.

Она стала их уважать и все простила — равнодушие, черствость, невозможность женить их на себе и хорошенько ими попользоваться!.. Она простила им их виски по пятницам на работе, иногда до поросячьего визга, их любовниц, их одержимую требовательность, несдержанность и швыряние в стену документов, если что-то вдруг не понравилось!

Швырял Разлогов, конечно, а Волошин никогда.

Она захотела... «соответствовать». Жесткое расписание на день, оценка собственной эффективности — да-да! — дорогие очки, белое пальто и только вперед!

Мама ничего этого не понимала. Маме не нравилось, что дочь день и ночь торчит на работе, и еще по выходным, а бывает, и по праздникам!

Тети, дядья и двоюродные во время семейных застолий смотрели на нее странно, а она хватала телефон после первого же звонка и мчалась на работу — только там ей было интересно, только там она чувствовала себя на месте.

А потом Разлогов умер. Просто взял и умер.

Варе вдруг стало нечем дышать, она зашарила рукой по обивке, нащупала ручку, дернула и почти вывалилась наружу.

— Ты куда?! Я тебе велел сидеть, не дергаться!

Про Вадима она совсем забыла.

— Что-то меня... тошнит.

— С голодухи тебя тошнит! Тут дождина льет! Лезь обратно, только тихо, видишь, она на домкрате у меня!

Варя помотала головой — не полезет она обратно!

— Лезь, говорю! Пальто изгваздаешь! Догадалась тоже в нашем климате такое пальто купить!

Он же не знал, что это не пальто, а вызов!..

Очки запорошило дождем, и узкая и пустая улочка «тихого центра» виделась смутно, как вдруг из-за поворота ударил свет фар, и Варя зажмурилась.

— Придурок, мать твою!

Вадим проворно, как заяц, метнулся за капот, и мимо них в облаке дождевой пыли пролетел черный автомобиль.

Они проводили его глазами.

Автомобиль затормозил перед шлагбаумом, стал как вкопанный, ткнулся рылом почти в полосатую шлагбаумную руку. Шлагбаум немного подумал и поднялся, пропуская машину на стоянку. Машина была знакомой. Собственно, они точно знали, чья она. Они посмотрели ей вслед, а потом друг на друга.

— Чего это его принесло среди ночи? Ты же ему вроде звонила, и он сказал — до завтра?

— Не знаю. — Варя сняла залитые дождем очки и сунула их в карман пальто.

Они помолчали и опять посмотрели друг на друга.

— Может, мне вернуться? — нерешительно спросила Варя сама у себя. — Или позвонить ему?..

— Да что ты придумываешь?! — взвился Вадим. — Тебе домой чего, совсем не надо?! Не наработалась за день?! Прямо рвение у тебя какое-то открылось!

— Зачем он приехал? — не слушая его, продолжала Варя задумчиво. — Ночь же! И мне он сказал, что с бумагами ничего не будет, да и бумаги-то, на самом деле...

— Чего ты там бормочешь?!

В кармане светлого Вариного пальто затрезвонил мобильный телефон, и, совершенно уверенная, что звонит измученная ожиданием мама, Варя выхватила трубку. Даже не взглянула.

— Да, мамочка! Я уже совсем, совсем скоро!

— Мне известно, что вы убили Владимира Разлогова, — сказал ей в ухо равнодушный голос. — Известно, за что и каким способом.

Варя молчала.

— Я позвоню вам еще раз и сообщу, что именно хочу за свое молчание.

Варя отняла трубку от уха и посмотрела в окошечко. Номер, ясное дело, совсем незнакомый.

— Чего там? — спросил Вадим и покатил снятое колесо к багажнику. — Мамаша на нервах? Вот е-мое, все мокрое, блин! Придется завтра...

Варя не слушала.

Она проворно прыгнула на переднее сиденье. Зажгла лампочку под потолком и нажала кнопку.

Если этот человек ей звонил, значит, и она может ему позвонить? Посмотрим, что из этого выйдет.

Не вышло ничего. Трубка отозвалась переливчатыми трелями и сообщением о том, что «аппарат абонента выключен»...

Варя подумала еще несколько секунд. Совершенно хладнокровно.

Вадим сел рядом, о чем-то спросил. Она не слышала.

Нужно позвонить. Очень страшно, но это нужно сделать! И она опять нажала кнопку вызова.

Долго не отвечали. Она считала гудки.

...Три. Четыре. Пять. Шесть.

— Да, — голос нетерпеливый, почти сердитый.

— Марк Анатольевич, извините, что так поздно, — выпалила Варя второй раз за этот бесконечный вечер. Вадим вытаращил глаза. Машина вильнула.

— Да, — повторил Волошин. В глубине, за его голосом в трубке, царила мертвая тишина, как будто он разговаривал из склепа.

Не из склепа. Всего лишь из ночного офиса!..

— Мне сейчас кто-то позвонил, — отчеканила Варя. — Этот человек не назвался, он сказал...

Тут она вдруг споткнулась. Выговорить **это**, оказывается, было непросто.

— Что? — раздраженно спросили в трубке.

— Марк, вы знали, что Разлогова убили?

— Что?!

— Так сказал этот человек, — объяснила Варя, глядя перед собой.

Дождь все лил. «Дворники» мотались по стеклу.

Сон был такой легкий и прекрасный, что она, кажется, даже засмеялась.

Как будто все на месте — и Разлогов, и его собака. И даже мясо собираются жарить на знаменитом разлоговском мангале. Хотя, шут его знает, наверное, это и не мангал вовсе!.. Целая печь, сложенная очень искусно — углубление для казана, если кому взбредет в голову плов готовить, специальные решетки для сковородок, если корюшку жарить, и отдельное место для мяса. Разлогов от печника не отходил, когда тот сооружал свой шедевр. Даже на работу не ездил, вот уж на него не похоже!.. Печник был непростой. Специально выписанный то ли из Магадана, то ли из Анадыря — Разлогов уверял, что нигде так не умеют класть печи, как на русском Севере! Удивительный печник, бородатый, веселый, руки лопатами, жил в доме на положении гостя. Работал по двенадцать часов — выкладывал печь, — а по вечерам покуривал трубочку, посиживал с Разлоговым у камина, вел долгие разговоры. Каждый вечер они пили водку, запивали ее пивом, утверждая, что «пиво без водки — деньги на ветер!», заедали строганиной. Печник выволакивал из морозильника твердую, как камень, замороженную рыбину, похожую на обрубок бревна, и здоровенным острым, как бритва, ножом состругивал тоненькие скручивающиеся полосочки. Эти полосочки потом макали в перец и соль и заедали ими пиво с водкой.

Утром пораньше вставали — и за дело, печь класть. Они и одеты были как близнецы — в брезентовые штаны, толстые свитера, тяжелые ботинки. Разлогов в этой одежде терял весь свой московский офисный лоск и становился похожим на старателя — не какими их показывают по НТВ в кинокартине «Золото-2», а какими их снимал Юрий Рост, знаменитый фотохудожник, знаток жизни и человеческих душ.

Ну вот, сон. И как будто костер горит в середине каменного круга — печник тогда соорудил еще и костровище, сказав что-то вроде: «Негоже в доме да без живого огня, дух огня обидится, не ровен час, а огню особое место потребно, почетное!»

И соорудил. Рядом с печью засыпали круглым речным камнем площадку, в центре выложили углубление, кругом поставили березовые лавки, и Разлогов теперь все время жег костер, подолгу смотрел в огонь. Что он там видел?..

Так вот, сон. И как будто гости приехали. Приятные, легкие. И день приятный и легкий — осенний, свежий, терпкий и солнечный. И как будто на подносе вносят какую-то красоту и радость, одно предвкушение которой доставляет удовольствие: толстодонные стаканы, виски в высокой бутылке, свежий хлеб толстыми ломтями, буженина, крепенькие, холодненькие соленые огурчики, розовое сало и — отдельно! — горка жгучего хрена. Все очень по-русски и называется — «закусить до мяса». И само мясо, гвоздь программы, маринованное в травах, лимоне и вине, такой красоты, что хоть сырым его ешь!..

И все гости в ярких горнолыжных куртках, джинсах и свитерах — любимый разлоговский вариант, — и никто не спешит, и всем весело смотреть в огонь, прихлебывать виски, нюхать дым, бесконечно осведомляясь, скоро ли будет готово.

И пес Димка, грозный страж, ничего нынче не сторожит, и запирать его не надо, потому что приехали «все свои», и Димка всех отлично знает!..

Глафира вдруг подскочила так резко, что ей показалось, будто голова у нее оторвалась. Она придержала голову рукой.

Собака! Собака всех отлично знает! Тем, кого она не знает, лучше держаться подальше. Кто не спрятался — я не виноват.

Собака-телохранитель, бесконечно преданная хозяину и его семье. Очень опасная для чужих. Умный, расчетливый, хладнокровный зверь. Семидесятикилограммовая литая торпеда.

Когда мастиф спал перед камином — все лапы вверх, хвост в сторону, беззащитное розовое пузо мирно и спокойно дышит, — подходил Разлогов и садился на него сверху, как на диван. Пес покряхтывал, конечно, но нельзя сказать, чтоб здоровенный Разлогов, усевшийся сверху, очень ему мешал.

Если бы в дом тогда явился чужой, Димка не оставил бы от него мокрого места. Значит, был кто-то свой! Настолько свой, что Димка не только впустил его в дом, но и позволил остаться с хозяином! Настолько свой, что дал себя увести, — Димки не было в доме, когда Глафира приехала и... нашла Разлогова! Если бы убийца застрелил собаку, была бы кровь, а крови не было, не было!..

Значит, или увел, или разделался с псом так же, как с Разлоговым, аккуратно, бесшумно, бескровно.

Очень умный, очень близкий человек. Настолько свой, что даже пес ничего не заподозрил!

Глафира замычала тихонько — от бессилия и оттого, что голове было больно, то ли от мыслей, то ли от давешнего удара. Помычав немного, она спустила ноги со своего ложа — непривычно высокого, как в царской опочивальне, непривычно широкого и слишком пухлявого — и поплелась в ванную.

В квартире Прохорова она все время путалась, открывала ненужные двери, зажигала свет не там и поворачивала не туда.

Где-то что-то то ли пело, то ли разговаривало, и Глафира, пооткрывав не те двери, позвала хрипло:

— Андрей! Ты дома?..

Никто не отозвался, и Глафира, послушав немного, сказала сама себе:

— Нету тебя дома!

...А кто тогда поет и разговаривает? Впрочем, вряд ли Прохоров стал бы разговаривать сам с собой, а уж запел бы тем более вряд ли!

Наконец нужная дверь была найдена — Сезам, откройся! — и Глафира попала в ванную.

Зеркала, зеркала, мрамор, мрамор, хром, сталь, титан. Кадмий, литий, бериллий, ванадий — как в таблице Менделеева, — и посреди всего этого торчит она, Глафира, желтая, с синяками под глазами, с шишкой на голове, с облупившимся лаком на ногтях и в его пижаме.

Потыкав пальцами в ненужные кнопки, повертев ненужные ручки — хром, сталь, литий и кадмий, платина и палладий, — включая попеременно то подсветку пола, то стереосистему, из которой моментально грянул оркестр, то видеопроектор, то освещение гигантского аквариума с пираньями, Глафира в конце концов пустила воду и через некоторое время даже добилась того, чтобы она стала горячей. Похвалив себя за упорство и труд, Глафира вылезла из пижамы и, предвкушая счастье от сидения в горячей воде, принялась чистить зубы и рассматривать себя в зеркало.

Ничего общего с красотками в духе Разлогова. Зад широковат, груди тяжеловаты, ноги так себе — длинные, но... «тумбообразные», так сформулировал ее фитнес-тренер, производя «обмеры». Никаких аристократических тонких щиколоток. Продавщицы в обувных магазинах были снисходительней и называли это «высокий подъем».

Глафира остервенело чистила зубы.

Пошел он на фиг, этот фитнес-тренер!.. Собственно, он и пошел. После «обмеров» и первого занятия, в ходе которого выяснилось, что у Глафиры слабовата стенка живота, поэтому кожа отвисает так неэстетично, колени несколько дистрофичны, и носить короткое ей категорически нельзя, а руки такие полные, что обычная программа укрепления мышц ей не подойдет, Глафира подарила свою золотую клубную карту какой-то молодой мамаше с коляской, обретавшейся возле клуба.

Фитнес-тренер пару раз звонил, осведомлялся, когда Глафира придет на тренировку, а потом, к счастью, у нее украли телефон, и передняя стенка живота осталась в прежнем виде.

Впрочем, все это не имеет никакого значения!..

Глафира долго лежала в ванне, а потом с наслаждением мылила голову, осторожно обходя пальцами огромную шишку. Прикасаться к ней до сих пор было больно.

Напялив халат, расходившийся на груди, она слегка подула феном на короткие растрепанные волосы и отправилась искать кухню.

Она живет здесь уже несколько дней и все время путается! Интересно, можно в такой квартире прожить жизнь? Нет, в качестве арт-объекта квартира прекрасна. А жить?!

Раньше Глафира никогда не жила с Прохоровым... подолгу. Иногда они вместе спали, в основном в отелях, в основном за границей, где их никто не знал, и дома у него она была всего пару раз! И ей никогда не приходили в голову такие приземленные, неромантические мысли — как здесь жить-то?! Не попивать коктейльчик перед тем, как «все должно случиться», не принимать вместе ванну после того, как «все уже случилось», не прихлебывать кофе из одной чашки, сидя голыми за барной стойкой в гостиной, а... жить!

А Прохоров, в которого она была вроде влюблена?.. С ним можно жить?

Наверняка, бодро утешила себя Глафира. Вот они живут уже несколько дней, и все у них просто прекрасно! Правда, никакого интима, она все время лежит — болеет, открывает не те двери и так и не научилась пользоваться кофеваркой — иридий, палладий, ванадий и ряды кнопок, как в центре управления полетами.

И очень хочется домой. Так хочется, что, закрывая глаза, она все время видит одно и то же — широкие лиственничные доски, камин с закопченной задней стенкой, темные балки на потолке, яблоки в корзине у высоких дверей, распахнутых в сад. Гамак между соснами.

Надо было снять гамак. Что он висит, мокнет?..

— Мне нельзя раскисать, — громко сказала Глафира. — Ни в коем случае! Я все выясню и поеду домой. И сниму гамак!

Разлогов любил иногда посидеть в гамаке. Черт бы его побрал!..

В так называемой кухне — кадмий, литий, бериллий — Глафира разыскала турку, початую пачку кофе и какую-то колбасу за неприступной холодильной дверью.

Телевизор работал — вот, оказывается, откуда песни и разговоры!

Жуя колбасу и запахивая то и дело открывающийся на груди халат, Глафира с трудом взгромоздила себя на длинноногий, высоченный, элегантный стульчик и потянула к себе журнал.

Это был *тот самый* журнал, открытый на *той самой* странице.

Глафира глубоко вдохнула и выдохнула. Зачем Андрей принес его сюда, да еще забыл на самом видном месте?! Он же знает, что ей... неприятно.

Куда там «неприятно»! Она эти фотографии видеть не может! И не хочет! И не будет на них смотреть!

Она швырнула журнал, он поехал по стойке и шлепнулся с другой стороны, распластав страницы, как разноцветная бабочка, с лету вляпавшаяся во что-то липкое.

Глафира сварила кофе, дожевала колбасу. Распластанный на полу журнал не давал ей покоя. Прихлебывая кофе, она сползла с элегантного стульчика, подошла и двумя пальцами подняла журнал.

Я все понимаю, брезгливо подумала она про Прохорова. Работа такая. Обыкновенная работа за деньги, ничего особенного. Тебе платят. Ты ставишь материал в номер. Но ведь это не чья-нибудь чужая жизнь, до которой нам дела нету. Это *моя* жизнь. А следовательно, и *твоя*, если ты меня любишь!.. Хоть бы ты раз в жизни отказался! Ну отказался бы, и все тут!..

Впрочем, отказался бы Прохоров, поставил бы Сидоров или Петров. Какая разница!..

Только одна фотография ее интересовала — только одна из всего цветистого глянцевого множества! И, превозмогая себя, Глафира вернулась за стойку, неся журнал на отлете, шлепнула его на полированную поверхность и еще раз посмотрела.

Ну да. Белый пляж, загорелое тело в двух полосочках почти несуществующего купальника, совершенное, правильно припорошенное правильным песочком, и на заднем плане Разлогов.

Очень раздраженный. Вовсе не Аполлон. Решительно не красавец-мужчина. В плавках лучше не фотографироваться. Никогда. Даже после прохождения «обмеров» у фитнес-тренера.

Глафира еще раз взглянула в прищуренные от злости глаза Разлогова.

Погибель, а не глаза.

Скажи мне, откуда могла взяться эта фотография?! Подскажи мне хоть что-нибудь, иначе я никогда не найду убийцу! А «никогда» — очень плохое слово. Гораздо хуже многих других плохих слов.

В недрах квартиры что-то тонко пропищало. Глафира подняла голову и настороженно прислушалась. Загремело железо, лязгнули цепи, снова запищало. И Прохоров сказал откуда-то издалека:

— Ты моя хорошая. Ты моя красавица. Ждешь меня, да?

Глафира пожала плечами и запахнула халат. Любовь Прохорова к кошке Дженнифер не знает никаких границ. Впрочем, любовь вообще границ не знает.

— Ты красавица. Красавица, да? Королева красоты! Ну вот так, вот так... Глаша! Глаша, ты встала?..

Глафира опять пожала плечами, словно сомневалась — шут его знает, встала или не встала!..

— Глаша?

Прохоров показался на пороге кухни — голубая рубаха, клетчатый пиджак, ладные джинсы. С одной руки свешивается Дженнифер, с другой — офисная сумка из мягкой черной кожи.

Очень стильно.

— Ты чего не отзываешься? — подошел и поцеловал. Пахло от него упоительно, и все бы хорошо, только во время поцелуя Дженнифер болталась у него на локте, попадая хвостом в вырез Глафириного халата.

— Я решил, что с меня хватит, — объявил Прохоров, отрываясь от Глафиры. — Я пресс-конференцию в Кремле отсидел и в офис не поеду! Давай кофе пить, а потом по Москве шататься. Давай, а?

И сгрузил анемичную Дженнифер Глафире на колени.

Кошка была тяжелая и очень пушистая. Громадная, как гиппопотам. Она сразу вцепилась Глафире в ноги через халат.

— Ой, да отцепись ты!

Прохоров оглянулся и засмеялся:

— Девочки, не ссорьтесь!

Дженнифер смотрела на Глафиру презрительно.

Ты-то уйдешь, говорила ее недовольная физиономия, а я останусь! Еще посмотрим, кто кого.

— Она меня ненавидит.

— Не выдумывай.

Прохоров поставил перед Глафирой бутылку какого-то мудреного йогурта и чистый стакан.

— День надо начинать с натурального продукта.

— Я уже начала день с колбасы.

— Очень плохо. И зачем ты это рассматриваешь?! Нервы себе портишь!

Глафира попыталась спихнуть тяжелую и горячую Дженнифер, но та уперлась и не уходила ни в какую.

Кремень-кошка. Скала.

— Андрей, а зачем ты этот материал поставил?

— Прости.

— Да я не для того, чтоб ты извинялся, — вдруг вспылила Глафира. — Но неужели нельзя было... меня пожалеть?

Прохоров налил йогурт в стакан, отхлебнул и поморщился, словно хватил коньяку.

— Глаш, в нашем мире никто никого никогда не жалеет. Тебе это известно лучше других! Я не мог его не поставить.

— Мог, — возразила Глафира убежденно. — Ты прекрасно знаешь, что мы с Разлоговым...

— Вы?! — поразился Прохоров. — Вы с Разлоговым?! Это что-то новенькое. Доселе не бывалое.

— Хорошо, — помолчав, поправилась Глафира. — Разлогов и я всегда старались друг друга... щадить. И ему вовсе не нужна слава такого рода! То есть была. Не нужна была.

— Я понял, понял.

— И ты... со мной, — это она едва выговорила. — Ты все про меня знаешь, но эта гадость все-таки вышла, и именно у тебя!

Прохоров налил себе еще немного заветного йогурта и так же залпом выпил.

— Глаша, — сказал он совершенно спокойно. — Я тебя люблю. Ты это отлично знаешь.

— Я тебя тоже люблю, — сообщила в ответ Глафира.

— А Разлогов... ему же было наплевать на людей! На тебя, на меня, на собственную бабушку! Ему нужно было потешить самолюбие этой девицы, — Прохоров кивнул на фотографию. — Он заплатил за публикацию, и все! Дело сделано, Глаша! Что мы при этом чувствуем — наплевать!

Глафира молчала. Дженнифер навалилась ей на бедро, вытянула ногу почти к самому ее носу и принялась урча вылизывать бок.

— Ну хорошо, — сказала Глафира, — ладно. Ты ничего не мог поделать. А фотографии эти!..

— Что фотографии? — Прохоров повернул журнал к себе. — Обычные фотографии! Джентльменский набор.

Она хотела спросить про одну-единственную фотографию, ту самую, странную и загадочную. Она была уверена, что, разгадав тайну этого снимка, она освободит хоть одну ниточку из скрученного намертво клубка. Хоть бы одну — и то неплохо!

Спросить или не спросить? Можно или нельзя?

— Я хотел его снять, этот материал, — вдруг признался Прохоров. — Честное слово! Я же ничего не знал, Глаша!

— Чего ты не знал?

— Ничего. Я его даже не видел. Я дал добро на него и улетел в Венесуэлу. А Разлогов умер. Но я этого не знал! Ты же мне так и не позвонила! Я узнал только из новостей! — Он помолчал и добавил: — Да и не смог бы я вернуться! Нас так долго не допускали к Уво Сандэрсу, ну к их президенту, а мы ради него, собственно, и летали! Да-да, это ужасно, но я прежде всего журналист, Глаша! И интервью у него я все-таки взял! И хорошее интервью!

Глафира смотрела мимо него в окно на знаменитый храм, сначала построенный на народные деньги, потом взорванный для постройки бассейна, а потом построенный заново на месте бассейна. Дженнифер ожесточенно и громко вылизывалась у нее на коленях, шерсть лезла ей в рот, и она брезгливо дергала головой.

— Потом я прилетел, стал тебе звонить, ты сначала не брала трубку, потом взяла, и поговорили мы как-то странно...

— Это потому, что мне как раз в тот момент дали по голове, — напомнила Глафира.

— Глаша, перестань. Ты хочешь, чтобы я чувствовал себя виноватым еще больше? Или чтобы я сразу повесился?

Она не отвечала, смотрела на храм, и ее молчание Прохорову не нравилось.

— Что?

Она перевела на него взгляд и пожала плечами.

— Ничего.

Прохоров отошел к плите, стал возиться и заговорил, не поворачиваясь:

— Вот ты говоришь, ему не нужна была такого рода слава! Но ведь это он сам заказал материал про Олесю!

— Олеся — это кто? — злобно спросила Глафира, как будто не знала кто.

Прохоров кивнул на журнал.

— А-а.

— Что такое-то, Глаша? Или я еще недостаточно раскаялся в своей мерзости?

— А ты вообще-то раскаялся?

Он вернулся к стойке, забрался на длинноногую, как девушка Олеся, табуретку и налил себе кофе.

— Я хотел снять материал, — повторил он устало. — И не успел! И я не знал, что тебя... — он поискал слово, — что на тебя нападут! Мне тогда показалось, что ты бросила трубку, и потом, когда я перезванивал, ты не отвечала!

— Я без сознания была.

— Да, да! Что ты мне все время пытаешься объяснить?! Что я подлец?! Ну так я не подлец! И не мог я просто так, без твоего разрешения нагрянуть в дом Разлогова! Вдруг бы там какие-нибудь родственники оказались?! Или друзья! Все же знают, что мы с тобой...

— Спим, — подсказала Глафира, которую лукавый заставлял его злить. И у него получалось, у лукавого!..

Прохоров пробормотал что-то себе под нос. Глафира расслышала только «твою мать».

— Я звонил, ты не отвечала! Я поехал на работу, поскандалил там, хотел снять материал, а журнал уже из типографии вышел! Я там, в этой Венесуэле, счет дням совсем потерял, а уж когда из новостей узнал, что Разлогов умер!..

Кошка Дженнифер перевалилась на другой бок и теперь смачно вылизывала под хвостом. В неярком утреннем осеннем свете вокруг нее плавала шерсть и оседала на Глафирин халат.

— Девочка моя, — рассеянно сказал Прохоров то ли Глафире, то ли кошке Дженнифер.

— А фотографии? — вдруг спросила Глафира, и Прохоров насторожился. С фотографиями как раз вышла история, но Глафира не должна об этом узнать.

Еще не хватает!..

— Что... фотографии? — осторожно спросил он.

— Откуда они? Нет, вот эти, — и она стукнула в

журнал кофейной ложечкой, — я понимаю откуда! Это вам сама звезда выдала...

— Не нам, а корреспонденту. Меня там не было.

— Ну пусть корреспонденту. А остальные?

...Почему она спрашивает, промелькнуло в голове у Прохорова. Что ей может быть известно про эти фотографии?!

— Фотосессия была у нее дома, — четко, как на летучке, сказал Прохоров. — А что? Обычная, нормальная практика. Ты же все это знаешь! Приезжают корреспондент и фотограф. Корреспондент берет интервью. Фотограф снимает.

Она смотрела на него очень внимательно, как будто он открывал бог весть какие истины.

...Почему она так смотрит?.. Что она знает? Она ничего **не может** знать о том, что произошло... с фотографиями! **Не должна** знать!

Нужно как-то ее отвлечь. Заставить забыть об этих дурацких фотографиях! В конце концов, Разлогов умер, и публикация их потеряла всякий смысл.

— Глаш, — сказал Прохоров немного неуклюже, — пойдем лучше на улицу, а? Ты же почти неделю тут сидишь! Пойдем?

— Значит, отчасти фотографировали на месте, а отчасти — материал «из личного архива звезды». Так это называется?

— Глаш, пойдем на улицу, а?

Она вдруг спихнула с коленей Дженнифер, которая уверенно приземлилась на пол и тут же ринулась к Прохорову, жаловаться.

— Вам всем на меня наплевать, — выговорила Глафира, и губы у нее скривились. — И тебе, и Разлогову, и всем на свете! Зачем ты подсунул мне этот проклятый журнал! Опять! Я ведь уже все это пережила, и ты зачем-то решил показать мне это снова!

— Я ничего не подсовывал, — пробормотал перепуганный Прохоров. — Честно, Глаша! Он был у меня в портфеле, я его выложил, а ты нашла...

— Тебе наплевать! — крикнула Глафира и зарыдала. — И Разлогову было наплевать тоже! Всегда! Всю жизнь!

Она закрыла лицо руками. Кошка Дженнифер смотрела на нее с брезгливым удивлением — не умеешь себя в руках держать, матушка! Что это у тебя за бурные проявления чувств, как у собачки-дворняжки? Мы здесь дворняжек не держим, пошла вон отсюда!

Только Глафира никуда не шла, рыдала еще пуще. Ей было стыдно, но остановиться она не могла. Как будто маховик внутри раскручивался, быстрее, быстрее!..

Когда она начала икать и задыхаться, Прохоров подал ей воды.

— Ничего, — сказал он негромко и погладил ее по голове. — Ничего, Глаша.

Глафира икала и хрюкала, и думала с ужасом: что это со мной?! Почему я не могу остановиться?! Зачем я вообще рыдаю?! Даже... из-за Разлогова я не рыдала, и когда получила по голове, не рыдала, и когда приехавший Марк демонстрировал мне свою ненависть, не рыдала тоже! Так что со мной?!

Прохоров, бестолково поототкрывав блескучие двери стенных шкафчиков, выудил какой-то пузырек и стал капать в склянку.

— Ни... че... че... го... м-мне н-не на... до!

— Надо! — и он сунул склянку ей ко рту.

Стыдоба какая, подумала Глафира с ужасом, проглотив гадость, хорошо, что Разлогов не видит. Он терпеть не мог истерик и был уверен, что она ни на что такое не способна.

Он любил за вечерней пение, белых павлинов и стертые карты Америки.

Не любил, когда плачут дети, чая с малиной и женской истерики.

А я была его женой.

Глафира зубами вцепилась в обшлаг халата, чтобы икать и хрюкать не так громко, и постепенно буря стала затихать.

— Господи... что... со... мной... бы-ло?

Прохоров пожал плечами, подошел и обнял ее за голову.

— Ничего страшного не было. Истерика, и больше ничего.

— У... меня... не бывает... ис... истерик.

— Сегодня первая. Загадывай желание!

Кошка Дженнифер презрительно дернула хвостом. «Он еще с ней возится! Она шумит, булькает и производит нарушения в нашем с тобой прохладном, спокойном и уравновешенном мирке! Она нам не подходит. Гони ее в шею, милый».

— Это... все из-за... фотографий...

— Ну конечно.

— Ты во всем виноват!..

— Разумеется.

— Ты мне их... специально подсунул!

— Ну еще бы!

— Я выброшу эту гадость в помойку.

— Давай!

Глафира высвободилась из его рук, теплых, крепких и надежных, схватила журнал и...

Нет, это была совсем *не та* фотография, где раздраженный голый Разлогов с красавицей на переднем плане, не дававшая Глафире покоя!

На *этой* красавица в одиночестве сидела с ногами в белоснежном пушистом кресле. Из одежды на красавице была только просторная мужская рубаха, а из украшений — огромный бриллиант.

Глафира не поверила своим глазам.

Может, у нее в голове помутилось? Всерьез?!

Распроклятый журнал трепыхался у нее в руке. Она взяла его, чтобы вышвырнуть в помойку.

Должно быть, истерика — первая в жизни, загадывай желание! — пошла ей на пользу. Кисельной трухлявой вялости последних недель не осталось и следа.

Глафира вдруг, в одну секунду, вернулась в себя, вернулась собранной и умеющей думать, такой, какой она была всегда.

Ты очень умная, говорил ей когда-то Разлогов, и она знала, что это правда.

— Ну? — Прохоров потянул у нее из пальцев журнал, отдавать который было нельзя. — Мы же собираемся его выбросить! Да, Глашенька?

Он обнимал ее очень нежно, и они вдвоем продвигались к мусорному ведру, отчасти напоминающему топливный бак межпланетного корабля, как все в этом доме. Ведро сверкало полированным металлом и работало — ведро работало! — на сенсорных датчиках.

Андрей ни о чем не должен догадаться. Он тут совсем ни при чем. И так она доставила ему много неприятностей, а он ни в чем не виноват.

Кое-как, в обнимку — расстроенный Прохоров и новая-старая, быстро обдумывающая свое положение Глафира — они добрались до ведра. Прохоров поднес руку, куполообразные створки раскрылись с тихим, но отчетливым жужжанием и ам! — ведро проглотило журнал.

Глафира проводила журнал глазами, всхлипнула напоследок, повернулась и обняла Андрея. И носом потерлась о его шею. И посопела ему в ушко.

— Все хорошо? — Он потрогал ее шишку под волосами. — Прошло?

— Истерика — да, а шишка нет. Ты прости меня, Андрюша.

— Нечего прощать. Я все понимаю. Тебе... нелегко дались все эти события.

— Нелегко, — эхом повторила Глафира. Если сейчас кто-нибудь позвонит и он уйдет за телефоном, я смогу вытащить журнал. Незаметно и быстро.

— Только мне обидно, — продолжал ничего не подозревающий Прохоров, — что тебя так задела эта... разлоговская девица! Ну и что? Он что, был твоим верным и любимым мужем, что ли?!

Вовсе не девица ее задела! Наплевать ей на девицу. Но Прохоров об этом не должен знать!

— Он не был моим любимым, — сказала Глафира, думая про журнал, — но он был моим мужем, Андрюша! И мне... неприятно.

— Ну все, — Прохоров поцеловал ее в лоб. — Проехали. Пойдем гулять, а? Вот ты в последний раз когда просто так шаталась по Москве?

Глафира отстранилась немного и посмотрела ему в лицо.

— Никогда, — призналась она. — Честно! Никогда у меня не было никаких романтических прогулок и свиданий. Из института я всегда летела домой, и с работы тоже. Я же за городом жила, добиралась часа по два в одну сторону! Метро, маршрутки, вся эта канитель. А потом Разлогов на мне женился, и все.

— Все, — повторил Прохоров. — Понятно. Значит, сегодня ты будешь гулять по Москве с кавалером первый раз. Загадывай желание!

Они засмеялись.

Глафира думала, как ей добыть журнал.

— Андрюш, пока я буду собираться, посмотри в Интернете что-нибудь про «Эксимер», а? А то я совсем оторвалась от жизни, ничего не знаю.

— Ну я и так все знаю! Рассказать?

— Ну конечно! — торопливо согласилась Глафира. — Но все равно посмотри! По-моему, в «Новостях» говорили, что на заводе в Дикалево начались какие-то выступления или забастовка, что ли!..

— Ну это не новость, Глаш. Дикалево — город вокруг химзавода. Химзавод встал, город, считай, умер. Вот тебе и все новости.

— Посмотри, а? — Глафира потянулась и поцеловала его. — Все равно я быстро не соберусь.

Он вздохнул протяжным вздохом мужчины, который заранее и навсегда прощает любимой женщине все ее слабости. И покорился.

— Только ты постарайся все-таки собираться не два часа, а? А то скоро уже стемнеет, и все гуляние пойдет насмарку.

Она довела его до дверей в кабинет — вот как запомнить, что эта дверь именно в кабинет?! — немного постояла, прислушиваясь, и бегом вернулась в кухню.

Некие пассы рукой, черт возьми, да что ж он не срабатывает, этот сенсорный датчик?! Наконец приглушенное, но отчетливое жужжание, и космический купол открылся.

Глафира сунула руку внутрь. Ты лазишь по помойкам, ничуть не удивилась присутствующая на барной стойке кошка Дженнифер. Оно и видно. Глафира нащупала журнал, выдернула и не удержалась, взглянула. Как это может быть?! Откуда?! Но оно — есть. На фотографии видно совершенно ясно!

Купол помойного ведра с достоинством затворился.

Нужно быстро уходить, чтобы Прохоров ее здесь не застукал. Прямо сейчас, а то вся операция насмарку!

— Гла-аш! Глаша, у тебя телефон надрывается! Ты где?!

Сейчас он зайдет в спальню, поймет, что меня там нет, и выйдет на кухню. А тут я с журналом, только что отправленным в мусорное ведро!

В одну секунду Глафира засунула журнал под халат и перетянулась поясом, туго-туго. Журнал шуршал и холодил бок.

— Глаша? Отзовись!

— Я здесь, Андрей! На кухне!

Глафира распахнула одну дверцу, потом другую... Где же холодильник, мать его?! Как его найти, когда кругом одинаковый хром и никель, а также бериллий и ванадий?!

— Глаша? Ты же вроде одеваться пошла!

Когда он показался на пороге, Глафира невозмутимо доставала из холодильника бутылку с молоком. Кошка Дженнифер с недоумевающей физиономией свисала у нее с локтя.

Журнал шуршал и предательски ехал из-под халата.

— Дженнифер попросила молока, — объявила Глафира. — Я ее кормлю.

Прохоров засмеялся, подошел, взял Дженнифер и прижал к себе, как младенца. Глафира локтем поправила журнал.

— Вы начинаете любить друг друга, — сказал Прохоров и почесал Дженнифер за ушком. — Я рад. Давай я ей сам налью, а ты иди, одевайся!

— Спасибо, — пропищала Глафира фальшивым писком, потрепала не успевшую увернуться Дженнифер по голове и пошла в спальню.

Прикрыв за собой дверь, она извлекла из укрытия журнал и еще раз посмотрела.

Ну да. Оно есть. Но его не может быть. Как это возможно?!

Ко всем непонятностям и тайнам добавилась еще одна, должно быть, самая загадочная, и некому задать вопрос, чтобы получить ответ!

Ей срочно нужно все проверить, хорошо бы прямо сегодня. А для этого нужно оказаться дома.

Она одевалась перед зеркалом, очень решительная и как будто проснувшаяся.

Разлогов бы ни за что не поверил, вдруг подумала Глафира и серьезно посмотрела на себя в зеркало. Разыгранное представление с кошкой никогда бы его не убедило.

Его нельзя было обмануть.

Он никому не верил.

Марина посмотрела на себя в зеркало, вздохнула протяжно и опять посмотрела. Она знала, что красива, но сейчас показалась себе не просто красивой, а неправдоподобно прекрасной.

Дьявольски прекрасной.

Она смотрела на себя какое-то время, потом чуть-чуть подняла подбородок и повернула голову.

Так еще прекрасней. Не женщина, а бездна!..

Без дна...

Свет единственной лампы ложился очень правильно, глаза тонули в тенях, а кожа на скулах была прозрачной и тонкой, обещающей нежность и жар.

Как там у Островского, которого Марина только что отыграла?..

«Дамы, барышни какие!

Ну это вам так с дороги показалось. Разве чем другим, а этим похвастаться не можем».

— Конечно, не можем, — шепнула Марина и рассмеялась тихонько, — ни дамами, ни барышнями, где уж там! Одна я и есть, а больше... кто же?..

В дверь тихонько поскреблась гримерша. Марина быстро и ласково ее выпроводила.

Не до тебя сейчас. Я пока еще не хочу обратно к вам, в ваше болото, которое вы называете жизнью. Я все еще — над. Я все еще — вверху. Я все еще — полет.

Ах как она любит театр, сцену и оглушительную до звона в ушах собственную свободу — которую там внизу, в болоте, предлагалось пить по глоточкам, строго отмеряя каждый! А на сцене она... летает.

Фу, какое избитое выражение! Летает на сцене! Впрочем, она им не писатель, чтобы придумывать какие-то необыкновенные выражения!

Марина подышала на зеркало и еще раз взглянула — та, в зеркале, теперь была вся затуманенная и еще более прекрасная.

Одна ты в Москве, и он один в Москве, вот вас и пара!..

— Прав, тысячу раз прав Островский, — прошептала Марина, — одна, одна в Москве...

И пары ей никакой не требуется!

Ну лирика лирикой, а нужно собираться. Сейчас в баню — после каждого спектакля, после купания в любви, ненависти, обожании, непременно очистительное омовение — в прямом смысле слова! — и можно жить дальше.

Жить — это так прекрасно!

Она почти запела, собирая с зеркального столика штучки, но нет!.. Постучали, просунулись, забубнили, все испортили, все...

Конечно, она сама виновата немножко! Ка-апельку! Про интервью она и позабыла совсем, хотя обещала, да, обещала. А раз обещала, теперь никуда не денешься!

Ну интервью так интервью, пусть будет интервью!

Интервью — я из тебя веревки вью!

В театре оставаться было нельзя — все закончилось, погасли огни, закрылись двери, разошлись и зрители, и служители, и актеры, — и Марина пошла в кафе, которое в народе так и называлось «Актерское». Здесь всегда, особенно по утрам, часиков около одиннадцати, можно встретить пару-тройку знаменитостей, маявшихся от вчерашнего похмелья над тарелкой гурьевской каши.

Нынче, Марина чуть-чуть огляделась по сторонам, щуря близорукие глаза, не было никого.

Корреспондентка приплелась за ней следом. Все время, пока они переходили брусчатку, корреспондентка трусила сзади, чуть поотстав, неотрывно, любовно и истово глядела ей в щеку, как смотрят на лики святых, и трещала, трещала без умолку.

Все о том, как велика Марина и как прекрасно она сегодня играла.

Волшебно, волшебно!..

Марина спросила минеральной воды без газа, положила ногу на ногу, расправила на круглом колене теплую юбку, подперла кулачком подбородок и стала смотреть на свечку.

Она смотрела на свечку и думала, как в ее зрачках плавают желтые огоньки.

Корреспондентка суетилась напротив. Долго снимала куртчонку и пристраивала на соседний стул — та все валилась на пол. Она поднимала и снова пристраивала, краснея от неловкости, как девочка. Потом копалась в необъятном, бесформенном бауле, добывала чего-то — все не то! — и кидала обратно. Наконец выложила диктофон и все никак не могла его включить, терялась, ужасалась, зачем-то дула в него, как когда-то Маринина бабушка дула в телефонную трубку.

Марина терпеливо ждала, думала про теплые желтые огоньки, молчала.

— Извините, — пролепетала несчастная, наконец устроившись. — Я просто волнуюсь очень...

— А вы не волнуйтесь, — посоветовала Марина.

— Ну как же? Такое... событие... Это же такая удача... такое... счастье... вы... вы даже представить себе не можете, Марина Олеговна, насколько я... вас... обожаю!

Я вас люблю и обожаю, подумала Марина. Беру за хвост и провожаю.

Так, про обожание все понятно. Дальше что?..

Давай, давай, тетя! У меня баня простынет!..

— Вы такая... великая актриса. Вы такой... человек... значительный, большой, что называется, человек... и чтоб так повезло, что вы согласились... Все же знают, вы интервью очень редко даете, а мне так повезло... Спасибо вам, — наконец выговорила корреспондентка, и Марине показалось, что она сейчас бухнется на колени.

— Вам спасибо! — смеясь глазами, возразила Марина. — А как вас зовут?

— Ой, простите, я не представилась! — Она опять нырнула в свой баул и стала ожесточенно рыться в нем. — Вот, вот!

И она ткнула в Маринину сторону визиткой.

— Меня зовут Ольга! Ольга Красильченко, я специальный корреспондент...

— Может быть, чаю? Или кофе? Хотя для кофе уже поздно...

— Нет-нет, спасибо. Ничего не надо, ничего! Чаю можно, зеленого, с жасмином.

— Зеленого чая с жасмином, — не повышая голоса, повторила Марина чуть в сторону, и неясная тень зашевелилась за ее плечом, пошла складками — официант услышал, конечно, кинулся исполнять.

Корреспондентка теперь сидела, затаившись как мышь, смотрела на Марину не отрываясь и почти не моргая.

Она была в свитере, то ли коричневом, то ли сером, не разобрать. Вытянутые рукавчики подвернуты и — Марина специально посмотрела, — кажется, не слишком чисты. Теплые брюки слегка в пуху — из куртчонки наверняка лезет! Ботинки... ну одним словом, ботинки, и все! Практичные такие, на все случаи жизни. Зимой ботинки, летом будут сандалики, чтоб «ноги дышали».

Все ясно.

Марина по опыту знала, что самые лучшие интервью делают как раз зачуханные тетки в чудовищных «практичных» ботинках и свитерках из свалявшегося козьего пуха, журналистки «старой школы». Самые лучшие, самые умные, самые нежные и содержательные интервью получаются именно у таких! Личная жизнь у них, конечно, «не состоялась» в первый раз лет двадцать назад и все никак «не состоится» до сих пор — и уже никогда не состоится. Пишут они хорошо, грамотно пишут, с душой — им очень нравится писать о чужой жизни, именно потому, что у них нет своей! Вопросы задают умные, прочувствованные — у них есть время и неистовое желание «вникать» в биографию и «достижения» звезды — как раз потому, что у них нет ни собственной биографии, ни достижений! Прихлебывая чай — зеленый с жасмином, — поглаживая никудышного, подобранного с помойки кота, кутая ноги в клетчатый плед, они... вникают, нет, даже «проникают» в биографию кумира. Что сказал, когда сказал, кому и зачем. Когда женился-развелся. Опять женился и опять развелся. Как создал «небывалое» — неважно что, книгу, картину, сюиту или инсталляцию в духе современного искусства. Что любит на завтрак. Каких держит собак, кошек, ужей или ежей? Как ездит к «месту творчества» — на метро, на машине или личном бронепоезде. Что предпочитает — русские березки или тропические пальмочки, пино коладу или стопарик ледяной водочки да под соленый огурчик. «За талант» они прощают кумиру все — и скверный характер, и дурацкие выходки, и пьяные дебоши, и «падения», ведь без «падений» не бывает новых взлетов, да и что это за гений, который ни разу не пал! Они посещают концерты, вернисажи, спектакли, встречи в книжных магазинах — смотря по тому, в чем именно гениален гений.

По вечерам «жизнь гения» обсуждается по телефону с мамой. Пожалуй, они даже время от времени ссорятся, когда мама недостаточно почтительна к гению!..

— Оля, — вдруг сказала Марина домашним голосом, — вы ведь с мамой живете?

— Что? — встрепенулась журналистка, стукнув ложечкой о чашку. Немного чаю даже вылилось на блюдце. — Что вы спросили, Марина Олеговна?

Марина все смотрела на нее добрыми глазами, улыбалась и молчала.

— А?! — растерянно переспросила та и вытерла руки о колени. — Я?! Да, с мамой! А... как вы догадались?

Еще бы мне не догадаться, подумала Марина весело.

— Олечка, — и великая актриса ободряюще положила теплую руку на застиранный журналисткин рукавчик, — давайте мы все же начнем, а? Вы даже не можете себе представить, Олечка, как я устала!..

— Конечно, конечно, вот у меня вопросы, вот здесь... всего несколько, но материал будет большой, самый большой в номере! Хотя вам, наверное, это совсем не интересно, Марина Олеговна...

— Просто Марина, договорились?

— Господи, конечно, конечно, то есть спасибо вам за это. Спасибо большое... И я хотела вам сказать... вы так прекрасно сегодня играли! Боже, как вы играли, Марина! Вы гений!

— Нет, — мягко выдохнула Марина, — это не я гений, Олечка. Это Островский.

— Конечно, конечно, и он, и вы!.. Вы оба... оба гении...

Немного запутавшись в гениях, журналистка Олечка суетливо прихлебнула чай, перелистнула страничку блокнота, прищурилась и опять нырнула в свой бездонный баул, на этот раз за очками.

Первый вопрос, вычитанный из блокнота, привел Марину в восторг.

— Скажите, вы любите играть любовь?

Марина подумала ровно столько, сколько было нужно.

— Сыграть любовь... невозможно, — и она улыбнулась печально. — Как ни играй, все будет вранье! И зритель непременно это почувствует. Нужно и вправду любить, мечтать, плакать. Нужно... понимаете, нужно убедить себя в любви. Достать эту любовь из себя, как бы глубоко она ни пряталась. Достать и отдать...

— Кому? — прошелестела журналистка.

— Зрителям. И партнеру, конечно!

Марина говорила, и точно знала — собеседница ей верит! Каждому слову, в котором не было ни капли правды, — верит.

Вот потеха. Как будто можно *на самом деле* каким-то макаром вытащить из себя ту давнюю любовь к Разлогову, когда они дышать друг без друга не могли, когда начинали целоваться уже в общежитском коридоре, когда она стояла перед его дверью и читала «График дежурств» с его фамилией в графе, — разве можно вытащить ее, показать всем, да еще адресовать тому лощеному хлыщу без всякого темперамента, который был сегодня ее партнером?!

...А хлыщ, кстати сказать, тоже именуется в статейках «большим актером». Вот и верь после этого газетам!..

— А ненависть, Марина? Ее тяжелее играть? Или легче?

Она опять подумала, и опять ровно столько, сколько нужно.

— Ненависть играть не тяжелее и не легче. Ненависть играть... болезненно. Как будто ковыряешь рану, и она опять начинает кровоточить. Но по-другому никак нельзя! Ненависть нельзя носить в себе как любовь, а потом извлекать на свет! Ненависть — штука взрывоопасная.

— А бывает ведь и холодная ненависть, — почтительно прошелестела журналистка Олечка, и Марина взглянула на нее укоризненно.

...Что это ты, матушка, умную из себя строишь?! Или, раз я с тобой добра, уже решила, что ты моя подружка и тебе все можно?!

— Вы когда-нибудь кого-нибудь ненавидели, Олечка? — жестко спросила Марина. — Вспомните, как это было.

— Нет-нет, я... конечно, нет, что вы, Марина Олеговна! Я... вы рассердились?

— Ну что вы, — Марина даже засмеялась тихонько, — меня трудно обидеть.

— А когда вы первый раз поняли, что играете? Нет-нет, про детство, про призвание вы много раз рассказывали. И это очень, очень... интересно, но я хочу узнать, помните ли вы момент, когда заиграли по-настоящему?

— Мой первый успех...

И тут зачуханная Олечка ее перебила, очень почтительно, почти заискивающе, но перебила!

— Нет-нет, не успех! А именно когда вы поняли, что вы играете и вам верят? Когда вы поняли, что ваши эмоции стали достоянием... всех? И что это... правдивые эмоции?

— Всегда, — ответила Марина слишком поспешно.

Не следовало бы отвечать так быстро, но взять паузу она не смогла.

Она слишком хорошо помнила как раз тот день, когда ей впервые *не поверили*!...

Разлогов однажды ей не поверил. И с тех пор не верил уже никогда.

Кажется, журналистка Олечка не поверила тоже — недаром она была «старой школы»! Она не поверила и увела интервью в привычное, безопасное и скучное русло.

...Кого вам больше нравится играть, современных драматургов или классиков? Наших или западных? Кто из режиссеров представляется вам достойным? Кто из актеров мог бы стать вашим партнером, если бы сейчас снимали «Анну Каренину» — вы же мечтали ее сыграть! И так далее, и тому подобное, и все уже сто раз было!..

Марина говорила, шутила и становилась серьезной, а думала все время о том, что ей очень хочется в баню. И чтоб вода на камнях шипела, и чтоб распаренным веничком пахло, и чтоб от жара дух захватывало!

...А может, ту старуху, которую Марине предстоит играть, сделать похожей на Веру? С ее пучочком, суровыми складками вокруг бесцветного высохшего рта, с ее длинными, как будто обезьяньими, натруженными руками, с ненавистью к чужим и преданностью своим?.. Конечно, старуха должна быть ужасна, но и Вера не подарок! Надо подумать и присмотреться получше. Уж пучочек-то и манеру шаркать шлепанцами вполне можно перенять, вполне!

Тут журналистка Олечка добралась до сериалов и предложений играть одинаковых героинь, и Марина заклеймила и сериалы, и героинь, и уровень культуры, так сказать, в целом.

Уровень, по ее мнению, неуклонно понижается, а вернее, стремительно падает. Количество никчемных фильмов увеличивается, а вернее, стремительно растет.

Вскоре все, все погибнет.

Иногда она говорила по-другому — вскоре все, все воскреснет, и русская культура поднимется из руин и пепла в сияющем золотом венце, и новые Достоевские и Гоголи, Дягилевы и Нижинские, Репины и Брюлловы, Станиславские и Таировы украсят собой, как драгоценными самоцветными каменьями, этот самый венец... Иногда она так говорила, но сейчас ей было... лень. Если про венец, значит, надо приводить примеры новых Гоголей и Станиславских, а их так сразу и не приведешь!..

— Вы часто отказывались от ролей?

Марина пожала плечами и посмотрела исподлобья — как будто ей неловко, но все же ответила:

— Постоянно. То, что мне предлагают, неинтересно и убого. А когда неинтересно, то... зачем? Вот польский режиссер Тадеуш Стицинский предложил мне играть старуху. И это такая старуха, что я моментально согласилась! А теперь часто думаю о ней, какая она! Как она подволакивает ногу, как чай прихлебывает, как сопит, когда выбирает кочан капусты на обед.

Марина точно знала, что именно подробности такого рода очень ценят журналистки «старой школы». Ценят и верят в них!..

— Я люблю роли, где нужно что-то придумывать! Жесты, детали, ну даже паузы, или вот, например, моя старуха засовывает носовой платок за обшлаг рукава, и мне кажется, что я вижу этот жест!

«Этот жест» Марина только что придумала. И не видела она его вовсе, но придумано было отлично. Журналистка Олечка преисполнилась благоговения.

Великая русская актриса еще некоторое время поводила ее за нос, слегка повозилась с ней, окончательно влюбила в себя, а потом Олечка ей надоела. Да и пора давно — баня стынет! И материал, судя по всему, выйдет отличный.

Марина уже почти свела затянувшуюся беседу к тому моменту, когда можно будет сказать освобожденно: «Огромное вам спасибо, умные и профессиональные журналисты — такая редкость!», как вдруг Олечка спросила про Разлогова.

Ничего особенного. Обыкновенный вопрос.

— С бывшим мужем, покойным Владимиром Разлоговым, вы поддерживали отношения? Извините меня, Марина, но у нас же биография должна складываться, у нас журнал такой в этом смысле... интеллигентный, конечно, но главный редактор...

— Да ничего, ничего, — сказала Марина довольно холодно и кивнула официанту — подай-ка, братец, счет! — С Разлоговым нам удалось сохранить хорошие, ровные отношения. Иногда это было непросто, все-таки он сильно меня любил...

— А вы его? — вырвалось у Олечки.

— Ну и я его... когда-то любила.

— Он был богатым человеком?

— Понятия не имею, — отозвалась Марина безмятежно. — У меня он денег никогда не просил, а там... кто его знает?

— Марина, вы простите, ради бога, но у нас просто так полагается...

— Ничего, — еще понижая градус разговора, повторила Марина и поднялась.

Олечка вскочила следом, перепуганная и несчастная. Блокнотик свалился на пол.

«Вот не буду я платить за твой чай, — мстительно подумала великая актриса. — Сама заплатишь! А место здесь ох недешевое!»

— Просто когда-то ходили слухи, что именно Владимир Разлогов спонсирует некоторые ваши спектакли, и, значит, его смерть для вас серьезная потеря...

— Чушь, — выпалила разгневанная Марина. — Какая чушь! Олечка, дорогая, я уже много-много лет не нуждаюсь ни в каком спонсорстве! Да и никогда не нуждалась!

И сделала шаг от стола, оставив Олечку совершенно растерянной и несчастной.

Официант осторожно и невесомо обнял Маринины плечи меховой душегрейкой, но уходить вот так, напоследок поссорившись с журналисткой, было бы глупо.

Все усилия псу под хвост! Марина постояла, придерживая руками меховые полы душегрейки, потом улыбнулась скользящей усталой улыбкой и повернулась к Олечке.

— Я никогда, — сказала она низким голосом, — не жалела, что мы расстались! Но я всегда жалела Володю. Мы очень разные люди, и вместе нам было худо, но ему без меня стало совсем... нехорошо.

— Вам не нравилась его вторая жена? — живо спросила Олечка, поверившая в прощение.

— Да нет же! Мне нет и никогда не было дела до его жен и подруг! А его я... жалела. И денег у него никогда нс брала. — Она вдруг засмеялась. — Когда мы расстались, он зарабатывал не так много, но даже если бы он зарабатывал в тысячу раз больше, все равно никаких денег не хватило бы, чтобы меня купить!

— Вы... сильный человек. — В голосе журналистки сквозило восхищение.

— Терпеть не могу слабаков, — подхватила Марина.

— Вы имеете в виду Разлогова?

— Ну это не ко мне! — Марина опять засмеялась. — Про его силу и слабость лучше у нынешней супруги спросить. Или у любой из его подружек.

— Вы жестокий человек.

— Я справедливый человек, — поправила Марина. — Разрешите мне заплатить за ваш чай! Все же это я вас сюда притащила, а место недешевое!

После недолгих препирательств Марина вышла победительницей, расставив таким образом все точки над всеми буквами, требующими расстановки точек.

Вот так-то, милая журналистка Олечка, живущая с мамой! Вот так-то! Тебе меня не обыграть, хоть ты и «старой школы»!

126

Марина вышла на улицу под желтый свет фонарей, под темное московское небо, под водяную пыль, грозящую вот-вот превратиться в снежную пургу, и по брусчатке бодро и уверенно простучали ее каблучки.

Все хорошо. Хотя и не так-то легко.

Нелегко. Нелегко...

— Марина Олеговна!

Она вздрогнула и оглянулась.

Высокий мужчина — руки в карманах — шел к ней из-под фонарей. Она не узнала его и испугалась.

Водитель ждет за углом, добежать она не успеет. Обратно в кафе и сразу же позвонить, вызвать его! Господи, как это она забыла про поклонников!..

— Марина Олеговна, это я! Я вас напугал?

Скользкие от страха пальцы, уже нащупавшие в кармане телефон, дрогнули и разжались.

— Господи, Марк!

— Вы меня не узнали? Извините.

Он подошел, улыбаясь, и она посмотрела ему в лицо взглядом беззащитной, слабой, перепуганной женщины. Ей отлично удавался такой взгляд.

— Я никак не ожидала вас увидеть, Марк! И в сумерках я плохо вижу...

— Какие же сумерки, Марина! Уже ночь, а вы одна по улице бродите.

— Я не брожу, — оправдываясь, сказала она. — Я интервью давала вот здесь... рядом. И решила немножко подышать. Я сегодня еще играла...

— Все равно, — тоном взрослого мужчины, отчитывающего маленькую девочку, укорил Волошин, — нельзя ходить одной, да еще ночью! Тем более вам!

— Я больше не буду.

И они засмеялись.

— Где ваша машина?

— Вон там.

— Разрешите, я вас провожу.

— Разрешаю, Марк. Какой вы... церемонный.

Кажется, он собирался предложить ей руку, даже повел ею как-то странно — Марина заметила. Она всегда все замечала. И не предложил.

Не решился, поняла она. Дурачок. Они шли под желтым светом фонарей, и на лету замерзающий дождь сыпался им на волосы и лица. Очень красиво.

— Только не говорите, что были на моем спектакле!..

— Был, Марина Олеговна!

— Тогда не говорите, что это гениально.

— Не буду.

Они дошли уже почти до угла, а Марина все никак не могла сообразить, зачем он приехал. Из романтических чувств, что ли? Это на него не похоже! Тогда зачем?..

— Марк, — предупредила она смеющимся девчоночьим голосом, — вон машина, так что решайтесь быстрее! Зачем вы меня поджидали?

Она остановилась и взглянула ему в лицо. И впрямь ничего романтического в данный момент его лицо не выражало. Только, пожалуй, озабоченность.

— Что у вас за вопрос, Марк?

Он вздохнул и опять сунул руки в карманы. Что за манера, ей-богу!

— Марина, вы только не беспокойтесь! Ничего не происходит. Мне просто нужно... знать.

— Если бы вы всего этого не говорили, я бы точно меньше беспокоилась!

— Извините меня! — это было сказано почти умоляющим тоном.

Фу-ты, ну-ты!.. Да что ты не мычишь не телишься!

— Марина, Разлогов перед смертью с вами не встречался?

Великая русская актриса перепугалась. На этот

раз по-настоящему. Совсем не так, как пять минут назад, когда ей показалось, что на нее собирается напасть маньяк. Куда сильнее!

— Что с вами? Марина Олеговна, что случилось?!

Волошин ничего не понимал. Лицо у бывшей разлоговской жены вмиг состарилось и умерло. Только губы дернулись напоследок и замерли.

— Марина?

— Я с ним не встречалась! Сколько раз можно повторять! Я уже говорила его... Матрене или Федоре, как ее там!

— Глафире, — осторожно подсказал Волошин.

— Да! Да! Я вообще почти не встречалась с этим вашим Разлоговым!.. Он заезжал накануне вместе с ней, и она это прекрасно знает, а больше я его не видела!

— А... когда Глафира Сергеевна спрашивала вас об этом?

— Когда вы притащили ее в мой дом, вот когда! Господи, почему вы не даете мне никакого покоя?! В чем я виновата?! Зачем вы меня пугаете?!

— Марина, что вы! Вы только не плачьте, умоляю вас! Я не хотел вас обидеть! И пугать тоже не собирался!

«Что ему нужно? — думала пришедшая в себя Марина. — Зачем он спрашивает? Что он может... знать? Да нет-нет, успокойся. Знать он уж точно ничего не может!»

Детским неловким движением она вытерла влажные то ли от слез, то ли от дождя глаза, прерывисто вздохнула и понурилась. Краем глаза она видела, что журналистка Олечка выбралась из кафе и теперь топчется на крылечке и посматривает в их сторону.

— Мне тяжело говорить о его смерти, — призналась великая актриса. — Все же он был моим мужем, Марк! И мы любили друг друга...

Такая сентиментальная чепуха обычно нравится

мужчинам, особенно когда речь идет об их «покойном друге». Марк Волошин, по крайней мере, в эту чушь поверил.

— Да он вообще, кроме вас, никого не любил, — сказал Волошин мрачно. — Вы простите меня, Марина. Я вас расстроил. А дело-то, в общем, пустячное. Я никак не могу найти некоторые бумаги. Я точно знаю, что они должны быть, а найти не могу.

— И... что? — не поняла Марина.

— Я подумал, вдруг они у вас. Может, он оставил вам что-то на хранение!

— Мне?! — поразилась великая актриса. — Вы думали, что Разлогов мог мне оставить какие-то там бумаги?! Марк, вы сошли с ума. Совершенно точно.

— Видимо, да, — согласился Волошин корректно. — Извините, Марина Олеговна.

— Нет, но с чего вы взяли-то?! — Ей было необходимо получить ответ на этот вопрос. — Где я и где разлоговские бумаги?

— Я просто подумал...

Журналистка Олечка в отдалении выдернула из своего баула складной зонт, распахнула его, подняла над головой и двинулась в их сторону.

Марина взяла Волошина под руку и увлекла в переулок.

— Марк, как вам в голову пришла такая глупость?! Почему Разлогов должен был оставить мне какие-то бумаги?! И что это за бумаги?!

Он помолчал, и Марина поняла — ни за что не скажет, ничего она от него не добьется.

— Вы были моей последней надеждой, — сказал он и улыбнулся. — Если у вас их нет...

— И быть не может!

— Значит, нигде нет. Куда он их дел, я не понимаю! И самое главное...

— Что?

Он молчал.

— Что главное, Марк?

— Да ничего, — сказал он быстро. — Просто они нам очень нужны. Чтобы как-то привести дела в порядок. Он умер, и все разладилось...

— Для меня он умер давным-давно, Марк. — Кажется, она кому-то уже говорила эту фразу!.. — Мы расстались, и его для меня не стало. Но все равно тяжело, когда я думаю, что его... на самом деле нет!

Волошин слегка пожал ее слабую руку, словно погладил, и они медленно пошли по блестящей от дождя брусчатке.

Марина лихорадочно думала.

Волошин был печален.

«Он никого не любил, кроме вас!» — надо же! Насколько они предсказуемы и линейны, эти существа мужского пола, даже самые лучшие и самые умные из них! Им можно внушить все, что угодно! Если грамотно внушать! Он никого не любил, кроме вас... Кого он там любил, мне неизвестно, а меня он ненавидел, это совершенно точно!

Добравшись до дома, Марина первым делом обошла все комнаты. Шаги ее, стремительные и гулкие, отдавались от стен и горок с бисквитным фарфором.

Подождите, голубчики, думала Марина, отворяя и затворяя двери. Я вам покажу разлоговскую любовь! Вам такая любовь и во сне не приснится!..

В комнатах было пусто, только лежал на коврах и паркете неверный свет большого города, сочившийся с улицы. Костенька, стало быть, на даче, а старуха наверняка храпит в своей каморке и ни за что не проснется. Она знает, что у Марины сегодня спектакль и баня и приедет она под утро.

Но какая может быть баня!..

Марина швырнула на кресло меховую душегрейку, дрыгая ногами, скинула туфли, побежала в свою комнату и заперлась.

Не зажигая света, она пробралась в самый угол, где рядом с резной чугунной батареей стоял бабушкин сундучок — смешной, трогательный, с побитыми углами. Марина называла его «мое приданое» и хранила в нем всякую ерунду — пожелтевшие газетные вырезки, самые первые рецензии и фотографии, на которых она робкая, перепуганная девчонка, кусочки кружева от платья, в котором она играла Принцессу из «Обыкновенного чуда». Студенты любили ставить именно Шварца, он казался им необыкновенно глубоким! В сундучок никто никогда не заглядывал, Марина не разрешала трогать «приданое». Откинув скрипнувшую крышку, она моментально выворотила «приданое» на пол и стала проворно в нем копаться.

То, что она искала, лежало где-то посередине. Тоненькая картонная папочка с белыми тесемками нашлась очень быстро. Марина развязала тесемки и проверила бумаги — все на месте.

Собственно, самой главной там была одна бумажка, и она оказалась в полном порядке.

Впрочем, она и не могла никуда деться. Зря Марина так перепугалась.

Посидев немного на полу, она старательно засунула картонную папку в середину бумажной кипы, уложила все в сундучок, сверху бросила кусочек кружева и деревянного зайца с метлой — подарок Разлогова на какой-то давний-предавний день рождения. Ему тогда очень нравилось, что Марина теперь такая же, как этот заяц, — хозяйственная и с метлой. Жена, мать семейства, еще бы!..

«Он никого не любил, кроме вас!» Скоро, скоро вы все узнаете, как именно он меня любил!..

Совершенно успокоившись, Марина захлопнула крышку, поднялась и, придерживая юбку, покружилась немного в центре лунного круга, лежавшего на ковре.

Медведя застрелили охотники, или он сгинул, попавшись в капкан, а Принцесса жива, весела и танцует ночью вместе с луной. Как вам такое продолжение истории, уважаемый сказочник?..

Очень хочется чаю, горячую ванну, раз уж ничего не получилось с баней, книжку «Три мушкетера» и спать, спать!

Марина вышла в коридор, сильно хлопнула входной дверью — чтобы старуха наверняка проснулась, — и закричала громко, на весь дом:

— Верочка-а! Вера Васильна, я приехала! Хватит храпеть!

И прислушалась. Странное дело: ни звука не доносилось из глубины квартиры, только на разные лады тикали разные часы.

— Вера Васильевна! Я чаю хочу! В ванну хочу! Я уста-ла!

Тишина, и больше ничего.

Вновь забеспокоившись — что за наказание такое, никто ее не жалеет и не бережет! — Марина добралась до старухиной двери и распахнула ее.

В комнатенке, тесно заставленной комодами, шифоньерами и стульями с прямыми, как у солдат, спинками, никого не было. Пуста была кровать, застеленная пикейным покрывалом.

Старуха пропала.

Прохоров раздраженно пожал плечами, но все-таки свернул с МКАДа в сторону разлоговской дачи.

Замелькали елочки-березки, город моментально отступил, как и не было его. Глафира смотрела в окно, Прохоров молчал, и это продолжалось долго.

Она не выдержала первой.

— Андрей, не сердись ты так! Ну мне правда нужно домой! Ну очень нужно!

— Нет, я этого не понимаю, — он завелся моментально, как двигатель у хорошей машины. — Тебе по голове уже дали? Дали! Хорошо, что не убили! Там никого нет, даже собаки нет! Что ты будешь делать, если кто-нибудь опять... нагрянет?!

— Не нагрянет.

— Откуда ты знаешь?!

Глафира молчала, смотрела в окно на летящие березки-елочки, которые фары выхватывали из темноты. Прохоров быстро взглянул на нее и отвернулся.

...На самом деле ему просто необходимо было остаться одному, получить временную свободу, хоть на один вечер, именно потому он и вез ее сейчас на дачу! Конечно, хорошего в этом ничего нет, но он должен кое-что выяснить и изо всех сил надеялся, что за один вечер с ней ничего не случится. Хотя лучше бы, конечно, не рисковать, но ему правда очень нужна свобода!

Чертов Разлогов!.. Помер, и все запуталось.

— Андрей, все будет хорошо! Ну хочешь, я тебе буду звонить?

Вот звонить ему как раз не следовало бы, но Прохоров сказал мрачно:

— Хочу. И вообще!.. Я никуда не поеду. Останусь с тобой.

— В разлоговском доме? — помолчав, спросила Глафира, и что-то в ее голосе показалось Прохорову странным. — На разлоговской кровати?

— Прекрати.

— И ты тоже прекрати.

Она была совершенно уверена, что ей ни за что не удастся от него отвязаться, и теперь ее слегка удивляло, что... удалось. Побушевав немного, он как миленький повез ее в разлоговский дом, где на самом деле никого не было и где на нее было совершено «покушение».

Очень странное покушение, между прочим! За все дни, проведенные в квартире Андрея среди хрома, никеля, платины и палладия, обливаемая презрением кошки Дженнифер, Глафира ни разу не вспомнила про покушение, вот ведь какая штука! А вспомнить стоило бы. Вспомнить и подумать хорошенько. Она подумает и вспомнит, как только доберется до дома, а пока... Может быть, спросить?

— Андрей, а тогда, помнишь, ты звонил...

— Когда?

— Ну когда меня ударили. Ты ничего не слышал? Никаких посторонних звуков? Никто не сопел, не кашлял?

— Ты ненормальная.

— Не слышал?

— Не слышал! — заорал Прохоров. — Ничего я не слышал! Ты вдруг замолчала, и я подумал, что связь оборвалась! А когда перезвонил, ты трубку не взяла.

— Плохо, — серьезно сказала Глафира, и Прохоров посмотрел на нее с неудовольствием.

«Плохо» — так часто говорил Разлогов. Он говорил «плохо» в тех случаях, когда люди обычно говорят «хорошо».

Дорога повернула, пошли перелески погуще и потемнее, лес подступил к краю шоссейки почти вплотную, кое-где за ельником мелькали веселые желтые огни ближних дач, а потом опять темнота и черные конусы елок, силуэтами на фоне дальнего поля, неподвижные, суровые, охраняющие покой тех, кто прячется за ними, — и людей, и зверей...

Здесь всегда была пропасть лосей, и кабаны забредали. Однажды лосенок даже на участок зашел, это еще когда не было забора со стороны леса. Разлогов прибежал за Глафирой на кухню, велел не топать, и она, как была, в носках, осторожно покралась за ним по дорожке и увидела! Лосенок, трогательный, худой, большегубый, с шишастыми коленками, стоял совсем близко, смотрел удивленно. «Мать где-то рядом ходит, — одними губами почти беззвучно на ухо Глафире выговорил Разлогов. — Не шуми». Притаившись, они смотрели долго, и лосенок смотрел, вздыхал, принимался жевать веточку, отвлекался на нее, а потом вдруг опять о них вспоминал, вскидывал голову и уставлялся не моргая. Потом в чаще затрещало, закачались тоненькие верхушки березок, и за деревьями прошло что-то большое, темное. Лосенок сорвался с места и пропал с глаз, как его и не было! Разлогов обернулся к Глафире, глаза у него сияли. «Здорово?» — спросил он таким тоном, будто он придумал и лосенка, и лосиху, и тоненькие березки, и лес, и вообще всю жизнь и теперь требовал подтверждения, что придумал хорошо!..

Впрочем, отчасти так оно и было, он эту жизнь себе придумал. Никому, кроме Разлогова, не пришло в голову покупать землю так далеко от Москвы и, считай, в лесу! Чтобы успеть на работу, вставать приходилось в шесть, и поблизости не было ничего, столь необходимого «современному цивилизованному человеку», — ни супермаркетов, ни заправок, ни ресторанов, ни элитного клуба «Дача» «только для своих»! И «своих» никого не было. Все «свои» пребывали в поселках «закрытого типа» — вот шлагбаум, вот асфальт, вот заборы, заборы, заборы, из-за заборов видны только крыши, крыши, крыши. Одним словом, красота-красотища!

Земля в лесу мало того что была неудобна, но еще и стоила бешеных денег, и к земле прилагался примерно миллион разнообразных обязательств,

136

которые Разлогов на себя брал. Например, содержать близлежащий лес в порядке, для чего следовало нанять лесника и организовать вывоз мусора. Разлогов нанимал и организовывал. Следом за ним «в дикую природу» потянулась еще пара-тройка ненормальных — колбасный магнат, построившийся напротив, книжный король, построившийся наискосок, и странная личность без определенных занятий с женой и малюткой, построившаяся в отдалении. Колбасный магнат вычистил речку, книжный король засеял дальние и ближние поля клевером и гречихой, а личность без определенных занятий переоборудовала брошенную ферму в конюшню, завела лошадей и проложила дорогу. Разлогов пошел «смотреть лошадей», вернулся в два часа ночи совершенно пьяный, растолкал Глафиру, изложил ей, в каких сказочных условиях содержатся лошади, которых хозяин — личность без определенных занятий — выкупил у разорившегося фермера, когда и лошади, и фермер уже пухли с голоду. Зато теперь у них — у лошадей, в смысле, — такие стойла, что он сам бы в них жил — Разлогов, в смысле. И в субботу мы с тобой туда поедем, и я тебе все покажу. Тебе понравится.

Глафира таращила сонные глаза, соглашалась и кивала, потом заставила его выпить две таблетки аспирина и уложила спать.

Утром выяснилось, что личность без определенных занятий, содержащая конюшню, — Дмитрий Белоключевский, бывший хозяин нефтяной империи «Черное золото», бывший олигарх, бывший вершитель человеческих судеб, отсидевший срок и, по слухам, выторговавший жизнь в обмен на молчание и собственное неучастие ни в каких делах, ни в политике, ни в бизнесе.

Соседи, таким образом, подобрались простые, бесхитростные и все как один «любящие природу».

За эти годы их усилиями в лес стали возвращаться звери, в речке завелась рыба, в поле загудели пчелы, лесники, дюжие дядьки с карабинами, повывели браконьеров, а глава местной администрации справил себе машину «Ауди», а на оставшиеся от машины деньги организовал хор из местных старух и теперь возил их в Москву на конкурсы. Автобус для старух, скинувшись, купили все те же простые и бесхитростные «любители природы»...

В горле вдруг стало тесно и колко. Глафира судорожно вздохнула. Плакать нельзя. Никак нельзя. Если она не разберется в этом дьявольском деле, никто в нем не разберется никогда. Надеяться она может только на себя.

— Приехали, Глаша, проснись!

Пока она доставала брелок с дистанционным управлением, Прохоров исподлобья смотрел на готический забор, на бузину и рябину, качавшие тяжелые красные гроздья в свете фар. Там, куда свет не доставал, было темно, дико и враждебно.

— Как, черт возьми, ты собираешься здесь ночевать?! Как тут вообще можно жить?!

— Прекрасно, — бодрым голосом отозвалась Глафира. Ворота дрогнули и стали открываться. — Сейчас я свет зажгу, воду, телевизор включу, и ты увидишь.

Сердце подскочило, допрыгнуло до горла и там остановилось.

Волосы на голове шевельнулись.

Глафира хрипло вскрикнула и закрыла рот рукой. Между деревьями стоял человек.

— Глаш, ты что?!

— Там... там... — она тыкала рукой в стекло, щеки у нее были совершенно белые.

Прохоров посмотрел в ту сторону.

Никого и ничего. Только мокрые стволы сосен

да заросли бузины и сирени, голые перепутанные ветки, с которых почти облетели листья.

— Что ты там видишь?!

Прохоров тронул машину, проехал вперед так, что свет фар теперь высвечивал бузинную путаницу до самой последней веточки. Никого и ничего.

— Андрей, — трясясь, выговорила Глафира, — выйди и посмотри, а? Мне показалось... я видела... Там кто-то есть!

Он опять посмотрел. «Дворники» мерно постукивали.

— Никого там нет!

Тем не менее он выскочил из машины, оставив дверь открытой, поднял воротник и по мокрой траве запрыгал в сторону кустов и деревьев. Глафира напряженно смотрела ему в спину, даже глазам стало больно. В открытую дверь тянуло сыростью, запахом мокрых листьев, автомобильной гарью. Ветер шумел.

— Здесь, что ли, Глаша?! — издалека крикнул Прохоров. Глафира кивнула из-за лобового стекла. Он потоптался по мокрой траве, пожал плечами и поскакал обратно. Сел и захлопнул дверь. Вид у него был обиженный.

— У тебя галлюцинации.

— Возможно.

Он посмотрел на нее.

— Не возможно, а точно! И вообще, если тебе мерещатся привидения, поехали лучше в Москву. Покатались, и хватит!

— Извини меня, Андрей.

— Не в извинениях дело! Ты нервничаешь, боишься, а здесь глухомань такая! Тебе нельзя тут оставаться, я тебя заберу!

Он говорил и знал, что не заберет, оставит. Ему нужен всего один свободный вечер. Всего один глоток свободы — и операция будет завершена. Все, к чему он стремился долгие годы, станет наконец таким же реальным, как эти елки, пропади они пропадом!

Всего один вечер...

Человек, проворно и неслышно отступивший за угол громадной уличной печки, куда не доставал свет фар, проводил машину глазами. Человек видел, как она остановилась у крыльца, как выскочила ненавистная профурсетка Глафира, как залились светом фонари на балюстраде и высокие стрельчатые окна. Дом как будто ожил и задышал. Человек захлебнулся от ненависти, неторопливо миновал невиданную печь, вошел в беседку и потопал ногами в теплых ботинках, стряхивая воду. Здесь, по крайней мере, не льет.

Ну что ж. Придется подождать. Времени не слишком много, но пока в доме тот, второй, сделать все равно ничего нельзя. Сюда, в беседку, никто не заглянет — куда им догадаться! Как их вообще угораздило заметить! Ну уж теперь все проверили, больше как пить дать проверять не станут. А вдруг тот, второй, до утра не уйдет?.. Такое вполне может быть! Профурсетка привезла кавалера прямиком в постель покойного супруга, это на нее похоже. Тогда придется предпринять еще одну попытку, а не хочется, ох как не хочется!..

Человек поежился, послушал, как высоко и сердито шумят сосны под осенним ветром, опустился на влажную лавочку и закрыл глаза.

Ждать. Ждать.

Выпроводив Прохорова, Глафира заперла дверь на все замки и хотела было посмотреть в монитор, как закроются за ним ворота, но монитор не отзывался, скучно смотрел пустым мертвым глазом и не оживал, хотя Глафира старательно нажимала все кнопки по очереди.

Ну конечно! После того как ее ударили по голове, Волошин сказал, что вся система видеонаблюдения выключена. Он еще подозревал, что систему выключила сама Глафира, а она к ней и близко не подходила!

На улице горели все фонари, и с одной стороны, это было хорошо — дом купался в сиянии, а с другой стороны, не очень, потому что там, куда не доставал свет, царила могильная чернота, еще сильнее обозначенная разлитым вокруг победительным сиянием.

— Ну и ладно! — очень громко сказала Глафира и пошла по первому этажу, открывая все двери и везде зажигая свет.

Из двери разлоговского кабинета торчал ключ, и ее открывать Глафира не стала. Мало ли, может, как раз за ней прячется привидение, маячившее между деревьями!..

В том, что привидение было, Глафира нисколько не сомневалась.

Теперь дом сиял изнутри тоже, как гигантская рождественская шкатулка. Посматривая на сумку, на дне которой был припрятан вытащенный у Прохорова из помойки журнал «День сегодняшний», Глафира загрузила посудомоечную машину, которая быстро и успокоительно загудела. Все, что в машину не влезло, она перемыла под краном и еще до блеска натерла стол, плиту и длинную кухонную стойку. Руки у нее слегка тряслись.

Подожди, уговаривала она себя. Не спеши. Все нужно делать с холодной головой, особенно проводить расследование!..

Придирчиво оглядев плоды своих трудов, она налила воду в чайник, включила телевизор, вооружилась веником и совком и, решительно сопя, полезла в камин — чистить. Чистить разлоговский камин было делом долгим и трудным. Глафира влезала в него почти с головой, выметала из углов золу и угли, чихала, но не сдавалась. Когда камин наконец стал таким обновленным и свежим, что в нем можно было поставить кресло и жить, Глафира угомонилась.

От свитера воняло сажей, она на ходу сняла его и понесла в подвал, в «прачечную», где стояли две гигантские стиральные машины, гладильные доски и растяжки для сушки белья. В подвале свет не горел, и Глафира, постояв секунду на лестнице, спуститься туда не решилась.

Не пойдет она в темноту!

В конце концов, она же видела в саду привидение! И кто-то зачем-то ударил ее по голове несколько дней назад. И этот кто-то что-то искал в ее доме. Нашел или нет? Вот вопрос, на который тоже предстоит получить ответ.

Волоча свитер по полу, Глафира подхватила свою сумку и по широкой крепкой и грубой, как в средневековом замке, лестнице стала подниматься наверх. В середине лестницы был выключатель, и она нажала клавишу.

Хлынул свет, заливая и лестницу, и площадку, на которой стояли кресла с высокими спинками и книжные шкафы от пола до потолка. Она любила раньше здесь сидеть и читать, тогда было слышно, как внизу ходит Разлогов и разговаривает по телефону, как трещат в камине дрова и смачно зевает собака Димка.

Раньше — это когда Разлогов еще был здесь. С тех пор прошло сто лет, а может быть, сто тысяч лет. А может, и не прошло, просто она состарилась на сто тысяч лет — немало.

В кресле с высокой спинкой лежал меховой плед,

привезенный Разлоговым из Дагестана, и книжка, которую Глафира читала тогда, в прошлой жизни.

Она прошла было мимо, потом вернулась и посмотрела. И усмехнулась. Александр Николаевич Островский, «Свои собаки грызутся, чужая не приставай!», сочинение 1861 года.

Ох какой смешной была *та* Глафира, у которой был муж Разлогов, собака Димка, кресло с пледом, А. Н. Островский и вообще тяжелая жизнь! Она ведь всерьез тогда считала, что жизнь ее тяжела, почти невыносима! И для того чтобы понять, как она была тогда беззаботна и легко счастлива с невыносимым и тяжелым Разлоговым, ей пришлось — всего ничего! — состариться на сто тысяч лет.

Глафира вошла в спальню, нашарила выключатель, зажмурилась, потом открыла глаза и включила свет. Она ни разу не была здесь... после того, как нашла Разлогова, ночевала в гостевой комнате, где жил когда-то веселый печник.

В спальне было полное разорение — вывороченные вещи, смятая постель, какие-то бумажки на полу. Глафира никого сюда не пустила и сама убирать не стала. Осторожно ступая между бумажек и вещей, она прошла в гардеробную и закрыла за собой дверь.

В гардеробной был и туалетный столик, и креслице — предполагалось, что Глафира должна наводить здесь красоту, но она никогда ее тут не наводила. На столике стояли фигурки — в основном собаки — и шкатулки. В шкатулках хранились Глафирины драгоценности.

Разлогов называл их «обезьяньи цацки».

Все остальное место занимали открытые и закрытые шкафы с одеждой. Глафирины — с правой стороны, разлоговские — с левой.

Не стоило этого делать, но Глафира, опустив сумку в креслице, подошла и отодвинула громадную зеркальную дверь. За дверью открылись ряды пиджаков и рубашек. Она всегда недоумевала, зачем одному мужику столько одежды?! Из глубины шкафа на нее пахнуло запахом Разлогова, таким знакомым и таким забытым! Глафира закрыла глаза. Ей всегда нравилось, как он пахнет, она гладила его по голове, а потом нюхала свою ладонь — просто так. Запах был такой узнаваемый, как будто Разлогов из шкафа шагнул ей навстречу.

— Помоги мне! — сказала Глафира его пиджакам. — Помоги мне, пожалуйста, прямо сейчас.

Стянула с вешалки первый попавшийся пиджак и нацепила на себя, прямо на голое тело.

Вот так-то лучше.

Не глядя в зеркало, она решительно устроилась за туалетным столиком, вытащила из сумки журнал и нашла фотографию. И некоторое время ее изучала. Если бы у нее была лупа, она бы еще и в лупу посмотрела, хотя и без лупы все было ясно.

Красавица Олеся Светозарова — так, кажется? — с ногами сидела в кресле, одетая в белоснежную мужскую рубаху, распахнутую на высокой груди ровно настолько, насколько можно для делового журнала, а не «специального издания для мужчин». Белые волосы перекинуты на одну сторону, и видно очаровательное маленькое ушко, без всяких серег. Длинные руки обхватывают атласное загорелое голое колено. На пальце сияет неправдоподобно огромный бриллиант в странной оправе.

Глафира подняла журнал к глазам, хотя там нечего было рассматривать!.. Все и так видно. На пальце красотки Олеси веселый золотой бегемот, сделанный очень искусно, держал в пасти бриллиантовый мяч. Когда Разлогов подарил Глафире это кольцо, она сказала, что ей жалко бегемота. Что он, как дурак, все время с разинутой пастью! Разлогов захохотал и сказал, что отдаст кольцо переделать, и бегемот будет держать мяч в лапах. Переделать так и не собрались, но Глафира знала совершенно точно — это ее кольцо! И про бегемота все знала.

Бегемот жил в зоопарке города Калининграда, и жил он там неважно, так себе. Глафира, которую до обморока пугала любая несвобода, несколько дней мучилась, жалела бегемота. Он в своей тесной клетке не мог не то что ходить, но даже поворачиваться — ему негде было развернуться. Бегемотов лоб упирался в прутья с одной стороны клетки, а зад — в прутья с другой стороны. И вонь, невыносимая, одуряющая! Глафира простояла возле бегемота две минуты, и вещи пришлось отдавать в гостинице в чистку, так ужасно от них пахло!..

Промучившись некоторое время в одиночку, Глафира рассказала о бегемоте Разлогову. Того совершенно не интересовал бегемот, его интересовало только предстоящее открытие стекольного производства на белых карьерных песках Калининградской области, он отмахнулся, а когда Глафира привязалась вновь — рассердился.

— Что ты хочешь, чтобы я сделал? Купил бегемота и перевез его к нам на дачу?! Купил зоопарк и перестроил по-новому?!

Открытие производства состоялось, губернатор Кольцов присутствовал лично, разрезали ленточку, расхаживали по цехам с важным видом и в касках, телевидение снимало, все как следует.

— Тимофей Ильич, — сказала Глафира губернатору на торжественном приеме, — спасите бегемота. Спасите, а?

Разлогов изменился в лице. Губернаторская охрана изменилась в лице. Журналисты изменились в лице — запахло сенсацией. Губернатор, по слухам, человек страшный, поднял брови.

— Он там даже шевельнуться не может, — поспешно продолжала Глафира, боясь, что ее сейчас оттеснят и она не успеет досказать, — ему там нечем дышать! Он хуже, чем смертник, который ждет приговора, а он ни в чем не виноват! Это не просто пытка, это медленная, извращенная казнь!

Губернатор смотрел на нее сквозь очки без всякого выражения, как древний бурятский бог. Разлогов твердо взял ее под локоть. Журналисты тянули руки с диктофонами. Охранник колебался, не зная, что делать, и видно было, что он в замешательстве.

— Я посмотрю, что можно сделать, — наконец сказал Тимофей Кольцов, и все выдохнули с облегчением.

От Разлогова ей тогда страшно попало. А через год из Калининграда пришло приглашение для Разлогова на какой-то экономический форум, и отдельное — для Глафиры Сергеевны. В ее конверт был почему-то вложен входной билет в зоопарк стоимостью в пятьдесят рублей. В зоопарк они с Разлоговым пошли вместе, за свой билет он уплатил в кассу.

Бегемот жил во дворце.

У него был дворец в духе гасиенды из романов Майн Рида с балюстрадой. По балюстраде бегемот прогуливался, а в гасиенде у него помещался зимний бассейн. Летний бассейн помещался на лужайке перед дворцом, рядом располагались болотце, в котором бегемот валялся, и какие-то специальные заросли, в которых он топтался.

— Н-да, — сказал Разлогов, вернувшись в гостиницу. Он вообще заговорил только в гостинице, всю дорогу молчал, — если точно известно, что ничего нельзя сделать, значит, можно ничего не делать. Оказывается, самое главное — не знать, что ничего нельзя сделать, и тогда все сделать можно!..

После этого он подарил ей кольцо, сделанное на

заказ итальянцем-ювелиром. Единственное в мире кольцо в виде веселого бегемота.

Глафира помедлила, решаясь, и открыла шкатулку.

Бегемот был на месте.

Он по-прежнему жил во дворце — в золотой шкатулке с эмалями, которая сама по себе была произведением искусства. Он весело резвился со своим бриллиантовым мячом на бархатной сливочной подушке.

Глафира вынула бегемота — очень тяжелый! — надела на палец и осторожно взглянула на фотографию Олеси Светозаровой.

Глафирин бегемот на палец Олеси был надет как-то наоборот, Глафира никогда его так не надевала! Она еще поизучала фотографию, а потом свою руку, выглядывавшую из рукава разлоговского пиджака.

— Как это получилось? — громко спросила она у пиджака. — Ты что, отдал ей *моего* бегемота?! Не отдал, потому что *мой* бегемот — вот он! — И она тряхнула рукой. Бриллиантовый мяч полыхнул синим и белым светом. — Тогда как он к ней попал?.. Или ты сделал второго? Или их всегда было два?

Глафира сложила ладони ковшиком и сунула в него нос. От пиджака свежо и привычно пахло Разлоговым.

— Я понимаю, что ты никогда меня не любил. Что ж тут непонятного? Но ты всегда соблюдал правила игры. Ты говорил, что играть нужно только по правилам. Шулеров бьют! Выходит, — она выпрямилась и с отвращением посмотрела на пиджак, — выходит, ты был... шулер?!

Она вскочила, сумочка и драгоценная коробочка — бегемотов дом — полетели на пол. Она вскочила и стала расхаживать.

— Думай. Думай. Значит, было второе кольцо.

147

И это кольцо Разлогов подарил своей девице. Нет и не может быть другого объяснения! И девица в нем сфотографировалась, только и всего — ей не было никакого дела до **того, настоящего** бегемота, для нее это просто украшение, очень дорогое, как нынче говорят — эксклюзивное.

Глафира поняла, что сейчас зарыдает.

...Я понимаю, что ты никогда меня не любил. Что ж тут непонятного?! На самом деле я тоже тебя не любила. Еще не хватает! Я любила этого... как его... Прохорова, конечно! А он любил меня. И продолжает любить. Кажется, продолжает.

Чепуха какая-то. Какая-то все это чепуха.

...Позвонить или не позвонить? Спросить или не спросить? И что спросить — ты меня любишь, что ли?

Золотая коробочка попалась ей на глаза, и она ее подняла. Сливочная бархатная подушечка вывалилась, и оказалось, что на обратной стороне у нее золотыми буквами напечатано какое-то имя, должно быть, ювелира, факс и телефон.

Максимус Росси. Ювелир. И телефон.

Глафира думала всего одну секунду, потом раскопала в сумке мобильный и, сверяясь с подушечкой, набрала номер.

Только бы ответили! Только бы ответили... Только бы...

— Si, — сказала трубка нетерпеливым мужским голосом.

Глафира втянула носом воздух.

— Si? — повторила трубка вопросительно.

Глафира по-итальянски понимала только вот это самое «si» и еще «pronto», а больше ничего. Зато она говорила по-английски!

Максимус Росси по-английски тоже говорил довольно сносно и, как только она упомянула бегемота с бриллиантовым мячом, стал необыкновенно любезен. Даже можно сказать — счастлив!

Конечно, он помнит этот заказ, еще бы! Но если мадам желает заказать точно такого же, то он, Максимус, вынужден отказать! Может быть, нечто подобное, но повторить то же самое он не сможет. Такой уговор. Он делает украшения только в единственном экземпляре. Он сожалеет, конечно, но это так!

Глафира едва за ним поспевала.

— Синьор Максимус, вы меня неправильно поняли! Бегемот с бриллиантовым мячом — это мое кольцо. Мне подарил его мой муж, Владимир Разлогов...

Максимус прекрасно помнит Разлогова. Отлично помнит! Его русский друг Владимир точно знал, какое именно хочет украшение, и он, Максимус, поздравил своего русского друга с тем, что тот обратился именно к нему. Он, Максимус, специалист в своем деле, его знают в Европе! Он поинтересовался, для кого кольцо, и русский друг Владимир пояснил, что для любимой. Тогда Максимус предложил русскому другу нечто более романтическое — бабочку, или цветок, или... пантеру, но русский друг настаивал именно на бегемоте, не самом романтическом из животных, и поэтому...

— Синьор Максимус, — перебила Глафира поток итальянских эмоций на английском языке, — вы сделали только одно такое кольцо?

Жена русского друга может называть его Макс. Да-да, именно так его называют друзья! И он, Максимус, заранее считает жену Владимира своим другом! Пожалуйста, Макс, и больше никак.

— Благодарю вас. Называйте меня... — она быстро придумала: — Глэдис.

...Прекрасное, прекрасное имя! Оказывается, у русских вполне европейские имена. Дорогая Глэдис, я счастлив, что это кольцо именно у вас, потому что Владимир...

— Макс, кольцо было только одно?

Тут итальянец притормозил на секунду, а когда заговорил снова. Глафира поняла, что он даже слегка обижен.

...Что значит — одно? Максимус Росси никогда не повторяется! Да и по условиям договора он делает вещь в единственном экземпляре, всегда! Кроме того, бриллиант!.. Такие бриллианты редкость. Не эксклюзив, конечно, но редкость. На бриллиантовой бирже в Антверпене они раскупаются вперед, и ему, Максимусу, пришлось некоторое время ждать подходящий И дело не только в чистоте и размере! Еще огранка! Камень должен выдержать именно такую огранку, следовательно, он должен быть особой формы! И Максимус сразу предупредил своего русского друга, что придется ждать и выйдет очень дорого, но Владимир был готов на все! Хотя он, Максимус, предлагал бабочку, цветок или пантеру, но русский друг уверил его, что подойдет только бегемот! Он сообщил, что его возлюбленная занимается спасением бегемотов, и Максимус понял, что эта русская красавица, должно быть, служит в Гринписе! Глэдис служит в Гринписе?

— Нет-нет, — сказала Глафира быстро, — я занимаюсь спасением бегемотов в свободное время.

— Что-то случилось с кольцом? — вдруг спросил ювелир озабоченно, видимо сообразив, что звонит она неспроста. — Вы его потеряли?

— С кольцом все в порядке, синьор Максимус!

— Макс, прошу вас! Тогда зачем вам второе?

— Я просто увидела очень похожее кольцо и подумала...

— Мои произведения уникальны и существуют только в единственном числе! — вскричал итальня-

150

нец пылко. — И подделывать их чрезвычайно трудно! Да и времени прошло слишком мало, синьора Глэдис! Понимаете, чтобы изготовить подделку, нужно внимательно изучить оригинал, а на это нужно время!

Но подделки «синьору Глэдис» не интересовали! На пальце Олеси Светозаровой было **ее** кольцо — единственное в мире!

Кое-как распрощавшись с экспансивным итальянцем, пообещав звонить и заходить, когда будет в Милане, Глафира снова села в кресло и взялась за журнал.

Мистика какая-то.

Кольцо было только одно, это теперь ясно. Разлогов потратил на него кучу времени и денег. На бабочку, пантеру и цветок не согласился. Тут Глафира усмехнулась — бабочки и цветы, надо же!.. Он долго ждал, когда на бриллиантовой бирже в Антверпене будет торговаться подходящий камень. Максимус Росси сделал из этого камня сверкающий мяч. Разлогов сказал ему, что кольцо — для любимой, или нет, еще хуже, для возлюбленной.

Она, Глафира, возлюбленная Разлогова?!

Впрочем, у итальянцев одна любовь на уме!..

— Сейчас не время думать про любовь, — строго сказала себе Глафира, и голос ее прозвучал жалко. — Сейчас нужно понять, как бегемот попал к Олесе, а потом вернулся на место! Как?!

В разлоговском пиджаке и с бегемотом на пальце Глафира спустилась вниз, в гостиную, и разожгла в камине огонь.

Топить камин ее научил Разлогов. Учил долго — складывать дровишки «шалашиком», отдирать бересту, стругать лучинки, махать газетой. Химической жидкостью для растопки Разлогов никогда не пользовался, считая это «неспортивным». У него были какие-то странные представления о жизни!..

Березовые поленья, сложенные «шалашиком», затрещали, когда Глафира щедро полила их неспортивной жидкостью для растопки, веселое пламя побежало вверх, и в трубе загудело.

...Кофе, что ли, выпить? Или сразу водки?

Водку пить Глафира не стала, а кофе варить было лень. Она разыскала в каморке за дверью унты, которые Разлогов привез из Иркутска, натянула и уселась близко к огню.

Итак. Кольцо было сделано в единственном экземпляре, и оно сейчас у Глафиры на пальце. Но вот фотография, и на этой фотографии такое же кольцо на пальце у Олеси Светозаровой. Как это может быть? Никак не может, если только Разлогов не дал ей поносить Глафирино кольцо!

Как может быть связано кольцо с... убийцей? И есть ли такая связь вообще?

Если предположить, что убийца Олеся, значит, она могла забрать из коробочки кольцо, а потом вернуть обратно, дав Глафире по голове. Если это так, значит, она знала о кольце, знала, где оно лежит и как попасть в дом, — не через забор же она лезла! Да и не перелезешь через него... Только вот зачем? Зачем убивать Разлогова, который давал ей деньги и платил за ее фотографии в дорогих журналах? Зачем красть кольцо? Только для того, чтобы в нем сфотографироваться?! И — вообще глупость! — зачем тогда возвращать его на место?! Да еще с таким риском?!

Кто ударил Глафиру по голове? Зачем приезжал Волошин? Кто выключил видеонаблюдение? Куда из дома девался мастиф Димка? Если его убили, то где и как?! Почему все врет Марина Нескорова, великая актриса? В свой последний день Разлогов должен был с ней встретиться — и они встречались! Глафира это точно знает!

Надо бы все-таки кофе выпить. Или водки.

Подумав про кофе и водку, Глафира потерла лицо, горевшее от каминного жара, и осталась сидеть.

Самый трудный вопрос — Прохоров. Почему он так легко согласился оставить ее в пустом и опасном доме? Почему уехал? И еще...

Глафира закрыла глаза.

Почему он оставил у себя на кухне журнал? Оставил так, чтобы она обязательно его увидела! Он прекрасно знает, что ей... это неприятно. Он — самый близкий человек. Он ее любит. Можно, конечно, позвонить и уточнить вопрос с любовью, но и так понятно, что он ответит! Она, Глафира, на его месте ни за что журнал не оставила бы! Или это было сделано специально, чтобы она... что-то увидела? Например, фотографию с кольцом!

Но зачем?! Зачем?!

В кармане разлоговского пиджака зазвонил телефон, и Глафира выхватила трубку.

— Андрюша! Как хорошо...

Тут она вдруг сообразила, что это может быть вовсе не Андрюша — на номер-то она не посмотрела! Она оторвала трубку от уха и взглянула. Так и есть — номер совсем незнакомый.

— Алло? — осторожно позвали из телефона. — Глафира Сергеевна?..

— Я вас слушаю.

— Глафира Сергеевна, меня зовут Ольга Красильченко, я специальный корреспондент...

Глафира перебила ее замороженным голосом:

— Я не даю сейчас никаких интервью. Извините.

— Нет-нет, — заторопилась журналистка, — я все понимаю, вы в таком состоянии! Но мне не нужно интервью, уверяю вас! Мне нужен только короткий комментарий...

— Комментировать я тоже не могу, — отрезала Глафира.

— Вы не поняли! — возопила журналистка. — Не кладите трубку, Глафира Сергеевна, умоляю, умоляю.

— Да не надо меня умолять.

— Одна секунда, один короткий вопрос! Это связано не с кончиной вашего супруга, а исключительно с его бывшей женой!

У Глафиры моментально вспотели ладони. Разлогов говорил, что руки у нее вечно мокрые, как у лягушки. Его это раздражало.

— При чем здесь Марина?

— Я делаю о ней материал, и мне нужно задать вам всего один вопрос. Малюсенький! Кро-о-хотный! Поймите правильно, Глафира Сергеевна!

Прижав телефон к уху плечом, Глафира вытерла руку о джинсы.

Вот только разговоров о Марине ей сейчас не хватает! И вообще все это очень странно, очень...

— У нас большой материал, — продолжала наседать журналистка. Она говорила очень быстро, чтоб не перебили, но елейно-умоляющие нотки из голоса все же не убирала. — Огромный. И вся-вся биография там, все театры, успехи, громкие постановки, одним словом, жизнь! Мужья — их, слава богу, всего два! И один из них... вы меня извините...

— Извиняю.

— И фильмография, и режиссеры именитые, она ведь у самого Гришковского снималась, и фон Триер ее приглашал, да она ему отказала! — Это было сказано с гордостью.

— Чем я-то могу вам помочь? — осведомилась Глафира. — Меня-то фон Триер никуда не приглашал!

— Нет-нет, не в этом смысле! — Журналистка Ольга Красильченко, поняв, что ей не отказывают, приободрилась и стала не такой елейной. — У меня вопрос об их отношениях!

154

Глафира моментально обозлилась:

— Чьих? Ларса фон Триера и Марины Нескоровой?

— Марины и Владимира, — объявила журналистка. — Вы не сердитесь. Но Марина Олеговна звезда такого уровня и настолько закрытый человек, что собирать информацию крайне сложно. А Владимир Разлогов был с ней близок, и довольно продолжительное время.

— Что вы хотите узнать?

— В каких они были отношениях?

Глафира поморщилась. Вопрос не тянул на серьезное исследование биографии «звезды такого уровня» — больше на статейку в журнале «Сплетни и слухи».

— Насколько мне известно — ни в каких. Достаточно ровных, но прохладных.

— То есть вам мало что известно об их отношениях?

— Мало, — согласилась Глафира.

— А... почему? Владимир Разлогов ничего вам не рассказывал?

— Почти ничего.

— Но это странно! Он был мужем звезды, самой настоящей, известной во всем мире, мне кажется, самолюбие любого нормального человека...

— Словом, нет, не рассказывал.

— Глафира Сергеевна, вы на меня не обижайтесь! Марина Нескорова — явление вселенское, а Владимир Разлогов, возможно, и даже скорее всего, был достойным человеком, но самым обыкновенным!

Разлогов — обыкновенный человек?! Глафира улыбнулась. Вот уж нет!

— Неужели вас не интересовал его предыдущий брак?

— Интересовал, конечно, — почему-то честно

ответила Глафира. — Но он о нем не распространялся.

— А вы знакомы с Мариной Олеговной?

— Да. Очень поверхностно.

— Когда-то говорили, что именно Владимир Разлогов оплачивает некоторые постановки, в которых Марина играла. Вы что-нибудь об этом знаете?

— Нет.

— Господин Разлогов не посвящал вас в свои денежные дела?

— Нет.

— Но он давал деньги своей бывшей жене?

«Еще какие, — подумала Глафира. — Еще какие!»

— Если и давал, то меня в известность не ставил.

Журналистка помолчала. Спрашивать больше было не о чем.

Глафира приподнялась и кочергой помешала угли, моментально и весело вспыхнувшие.

— Тут ведь дело не в деньгах, — устало сказала журналистка Ольга Красильченко. — Дело в том, какой путь человек прошел! И что тут такого, я не понимаю! Да если б он ее с головы до ног золотом осыпал, все равно по ее таланту было бы мало! Чем больше талант, тем человек сложнее, что тут такого! А ребенок? — вдруг переменив тон, деловито спросила она.

— Какой ребенок?

— Ну это как раз не тайна! У Марины был ребенок и умер. Как она это пережила, бедная! А Владимир Разлогов о ребенке вспоминал?

— Нет, — железным, бетонным, картонным голосом сказала Глафира. — Не вспоминал.

— Ну мужчины вообще другие! Они чувствовать не умеют! Был ребенок, не было, он дальше живет как ни в чем не бывало!

...Только вперед, всегда вперед. Все, что позади, отработанный материал. Я делаю выводы, получаю уроки и иду дальше. Это как раз на Разлогова похоже!

— Ну еще раз простите, Глафира Сергеевна. Поймите меня правильно. Со звездами очень трудно общаться. Марина Олеговна хоть... настоящая! А бывает, знаете, какая-нибудь дрянь, мелочь, а строит из себя королеву Елизавету!

— Бывает, — отозвалась Глафира. В висках у нее стучало.

— Мой племянник вообще в жуткую историю попал, как раз с такой вот дрянной дешевкой! — Журналистка вздохнула. Видно, устала и ей хотелось излить душу. — Он на интервью поехал, а у нее какой-то бриллиант пропал! Так она его чуть в краже не обвинила! Он тоже журналист, талантливый, хороший мальчик! Мы его с сестрой вдвоем растили, и чтобы он чего-то там украл, ну это ни в какие ворота не лезет! Вот к такой стерве на интервью попадешь, и тебя после в тюрьму отволокут!

— А где работает ваш племянник?

— В журнале «День сегодняшний». Хорошее издание, солидное, но, бывает, и они пишут про всяких...

— Как его зовут? — перебила Глафира.

Стучало теперь не только в висках, но и в затылке, под волосами.

— Дениска, — удивилась журналистка и зачем-то объяснила: — Мы с сестрой Драгунского читали, и нам имя очень нравилось! А что? Вы его знаете? Денис Столетов его зовут!

— А девушку, у которой бриллиант пропал, зовут Олеся Светозарова?

— Откуда вы знаете?!

— Я немного знакома с главным редактором, — сухим тоном пробормотала Глафира.

— Девушка, миленькая, — вдруг запричитала журналистка Оля Красильченко, — вы скажите ему, что Дениска ничего не брал, ничего! Он не мог, никак не мог! Он нормальный, хороший, честный мальчик! Глафира Сергеевна, вы ведь можете ему сказать? У них там в журнале скандал ужасный, и Дениска переживает очень!

— Я скажу, — пообещала Глафира. — А вы не переживайте. Кольцо нашлось. Ваш мальчик ничего не крал.

— Господи, вот спасибо так спасибо! А вы откуда знаете?.. Глафира Сергеевна, я вам так бла...

Глафира нажала кнопку отбоя и держала долго, пока телефон совсем не выключился. Огонь в камине пылал, и Глафире казалось, что это ее голова пылает и потрескивает в камине.

У Разлогова был ребенок, и он умер. Разлогов никогда не говорил ей о ребенке. Хотя, наверное, все знали! Даже какая-то чужая женщина, журналистка, знает.

А Глафира нет.

Голова пылала, и нужно было как-то остановить жар, треск и боль, пожиравшие ее.

Глафира отперла дверь, выходившую в сад, отодвинула щеколду и, навалившись, распахнула обе створки. На пальце полыхнул бриллиант.

Сырой осенний ветер охватил ее горячую голову, как будто положил на свое прохладное крыло. Глафира глубоко вздохнула, закрыла лицо руками и помотала головой.

И вдруг ей стало так страшно, что она вскрикнула и отняла руки.

Прямо перед ней стоял человек. Вместо лица у него была уродливая морщинистая неподвижная маска. Глафира поняла, что сейчас умрет.

Маска осталась неподвижной, только губы зашевелились:

— Ну вот и славно, — выговорили губы, и все смолкло, только ветер шумел в вершинах сосен.

Прохоров вошел, подхватил кошку Дженнифер, которая недовольно мяукнула, и внутри у нее что-то гулко булькнуло.

— Сейчас, моя девочка, — пообещал он Дженнифер, — сейчас, моя радость! Все, все будет!

Дженнифер повела хвостом и отвернулась. Слава богу, один приехал! Эту свою с собой не приволок! Она меня сегодня трогала, даже, можно сказать, таскала, совершенно бесцеремонно, я потом еле отмылась! Полдня потратила, чтобы себя в порядок привести!

— Соскучилась моя девочка! Конечно, соскучилась! Ну ничего, ничего. Сейчас все у нас будет хорошо.

Ничего хорошего не было вовсе, и от предстоящего дела его мутило — прямо-таки физически, тошнота подкатывала к горлу.

— Ничего, ничего, — приговаривал он, утешая то ли себя, то ли Дженнифер, — нам с тобой осталось потерпеть совсем чуть-чуть.

Он волновался за Глафиру — нельзя было оставлять ее одну! Но как не оставишь, если ему необходим этот вечер, всего один — чтобы все наконец расставить по своим местам.

Он сильно нервничал, и кошка Дженнифер это чувствовала, мяукала недовольно. Когда он посадил ее на стойку, принялась немедленно вылизывать примятый бок, недовольно встряхивая ушами.

Прохоров навалил ей еды в миску с изображением очаровательных котят. За этой миской он специально ездил в магазин на Ленинский — чтобы у Дженнифер всегда во время обеда было хорошее настроение. Конечно, есть она не стала, и он ее уговаривал, довольно долго.

В квартире было тихо и пусто! Никого нет. Ты никому ничего не должен. Глафира, должно быть, лучшая из женщин, которые попадались ему в жизни, но как это все трудно! Как это... утомительно, честное слово. Любовь — такая же работа, как и любая другая, бесконечное приложение усилий. Нужно приспосабливаться, прилаживаться, ломать себя старого и выуживать из себя какого-то «нового». Этот «новый» в чем-то бывает похож на старого, а в чем-то совсем другой. «Новый» Прохоров, проживший рядом с Глафирой несколько дней... подустал немного. Почему-то рядом с ней ему было неловко, он все пыжился, приосанивался, будто на цыпочках ходил! Нет, им было отлично вместе — кажется, так пишут в романах, — но он все равно подустал. Глафира за ним «ухаживала» — подавала, убирала, варила кофе, провожала до дверей. Черт знает, то ли ей так нравилось, то ли ее Разлогов приучил! Вполне возможно, что приучил, с него станется. Он вообще был довольно... старорежимный, несовременный мужик! Вон какую печь у себя на даче воздвиг, как Емеля из сказки, хоть катайся на ней, да еще с беседкой, да еще с костровищем! Прохоров бывал на этой самой даче всего пару раз и каждый раз поражался. Надо же быть таким дикарем — дом в лесу отгрохал, какие-то беседки-костровища завел, собаку держал безобразную, из всех напитков предпочитал виски, а из всех развлечений хоккей, а после хоккея баню! С таким, наверное, с тоски на третий день сдохнешь, а чуть что не по его, так он кулаком по столу грохнет и на три дня на хлеб и воду. Вот бедная Глаша и подает-убирает, до двери провожает. Впрочем, «бедная Глаша» на Разлогова никогда не жаловалась, особенно в таком... бытовом смысле, хотя Прохоров знал, что живется ей не сладко.

Одни разлоговские девахи чего стоят!

Про девах он зря подумал. Стало жарко ушам и скулам, даже щеки изнутри зачесались — от стыда.

От этого самого стыда он принялся совершать кучу ненужных мелких движений — погладил кошку Дженнифер, которой это совершенно не понравилось, переставил чайник с одного места на другое, аккуратно свернул полотенчико, брошенное Глафирой кое-как, и посмотрел на себя в зеркало.

Андрей Прохоров был хорош собой и отлично это знал. В меру высокий, очень спортивный, загорелый, лицо мужественное, глаза, естественно, голубые. Ничего общего с Разлоговым. Непонятно, почему Прохорова все время тянуло с Разлоговым... соревноваться, и выходило так, что побеждал именно Прохоров, хотя Разлогов об этом ничего не знал!

Разлогов был «примитивный» — на сотрудников и подчиненных орал, когда бывал на производстве, лез во все дыры, про это даже газеты писали — и все над ним смеялись! Это что за демократия такая — хозяин, директор, гайки крутит, таскается по цехам в химзащите и лезет, лезет, куда ему не следует — и бессмысленно, и не по чину!.. Никакой светской жизнью он никогда не жил, только если уж очень «подпирало», посещал «обязательные мероприятия» — вроде открытия «ХимЭкспо», куда съезжались все отраслевики и премьер наведывался. Из «знаменитых и великих» дружил только с Димой Гориным, писателем, талантливым чрезвычайно, но, с прохоровской точки зрения, человеком до крайности неприятным. Общаться с ним было трудно — того и гляди, пошлет куда-нибудь, да еще прилюдно, да еще от души, а на следующий день забудет и разговаривает как ни в чем не бывало. Прохоров Горина сторонился, а Разлогов с ним дружил, зачем — непонятно!

И девиц Разлогов любил чем примитивней, тем лучше. Лишь бы ноги подлиннее да грудь побольше, и лучше бы все время молчала! Женат при этом он был один раз на великой русской актрисе, а другой раз на Глафире, девушке умненькой, сложной и себе на уме. Что такие женщины находили в таком мужчине?! Деньги, деньги, и ничего, кроме денег.

Прохоров, напротив, слыл человеком «утонченным». По-английски и по-французски говорил легко и красиво, любил осень в Довиле, а зиму в Ницце, родстеры, орхидеи, знал, кто такая Рахель Рейсх, дружил с писателем Гектором Малафеевым, утверждавшим, что жизнь говно, и ждущим со дня на день конца света. Вместе с Гектором они посещали один и тот же спортклуб и качали там железо до седьмого пота. Гектор скрашивал ожидание конца света романами и романчиками с совсем уж никчемными малолетками, мастерски ваял тексты о том, что все бабы сволочи и шлюхи, а Россия погибла, и вороны кружат над ней, растаскивая белеющие косточки.

Прохоров искренне видел в малафеевском творчестве «знамение времени», предчувствие «скорого конца» и с удовольствием запивал головокружительные разговоры с Гектором французским коньячком.

Роман с Глафирой Гектор не одобрил, но Прохоров «устоял» — в конце концов, это его личное дело! Кроме того, о его «соревновании» с Разлоговым Гектор не знал, конечно. Глафира тоже была довольно примитивной с точки зрения прохоровского окружения. Разлогов подобрал ее на какой-то кафедре, где она изучала то ли средневековых лаосских поэтов, то ли современных латышских

162

писателей. Познакомил их все тот же Горин, который про конец света не писал, железо в спортзале не качал, с малолетками не водился, сочинял истории странные, сложные, не совсем понятные, но всегда интересные, и то и дело получал литературные премии — то в отечестве, то за рубежом. Рассказывали, что, представляя Разлогову Глафиру, Горин сказал с сожалением, что сам бы на ней женился, да не может никак — уже женат!

Глафира оказалась вполне предприимчивой, Разлогова прибрала к рукам довольно быстро, а когда он ее отмыл, обул и одел — еще и очень привлекательной. Именно потому и привлекательной, что полный «неформат». Когда Прохоров первый раз ее увидел, подумал — это еще что за лошадь Пржевальского?!

На дне рождения радиостанции «Эхо города» лошадь Пржевальского смирно стояла рядом с Гориным, который все порывался тяпнуть водки и с тоской смотрел в сторону стола с закусками, но его не пускал какой-то краснолицый и благообразный пивной пруссак, кажется, журналист. Горин громко говорил, размахивал руками, топтался на месте, и казалось, что помещение, где происходит «мероприятие», ему тесно, узковато, давит со всех сторон, как и надетый «по случаю праздника» официальный костюм. Лошадь время от времени привычным движением поправляла на нем пиджак, как на первокласснике, а гений отечественной словесности отмахивался от нее нетерпеливо и досадливо. Она нисколько не обижалась и через некоторое время опять лезла поправлять то галстук, то пиджак.

Ну лошадь, она и есть лошадь! Высокая, даже слишком высокая, но не «летящая», «устремленная», «воздушная», а вся какая-то крепкая, как купчиха с картин Кустодиева. Во всю щеку, ясное дело, румянец. Пиджак на ней, как и на Горине, сидел плоховато, будто с чужого плеча, — топорщился не там, где надо, а там, где надо, не облегал. Мордочка свеженькая и заинтересованная, но на этом и все, никакого глянца, лоска и вообще никаких признаков того, что вот настоящая женщина, знающая себе цену и умеющая себя подать!

Потом Прохоров ее разглядел — уже когда интервью брал. Надо отдать должное Разлогову, он не только за своих девиц платил, но и за жену заплатил тоже. Материал про Глафиру вышел сказочный, во-первых, потому, что Прохоров сам его писал, а во-вторых, потому, что Глафира оказалась... интересной. О своей работе, то ли лаосских писателях, то ли латышских поэтах, говорила вдохновенно, а о муже — с уважением. Кроме того, Прохорову вдруг понравилось, как она выглядит — очень интеллигентно, что ли!.. Узенькие очочки, очень короткие волосы, черная майка, серые джинсы, длинное распахнутое пальто и маленькая сумочка — женственная, дурацкая и от этого очень привлекательная.

Прохоров взял интервью, позвонил, когда пришло время согласовывать материал, и они поболтали, очень мило. Звонить еще поводов не было, и, недолго помучившись, Прохоров позвонил «просто так». Они встретились, потом опять встретились, потом еще встретились, и когда «все случилось», им обоим показалось, что по-другому и быть не могло, что они родились исключительно для того, чтобы встретить друг друга и чтобы «все случилось»!

Ему очень хотелось, чтобы она разделила с ним все, что любит он, — и Довиль, и устриц, и малых голландцев, и спортивные автомобили, и органные концерты в Домском соборе. И она разделяла — с восторгом и энтузиазмом! Еще бы — ничего подобного она не могла разделить с Разлоговым.

164

Делить с ним можно было все ту же баню, лошадиную ферму, «рост прироста» и компанию пьяных приятелей по пятницам!..

И в тот момент Прохоров почти выиграл соревнование. Почти... А потом придумал, как его выиграть окончательно, навсегда! Это была блестящая мысль, и все почти получилось!

Почти...

Андрей Прохоров вдруг замычал, не разжимая зубы, распахнул холодильник, выхватил из двери бутылку водки, где она стояла рядом с початой бутылочкой молока, кое-как, тряся неудобным горлышком, накапал примерно полчашки водки и залпом выпил. После чего вытаращил глаза и задышал открытым ртом.

Эта водка из чашки залпом и открытый рот были как раз в духе Владимира Разлогова, а не Андрея Прохорова!

Ну и наплевать.

Прохоров переоделся в спортивный костюм из тонкой нежной ткани. Глафира этот костюм терпеть не могла и называла его почему-то «неглиже». Тоже, должно быть, Разлогов приучил!.. Мужчина не может носить тонкие и нежные ткани. Мужчина должен носить джинсы на «болтах», брезентовые штаны и толстые свитера! За те дни, что Глафира у него прожила, Прохоров «неглиже» ни разу не надел и теперь был счастлив.

Как хорошо, что можно!.. Сегодня можно все, а там посмотрим. Сегодня я принадлежу себе, а там увидим. Сегодня я почти победитель и вскоре стану победителем окончательно, навсегда.

А Разлогов не победитель и не проигравший. Его просто нет и больше никогда не будет.

Когда в дверь позвонили, Прохоров, морщась, капал в чашку вторую порцию водки.

Она влетела в квартиру и с разбега прыгнула Прохорову на шею. И повисла. И заболтала ногами. И шумно поцеловала в ухо.

Уху стало мокро.

Она потерлась носиком о его шею в свободном и мягком вырезе «неглиже», сунула руки за резинку штанов, немного там погладила и пощекотала, и поцеловала в губы.

Губам стало мокро, и под носом остался запах манго.

— Дрюня! — низким голосом сказала она. — Как я за тобой соскучилась!

Иногда она забывалась и говорила так, как принято в Мелитополе, откуда она была родом.

Прохоров тыльной стороной ладони вытер под носом, но манго все равно воняло.

— Дрюнь, ты что, пьешь? — она втянула носом воздух. — Я с тобой! А где мои тапки?

Она уселась на хромированный табурет с сиденьем черного стекла и протянула Прохорову ногу в белом ботфорте. Прохоров аккуратно расстегнул «молнию», и она протянула вторую.

— А что ты пьешь? Водку? Сделай мне «Манхэттен»! А вообще-то у меня есть... — Тут она с заговорщицким и лукавым видом полезла в очень огромную, очень лакированную, очень модную сумищу, недолго покопалась в ней и выхватила крохотный белый конвертик. И помахала им у Прохорова перед носом, все еще чуявшим запах манго. — Хочешь кексик, Дрюнчик?

На ее языке «кексиком» назывался кокаин.

— Я могу позвонить, нам еще подвезут! У тебя бабки есть? А что? Гулять так гулять!

Она опять поцеловала Прохорова в губы, немного пошарила за резинкой его штанов — выполнила обязательную программу — и пошла на кухню.

— Жулька! — запричитала она оттуда. — Жулечка-масюлечка, как ты тут без меня? Жулечка-пу-

166

сюлечка! Папка твой противный все время на работе, да? А Жулька у нас скуча-а-ет. Фу! Из тебя шерстюга лезет!

Жулькой — непонятно из каких соображений — она звала кошку Дженнифер, которая к ней всегда была благосклонна, не то что к Глафире.

Прохорову не хотелось разговаривать, да с ней вообще говорить было трудновато, ему хотелось затащить ее в спальню и там трахать долго и разнообразно — водка всегда так на него действовала! — но он знал, что беседовать все равно придется.

Когда Прохоров вошел в кухню, она уже сидела за стойкой и деловито капала водку в его чашку, даже губами шевелила, как будто считала. Ноги, положенные одна на другую, были совершенны. Из-под юбочки выглядывала чулочная резинка, на которую Прохоров тяжело уставился. Груди, приподнятые корсажем, были как натянутый атлас, какие-то меховые штучки на запястьях и на шее пахли теплыми цветочными духами.

Она оглянулась, рукой, свободной от бутылки, потянула Прохорова за «неглиже» и поцеловала в грудь, под шеей.

«Мне нужно с ней поговорить», — тупо подумал Прохоров.

— Ну что? Что папочка скажет за кексик? Хочешь? Фу какой бука! Жулька, почему наш папочка такой бука? Давай его развеселим! Мало того, что почти неделю тут чужую тетку держал, так еще и бука!

— Олесь, — сказал Прохоров, мечтая о том, чтобы долго и разнообразно, — ты что? Дура совсем? Какой тебе сейчас, на хрен, кексик?!

— Ну не буду, — тут же согласилась она. В конце концов кексик отлично можно и в ванной употребить, он от этого не протухнет. — Не буду, не буду!

А что ты такой зелененький, Дрюнчик? Заработался? Укатали сивку крутые горки? Ну за тебя!

И она залпом проглотила водку. Атласные груди поднялись и опали.

— Олесь, какого... какого лешего ты приперлась в редакцию, да еще нашумела там, как последняя сукина дочь?

— Так это когда-а-а бы-ы-ыло!..

— Когда бы ни было! Я тебе велел тихо сидеть, а ты чего?!

Олеся снова капала в чашку водку и вся сосредоточилась на этом занятии. Прохоров бутылку отобрал и чашку принял.

— Ну Дрюня!

— Куда делось кольцо?

Она посмотрела на него. Глаза у нее так блестели, что Прохоров подумал — должно быть, кексик она сегодня уже принимала!

— Я тебя спрашиваю, куда делось кольцо?

Она заморгала и сложила великолепные руки на великолепной груди.

— Так я же ж... Я ж потому до тебя и прибежала, что таки да, кольцо пропало! И вот что хочешь, а за этих твоих журналюг...

— Говори нормально! — прикрикнул Прохоров. — Хватит ломаться!

Олеся подхватила Жульку-Дженнифер и прижала ее к груди. Кошка поглядывала вопросительно, но и не думала сопротивляться.

— Так я и говорю. Я тебе объясняю. Они приехали, и все было чики-поки, и фотки я им все отдала, и ту самую тоже отдала...

— Я знаю, видел ее в наборе.

— В каком наборе?

— Неважно. Они приехали, ты отдала им фотографии, потом Сапогов тебя снимал, а Столетов брал интервью...

— Ай брось ты! Ну я тебе по телефону это все уже тыщу раз говорила! Потом они меня с кольцом фотографировали. Ну один фотографировал, а другой рядом стоял! И, между прочим, та-ак на меня смотрел! — Она оживилась, потрясла Дженнифер и поцеловала ее в морду. — Та-ак смотрел! Я думала, штаны снимать начнет, представляешь?

— Куда могло деться кольцо? — свирепо спросил Прохоров и забрал у нее кошку Дженнифер. — Парни утащить его не могли, ты это прекрасно понимаешь.

— Да почему не могли, конечно, могли! Да у них вид ни боже мой какой прекрасный! А оно у меня просто так в будуаре лежало, без всякой охраны! В кулечке бархатном и в коробушке! Да кто угодно мог влезть и схапать!

— Дура! — заорал Прохоров так страшно, что она отшатнулась, а Дженнифер с испугу брякнулась на пол. Внутри у нее что-то громко екнуло. — Идиотка! Мало того, что бриллиант просрала, так еще в редакцию приперлась права качать! Тварь безмозглая! Где я теперь буду его искать?! У кого он может быть?! Что этот человек с ним станет делать?!

— Ну... носить, — пролепетала Олеся Светозарова и икнула от страха, — или в скупку сдаст... задорого...

— Да кольцо никогда не должно было нигде всплыть! Оно должно было оставаться у тебя! Ты понимаешь, что, если начнется расследование, тебя посадят?!

— За... за что посадят? Куда... посадят?

— В тюрьму! Оно должно было навсегда остаться у тебя! Куда оно делось?! Отвечай мне! Продала?! Кому продала?!

— Я... я... — Олеся заплакала еще громче, а кошка Дженнифер убралась под стол, — я никому... ты же говорил... я ни за что... чтоб мне никогда... Дрюся, ты что?! Я ничего никому! Вот те крест! Все как было велено! Ей-богу, не знаю, кто его попер, кольцо это проклятущее. Чтоб ему сгореть!

Прохоров оттолкнул ее так, что она свалилась с табуретки. Загрохотала чашка, скинутая со стола.

— Я тебя убью, — сказал Прохоров брезгливо. — Прямо сейчас.

— Как... как вы сюда попали? — трясущимися губами выговорила Глафира. — Что вам от меня нужно?!

— Узнаешь!

Глафире показалось, что в саду вдруг грянул гром и молния сверкнула. А может, блеснул под светом фонарей старухин плащ.

— Дай мне войти.

Глафира замотала головой.

— Посторонись, кому сказано!

И Глафира отступила. Старуха вошла. За ней по ковру потянулся след мокрых галош. Глафира, как во сне, последовала за ней.

— Что вам здесь нужно?!

Старуха дошла до вешалки, утвердила на полке свой саквояж и стала снимать плащ. Глафире показалось, что невыносимо завоняло нафталином. Сопя, старуха расстегивала пуговицы. Из-под платка торчали седые космы.

— Ну веди в дом, хозяйка! — последнее слово прозвучало ругательством. Старуха плюнула им Глафире в лицо.

— Я не понимаю...

— А я тебе объясню, — ласково пообещала старуха. — Ну что? Так и будем в передней топтаться? Лакеи-то твои где?

— Какие... лакеи?

— Ну прислужники, опричники твои! Зови их — старуху гнать!

— Здесь никого нет, — зачем-то сказала Глафира. — Я одна.

Она вдруг напрочь забыла, как зовут эту косматую отвратительную старуху, которая караулила ее в квартире великой русской актрисы и так и не налила ей чаю!

— Одна так одна! — как-то даже ухарски ответила старуха и двинула в комнату, в самое сердце готического разлоговского дома. Глафира стояла у распахнутых двустворчатых дверей и с места не двигалась.

— Да ты проходи, проходи! — пригласила старуха почти весело. — Чего в дверях-то мыкаешься, как не родная!

— Что вам от меня надо? — как заведенная повторила Глафира. — Как вы здесь оказались?!

— Как оказалась — не твое дело, — объявила старуха. — А вот чего надо... Долгий у нас с тобой разговор будет, хозяйка!

— Никакая я вам не хозяйка!

Старуха усмехнулась неприятно:

— Как же так, не хозяйка! Бывшего хозяина жена, стало быть, хозяйка! — Она помолчала, огляделась по сторонам, задрала подбородок, из которого торчали жесткие седые волосы, и потолок осмотрела тоже. — А хочешь, я тебе чаю подам? Чтоб уж как положено! Хоть я никогда у таких, как ты, в услужении не бывала...

— У таких — это у каких? — уточнила Глафира.

— У бессовестных, — отрезала старуха.

...Как же ее зовут?.. Глафира никак не могла вспомнить!..

— Ну вот что, — продолжала старуха сурово, — чаю мне подай, погорячее и покрепче! Мне тут с тобой рассиживаться некогда! Марина под утро вернется, и мне к тому времени нужно дома быть! — Она посмотрела на Глафиру. — Что зенки-то выкатила?! Давай, давай, вызывай!.. — Глафира не понимала, и старуха прикрикнула: — Вызывай, говорю!

— Кого... вызывать?

— Шофера, — выговорила старуха презрительно, ударив на первый слог, — или жандармов, кого там!.. Чтобы до Москвы меня в лучшем виде доставили! А то Мариночка моя в беспокойстве будет. А ей беспокоиться противопоказано... — тут старуха пожевала губами, — над ролью работает! — Это было сказано с необыкновенной гордостью — И сегодня у нее спектакль. Островского она у меня играет. Не то что ты!.. Груши околачиваешь!

— Груши? — переспросила Глафира.

— Ты дуру-то убогую из себя не строй, — сказала старуха. — Не поверю. Ишь, трясется!.. Что трясешься-то?! Бабки забоялась?

— Уходите, — велела Глафира, — или я на самом деле вызову охрану.

— Пока твоя охрана явится, от тебя мокрого места не останется, — безмятежно объявила старуха, — за хозяином своим последуешь, в геенну огненную! — Она подумала, потом плюнула в камин и добавила: — Он был пес цепной, а ты-то кто? Ты — никто! Шавка подзаборная.

И тут произошло странное. Как только старуха помянула Разлогова — «хозяина», Глафира вдруг сделалась совершенно хладнокровной. Как будто «хозяин» вошел и сел в кресло возле камина.

— Если вы приехали меня оскорблять, — сказала Глафира, — то и оскорбляйте на здоровье. А я пошла.

И на самом деле пошла.

— Стой!.. — негромко окликнула старуха. — Куда?!

— Туда.

— Стой, тебе сказано!

Глафира, не обращая на нее внимания, налила воды в чайник, достала кружку и лимон. Надо же — лимон!.. Залежался. Эти лимоны, как и книжка Островского, и плед, и пиджак были еще из той, старой жизни. Лимоны Разлогов покупал на Дорогомиловском рынке и совал во все подряд — в чай, в колу, в виски! Глафира подумала немного и достала вторую кружку, для старухи. И мельком глянула, нет ли в кресле Разлогова.

Разлогова не было.

— Я с тобой говорить приехала, — помолчав, изрекла старуха. — Весь вечер под дождем мыкалась, измокла вся.

— Я вас не приглашала.

— Ты, девка...

— Прошу прощения, — перебила Глафира и обеими руками взяла поднос. На подносе стояли чашки, огромный огненный чайник, плетенка с сушками и коробка имбирного печенья. — Прошу прощения, я забыла, как вас зовут.

Старуха удивилась.

— Верой звать меня. Савушкина Вера.

— А по отчеству?

— Васильна.

— Вам с сахаром, Вера Васильна?

Старуха оглядела поднос с угощением и пожевала губами. Глафира опять посмотрела в сторону кресла.

Нет Разлогова.

Корявыми от работы, большими руками старуха взялась за чайник и налила себе до краев красного от крепости чая. Глафире не налила.

— Может, разбавить? — поинтересовалась Глафира. — Больно крепко. Давление подскочит.

— Ты обо мне, девка, не хлопочи, — велела старуха и, вытянув губы трубочкой, приготовилась пить. — Ты об себе хлопочи.

Она шумно глотнула раз, другой, потом крепко утерла рот и сказала, глядя на Глафиру пронзительно:

— Ну вот что. Ты, стало быть, сама по себе, а мы, стало быть, сами по себе. Ты, девка, к нам больше не являйся и разговоров никаких не заводи. Это я на первый раз снесла, а что до другого разу, так я тебе предупреждение выношу. Других предупреждениев не будет!

Глафира молчала. Старуха сопела. Телевизор бубнил. В камине потрескивали дрова.

Старуха не выдержала первой:

— Ну что молчишь?!

— Машину вам вызывать? — осведомилась Глафира. — Или еще посидите? Поздно уже!

— Ты дурочку-то не валяй!

Глафира со стуком поставила на деревянный стол свою кружку, о которую грела руки. И спросила, разделяя каждое слово:

— Что. Вам. От меня. Нужно?

Старуха вдруг сорвала с головы платок, взмахнула им, так что Глафира отшатнулась, потом бабка поднялась и надвинулась на нее — седая, страшная, угрожающая.

— Не смей приходить к нам больше! — прошипела она Глафире в лицо. — Не смей никогда, слышишь? И пакостничать не смей! Довольно с нас того, что муженек твой покойный напакостничал! И Марину ты не замай! Она святая, а вы все... сапоги ей мыть недостойны! Христом Богом клянусь, — тут старуха подняла вверх правую руку, — как на духу говорю, еще раз к нам в дом припрешься, убью я тебя! Возьму грех на душу, уж мне недолго осталось! А Бог простит, он-то все видит!

— Вера Васильевна, — выговорила Глафира, ста-

174

раясь не трястись, — чем я провинилась перед вами?! И перед Мариной?

— Ты-то, может, и ничем, а пес этот, муж твой, он Мариночке всю жизнь изломал, испоганил, сволочь!..

Словно обессилев, старуха повалилась на диван, нашарила заскорузлой рукой платок, стала обмахиваться. Глафира принесла ей воды. Старуха жадно напилась.

— Такую подлость совершить, — продолжала она с отвращением, — и еще столько лет земля его носила!..

— Какую... подлость?

— А такую подлость, после какой люди, у которых совести хоть вот столечко есть, — и она показала на своем мизинце, — в храме Божьем грехи замаливают день и ночь! А пес этот столько лет жил не тужил! Гоголем похаживал, вон домище какой отгрохал!.. А Марина насилу жива осталась, сиротинушка моя! И за всю жизнь ни копеечки, ни пятачка он ей не дал! Все одна, все сама!..

Тут старуха вроде собралась с силами, хотела подняться, не смогла, и только тяжело оперлась о стол, разделявший их:

— Я под дверью стояла, я все-о-о слыхала! Каждое слово твое! И вот те крест святой...

— Подождите, — попросила Глафира, — какое слово?! Что такого ужасного я Марине Олеговне сказала?!

— А деньги кто ей сулил?! Я, что ли?!

Глафира зацепилась за это слово — «деньги». По крайней мере, оно было понятным и материальным, единственным материальным во всей этой истории.

— Ну деньги, ну и что? Разлогов каждый месяц переводил Марине Олеговне деньги, и я решила, что все должно оставаться, как при нем...

— Врешь! — просипела старуха. — Ты все врешь, брешешь!

Она как будто лаяла, и Глафире показалось, что бабка вот-вот вцепится ей в горло.

Прохоров наконец сообразил, что нужно сделать. Он отвинтил пробку, кое-как вытащил из бутылочного горлышка пластмассовый дозатор и хлебнул от души. И посмотрел, сколько там осталось. Осталось маловато.

— Думай! — приказал он зареванной Олесе. — Думай, дура! Куда ты могла деть кольцо?! Потеряла? Подарила? Проиграла в казино?!

— Дрюнь, ну ничего я не проигрывала, я месяц уже к Рустамке ни ногой! — Так звали содержателя игорного дома «только для своих» на Кудрицком мосту. — И не бывает у меня никто! И не дарила я! Чегой-то я стану свое раздаривать?! Мне самой не так чтоб много дарили!

Она таращила глаза, из которых пропал лихорадочный блеск, зато теперь вокруг них было густо намазано черным и почему-то красным. Должно быть, она вытирала и рот, и глаза, вот помада теперь и размазалась по всей физиономии.

— Господи, — простонал Прохоров и потер под «неглиже» грудь с левой стороны. Там, слева, было как-то тяжело и саднило.

Еще не хватает! Надо бы к кардиологу сходить, провериться...

— Господи, — повторил он, — что за наказание такое?.. Главное, какого хрена тебя в редакцию понесло?! Скандалы закатывать?! Ты что, кольцо это в лавке купила?!

— Ну Дрюня! Ну сглупила я! Но когда я его хватилася, а в коробушке шиш, меня чуть кондратий не хватил! Вот клянусь тебе! Я побежала к тебе прям, глаза не накрасила! А что мне было делать? А? — Она скривила губы в размазанной помаде, потянулась к бутылке, примерилась хлебнуть, но Прохоров ее отобрал и налил ей в чашку. Почему-то от мысли, что перепачканные помадой губы будут елозить по **его** бутылке, ему стало противно.

— Кто был у тебя после моих архаровцев? Ну?! Кто-то же наверняка был! Давай, давай, вспоминай! Шевели мозгами!

Совершенно несчастная Олеся Светозарова шмыгнула раскисшим носом, подхватила кошку Дженнифер и прижала ее боком к выдающейся атласной груди.

— Кто был, кто был... Откуда я...

Прохоров слегка надвинулся на нее, и она забормотала:

— Сейчас, сейчас, Дрюнечка, миленький... Ну кто, кто... Прислуга Райка была, это ясен пень, она каждый день бывает, только в будуар я ее ни-ни, не пускаю. Герка был, ну массажист. Но он всегда внизу ошивается, я его наверх не приглашаю, нечего ему там делать. Потом Ксюха заезжала на крэпы...

— Куда заезжала? — не понял Прохоров.

— Ко мне, — честно ответила Олеся, стараясь быть полезной, — на крэпы.

— На какие крэпы?!

— Дрюнь, ну крэпы по-французски — это блинчики, ты что, не знаешь? На крэпы с лососем Ксюха притащилась, и с ней Светка. Мы потом поехали Лере подарок покупать. — Тут Олеся засмеялась. — Но так ни шиша и не купили, представляешь? Зависли в «Тайском воздухе», а потом Светке ее папик позвонил, и мы все вместе в «Дом на берегу» свалили, а там кальянчики всякие, потом еще Зарина со своим новеньким подъехала, а Светкин папик нажрался в жопу и свой «Хаммер» где-то приложил не по-детски! Ладно бы еще водила, а то ведь сам, своими руками...

— Стоп, — заорал Прохоров, — стоп! Кто мог забрать у тебя кольцо?! Светка?! Ксюха?! Папик?!

— Ай ладно! Ну что ты городишь?

— Тогда кто?! Кто еще приезжал?! Только после, после фотосессии?!

— Володечка приезжал, — выпалила Олеся. — Точно, Володечка, бедненький, он потом умер так неожиданно...

— Я знаю, что умер, — перебил Прохоров, и в спине у него стало холодно. — Ты показывала ему кольцо?

Олеся смотрела на него во все глаза — так он изменился за одну секунду. Постарел и осунулся.

Надо же, как бывает. Был молодой импозантный мужчина, а стал древним стариком.

— Ну? — повторил Прохоров. — Показывала? — И подумал — от ее ответа зависит жизнь.

— Не помню, — небрежно сказала Олеся. — Кажется, да.

Отыскав валокордин, Глафира на глаз накапала в стаканчик и подала старухе. Та выпила.

— Поди, там у меня в саквояже... нитроглицерин... в карманчике... подай.

Глафира побежала, отыскала нитроглицерин.

— Никогда в жизни ни копейки не дал, — монотонно и горестно говорила старуха, причмокнув бескровными губами, как будто сосала леденец. — Ни одной копеечки он Марине никогда не давал! А она гордая. И сильная. Не просила. А если, говорит, Верочка, он и принесет, ничего мне от него, иуды, не надобно!

— Разлогов — иуда? — уточнила Глафира.

Старуха кивнула и закрыла глаза. Глафира пошла к ящику с лекарствами и накапала себе вало-кордину тоже. Руки у нее тряслись.

Что такое ты мог натворить, подумала она и зал-пом проглотила вонючую жидкость, от которой ее моментально затошнило. Кем ты был, Владимир Разлогов?!

— А ты ей так и ляпнула, безмозглая, — мол, знаю, что давал, знаю, сколько давал! А вот что он ей давал! — и тут бабка сложила из узловатых паль-цев неправдоподобно огромный и уродливый шиш.

— Да... — пробормотала Глафира, подошла и се-ла рядом со старухой, — но я-то знаю...

— Чего ты знаешь?! Чего такое ты знаешь?! Как инвалида растить?! И каково это, тоже знаешь?! Одной, без помощи-поддержки?! День и ночь в поте лица вкалывать?! А она талантливая! Вам всем не чета!

— Вера Васильевна, — выговорила Глафира, стараясь смотреть только на коробку с имбирным печеньем. Все остальное кружилось у нее перед глазами, вертелось и ходило ходуном. Сердце тоже ходило ходуном. — Вы говорите... о ком? Кто рас-тит инвалида?..

— Марина, — горько вымолвила старуха. — Она ребеночка-то дождаться не могла, так радовалась, так хотела! А пес этот твой избил ее смертным бо-ем. Вот мальчонка-то и родился убогим. Ну тут пес, ясное дело, с ней разженился, а с тобой сню-хался. А Мариночка одна этот крест несет. И ни-кто, никто ей никогда не помог, что там копейки, полушки не дал!..

«Все, — подумала Глафира. — Вот теперь уж точно все. Моей жизни пришел конец. Больше ни-чего и никогда не будет».

— И не смей ты никогда в дом к нам являться! — с сердцем, но тихо попросила старуха. — Чтоб близко к Марине не подходила! Слышишь ты меня, девка? Или в курином обмороке пребываешь?

И она искоса взглянула на Глафиру. Та некоторое время сидела, не шелохнувшись, уставившись на коробку с имбирным печеньем. Потом вдруг замотала головой, повернулась к старухе и схватила ее за руки.

— Вера Васильевна, — заговорила она отчаянно, — послушайте!.. Я точно знаю, что Разлогов все время давал Марине деньги! — Бабка хотела возразить, но Глафира не дала ей этого сделать. — Да, да! Мне наплевать, верите вы или нет! Но он платил постоянно и помногу! Я никогда не понимала, за что! Но не спрашивала, это ведь его жизнь, а не моя, я-то появилась уже потом, потом!

Зачем-то она потрясла бабкины руки, тяжелые и холодные.

— Он никогда, никогда не говорил мне о ребенке!

— Как же тута скажешь-то? Я, мол, своего сыночка сам уродом сделал, а потом сам же его, сироту, на произвол судьбы спокинул!

— Этого просто не может быть! — Глафира выпустила бабкины руки, наклонилась вперед и схватила себя за волосы. И забормотала лихорадочно: — Хотя тогда за что он платил? И так много?! Откупался? Никак, никак... Господи, разве так можно?..

— Погоди, девка, — сказала старуха, пожалуй, с сочувствием, — не убивайся ты так!

— Откупался? — бормотала Глафира. — «Только вперед? Прошлого нет и больше никогда не будет... Все, что осталось позади, отработанный материал!»

— Погоди, погоди, девка...

— Но ведь за что-то он ей платил! Все время, постоянно! И так много! Выходит, за ребенка? За изуродованного ребенка?!

— Да ни копеечки он ей не дал! Ни одной!

— Замолчите! — закричала Глафира страшно. — Немедленно замолчите!

Она выскочила из дома и побежала по дорожке — куда, зачем? Разве теперь можно убежать от того, что только что Разлогов с ней сделал? От нового, ужасного знания? От Разлогова, который перестал быть Разлоговым и стал просто мерзким, отвратительным человечишкой?! Глафира все шла по дорожке в лес. Уйти бы далеко-далеко и больше никогда не возвращаться! Ногам было мокро, и ледяной ветер задувал в пиджак, который она надела, потому что ей очень нравился разлоговский запах.

Однажды где-то здесь они смотрели лосенка. Трогательного, губастого лосенка, который объедал листья, а потом вдруг удивленно уставился на них. Мать где-то рядом ходит, сказал тогда Разлогов.

Значит, все это время — и когда смотрели лосенка, и когда клали печь, и когда подтирали за щенком лужи, и когда скучали на протокольных мероприятиях, и когда собирали чемоданы, чтобы лететь на море, — он... знал?! Знал, что где-то пропадает мальчик, его собственный сын. Пропадает потому, что его отец, вот тот самый, что смотрел лосенка и ездил к соседу, державшему лошадей, — чудовище? Отвратительное еще и потому, что так своей вины никогда и не признало?! Откупалось, платило — но никогда не каялось?!

Глафира все шла и шла, и мокрый лапник хлестал ее по щекам. Так тебе и надо, дура. Еще больше бы надо, да некуда!

— Девка! — закричали откуда-то издалека. — Девка, вернись! А-у-у!

— Ау, — мрачно отозвалась Глафира себе под нос, — ау.

Она дойдет до речки, прыгнет с обрыва, и дело с

концом. Вода холодная, и это облегчит все дело. Когда-то на Байкале Разлогов говорил ей, что в холодной воде долго не продержаться. Он заставлял ее натягивать спасжилет, но говорил при этом, что в такой холодной воде жилет нужен только для того, чтоб быстрее нашли! У Глафиры нет спасжилета, и быстро ее не найдут.

Впрочем, какая разница!..

Может, от того, что отчаяние ее было так велико и так неожиданно для нее самой, а может, от ветра, который тревожно гудел в соснах, все усиливаясь, выдувал из глаз слезы, а из головы мысли, но только она вдруг остановилась посреди темного леса, закрыла глаза и подумала совершенно отстраненно: что это со мной? Это не моя жизнь. Это чья-то чужая, не имеющая ко мне отношения, уродливая и перепутанная, у меня никогда такой не будет!

Да нет, с досадой возразили ветер и лес, в котором где-то далеко бродил подросший лосенок. Нет же. Это именно твоя жизнь, и ты должна в ней разобраться. Поставить на прошлом крест и продолжать жить дальше. Только вперед — так, кажется, говорит твой Разлогов? Ну если ты, конечно, и впрямь не собираешься топиться!..

Глафира некоторое время постояла, длинно и протяжно дыша, и повернула к дому.

В ванне было невыносимо холодно. Вода была ледяной, хотя Прохоров, кажется, открыл кран с горячей? Этой ледяной горячей водой он поливал и поливал себе голову, и она текла по лицу и по шее, и гадкое трикотажное «неглиже», в которое он нарядился, было насквозь мокрым.

Под дверью стенала кошка Дженнифер, умоляла его выйти. А может, это не кошка умоляла, а прекрасная девушка Олеся, с которой он собирался долго и разнообразно!..

— Дрюня, выходи! — стенала кошка-девушка. — Ну что такое, а? Ну ты прям чудной какой-то! Как будто сам не свой!

Вот молодец девушка! Заметила его состояние.

Прохоров закрыл воду и, стуча зубами, содрал с себя мокрое «неглиже». Надеть было нечего, и он натянул халат, слабо пахнувший Глафирой.

— Ой, ну слава тебе боженька! Я уж хотела эмче-эсникам звонить, чтобы они тебя силой доставали! Дрюнь, ну что за дела, а? Ну что такое, а? Ну даже я из-за кольца этого долбаного не так трясуся, как ты! Ну пропало и пропало, и ладушки! Ну ты же мне новое купишь, Дрюнчик?

— Нет, — сказал Прохоров, упал на кровать и закрыл лицо рукой. — Не куплю.

— Почему-у? — поразилась бедная прекрасная девушка.

Прохоров думал.

Ну хорошо, допустим, допустим!..

Допустим, кольцо забрал Разлогов. Приехал хорошо провести время, небось вискарик свой привез, закуски, икры красной, Олеся это любит. Допустим, после игрищ в постели эта дура показала ему кольцо — ну чтоб хахаль понял, что у девушки есть еще и другие поклонники, и вот какие милые вещицы они дарят! Подари мне колечко! Допустим, Разлогов кольцо узнал. Еще бы его не узнать — такого уродства во всем мире больше не сыскать! Разлогов его узнал и, когда девушка Олеся удалилась «попудрить носик», кольцо из «коробушки» забрал. Допустим, допустим... Что дальше? Что было дальше?! Вот от этого самого «дальше» зависит вся его жизнь!

От мокрых волос подушка тоже стала противной и мокрой. Прохоров выдернул ее из-за головы, швырнул в сторону и попал в Олесю, которая весело засмеялась и кинула ему подушку обратно — думала, игра такая.

Разлогова больше нет, следовательно, с этой стороны опасности тоже нет. Нет-нет!.. Но если он забрал кольцо, что он с ним сделал? Вот, вот это самое главное! Прохоров весь затрясся, пошел мелкой дрожью. Что он мог с ним сделать? Да все, что угодно. Положил в карман, например, чтобы потом разобраться, как кольцо попало к Олесе. «Разбираться» он стал бы с Олесей, о ее связи с Прохоровым он ничего не знал. Да и никто не знал, и не должен узнать!

Что еще Разлогов мог с ним сделать? Вернуть Глафире?! Вряд ли! Как бы он объяснил ей, что забрал ее, Глафирино, кольцо у собственной любовницы?! Нет, пожалуй, самый важный вопрос — именно Глафира! Отдал он ей кольцо или не отдал! Если не отдал и оно пропало, значит, все в порядке. А если... отдал?! Что тогда?

Собственно, на этом кольце и была построена вся комбинация — и она почти удалась! Нет, она во всех отношениях удалась, но Разлогов умер, и оказалось, что комбинация была ни к чему! Все это было совершенно не нужно, потому что Разлогов возьми и умри, и все решилось само собой! Так просто, без всяких комбинаций.

Если Разлогов вернул Глафире кольцо, значит, он должен был что-то ей объяснить — а как бы он стал объяснять? Он-то ведь про комбинацию ничего не знал и мог только догадываться, как кольцо оказалось у Олеси. Он быстро бы догадался — и тогда конец всему, но он умер и ни о чем догадаться уже не сможет! Как вовремя он догадался умереть!

Прохоров схватился за голову — мокро, противно, холодно! И мысли такие же мокрые, холодные!

Фотографию Глафира точно видела, Прохоров об этом позаботился. Впрочем, это было уже не так и важно, ведь Разлогов-то умер! Но Прохорову хотелось еще последнего штриха, так сказать, завершающего всю картину. Это было бы красиво, и потом, не пропадать же задумке! Все логично и по-своему честно. Жена видит в журнале фотографии любовницы. Ей неприятно, но не смертельно. На пальце у любовницы — между прочим, юной, между прочим, прелестной — она замечает собственное кольцо. Она его узнает, конечно! Она оскорблена, и ее отношениям с мужем, и без того натянутым, приходит конец. Все рвется. Прохоров выиграл.

А... если Разлогов успел объяснить Глафире, что никакое кольцо Олесе Светозаровой он не дарил и это все подлог, значит, Прохоров проиграл! Глафира все сопоставит очень быстро — умная девушка, хоть и не так юна и прелестна, как Олеся! И тогда... конец.

Господи, лучше бы это идиотское кольцо утащил Дэн Столетов.

— Дрюнчи-ик! Ну что такое? Ну подумаешь, какая проблема! Ну я уж и сама не рада, что тебе пожаловалась! Пропало и пропало!

— У меня жизнь из-за тебя пропала, дура, — тускло сказал Прохоров. — Ну кто тебя просил ему показывать, а? Впрочем, что с тебя взять...

Олеся обиделась.

— Ты же меня не предупредил, — сказала она и сложила губки, — вот если б ты меня предупредил...

— Да откуда я знал, что он к тебе припрется и в твою дурью башку взбредет ему кольцо совать? Я же тебе сказал — только на съемку! А потом положить и не трогать его никогда!

— Так я же и не носила! Я его только дома... А Володечка ко мне и вправду только один разочек и приезжал! Ой, злой такой был, у-ужас! Мы, говорит, с тобой, Олеся, должны, говорит, расстаться! А сам злющий-злющий, как Бармалей. Дрюнь, посмотри, у меня здеся что? Прыщ, что ли, вскочил?

— Дальше что было?

— А?

— Дальше?! Что дальше?!

Она выбралась из кровати, подошла к зеркалу, зажгла лампочку в резном абажуре и стала сосредоточенно рассматривать предполагаемый прыщ.

— А что дальше? Ничего не было! Посидел да уехал. Этому своему заместителю названивал, Марку! А Марк — фашист! Его все боятся, там, у них на работе. Володечка его сильно не любил. Все у него бумаги какие-то спрашивал, а тот, навроде того, что не знал про бумаги. Ну во-от... Говорит, расстаемся мы с тобой, Олеся, миром. Больше ты мне не звони, да и номер я, говорит, ясен пень, поменяю. Машина, говорит, тебе остается, ну и прочее там, всяко разно...

— А кольцо?

Олеся потупилась, перекинула через плечо затейливо заплетенную косу, в которой своих волос, Прохоров знал, была примерно треть, остальные искусственные, накладные.

— Ну-у, кольцо... Тут я ему и говорю, посмотри, мол, Володечка, какие я подарочки от поклонников получаю!

— Д-д-дура, — стуча зубами от ненависти, выговорил Прохоров, но Олеся была девушкой закаленной, обижалась редко, а на Прохорова вообще никогда.

— Ну он и спрашивает, а где, спрашивает, ты такое колечко надыбала? А я ему — любимый человек подарил! Ну ты мне так сказал в интервью отвечать! Любимый, мол, и точка. Не-ет, Дрюнь, я б ему никакие кольца под нос совать не стала, но он

186

ведь бросать меня приехал, зараза такая! Если б не бросал, я бы, конечно, ни слова, ни полслова ему не сказала! Он же думал, что я его на самом деле обожаю, жить без него не могу!

Тут она отвернулась от зеркала, прыгнула на Прохорова и пропела нежно:

— Он же не знал, дурашка, что я люблю Дрюнечку! И больше никого! А ты меня любишь?

— Я тебя ненавижу, — отчеканил Прохоров.

Старуха мыкалась на крыльце под фонарями. В руках у нее был плед.

— Сдурела! — начала она, когда мрачная и бледная Глафира показалась на дорожке. — Куда кинулась-то из дому? Топиться, что ль, побежала?! Или лягух по лесу ловить? Дак они все спят, лягухи-то!

Она накинула Глафире на плечи плед и заглянула в лицо.

— Давай-давай! Шагай!

Глафира, тяжело ступая, как будто на плечах у нее лежал мешок с цементом, держась за перила, кое-как забралась на крыльцо и вошла в дом. Старуха прикрыла за ней дверь.

— Чаю щас подам. А ты сядь и сиди. Только носки-то скинь! Скинь, мокрые все! Недосуг мне с тобой возиться, мне к Марине надо!

— Расскажите, — потребовала Глафира. — Сейчас же расскажите, Вера Васильевна!

Старуха исподлобья посмотрела на нее и пошла было на кухню, но Глафира ее остановила.

— Нет! Расскажите мне немедленно!

Старуха вздохнула и присела на диван рядом с Глафирой. Вид у нее был сурово-печальный. Глафира отвернулась.

— Ну?

— Баранки гну! Чего там рассказывать, только

душу рвать! Ребеночка Марина хотела, сильно хотела. Радостная такая была, светлая, голубушка моя. А потом... уж не знаю, чего там у них вышло... только... — старуха поджала губы, — он от нее ушел, пес этот! А мы дачу тогда снимали. Ну я и пошла на станцию, каждый день ходила, молока, хлебца, мясца прикупить. Ну малинки... В рынок ходила, — пояснила старуха, как будто это имело значение.

— И дальше что?

— Что, что! Рынок — дело небыстрое, пока туда, пока сюда, так часа два-то и набежало! Подхожу, гляжу, машина отъезжает, шоферюга за рулем вот такой мордатый! Ну я в дом. А она... она... — глаза у старухи налились чистыми, детскими слезами и покатились по морщинистым старческим щекам тоже как-то очень по-детски, — ...она лежит, голубушка моя... вся голова в крови, живот... ох, ты, Господи, прости... живот весь в синяках да кровоподтеках... и рвет ее, и мотает из стороны в сторону... Говорит, муж приезжал... Что ж ты-то мне душу вынимаешь?! — вдруг рассердилась она и поднялась. — Отстань ты от меня, Христа ради...

Глафира представила себе беременную женщину на полу, в крови и рвоте.

— Вот тебе и вся конституция, — заключила бабка. — Родила до срока, мальчика, убогенького. Семь лет, какой бы парнище мог быть, кабы не пес этот поганый!

— Он... часто ее бил?

— Да ить как сказать... Сама не видела, врать не стану. А как забеременела она, так синяки и стали появляться. По лицу-то не бил, она же актриса, все бы увидали! Но так я ж с ней, с голубушкой, день и ночь. И в ванну ее сажаю, и ножки вытираю, и одеваю-обуваю! От меня-то не скроисси, что мне лицо! Видать, шибко он ребенка не хотел, вот и стал поколачивать.

— Этого не может быть, — сказала Глафира, с ужасом чувствуя, что верит, верит всему!

— И-и, девка!.. В жизни всякое может быть! Только вот за что такому псу поганому такая лебедь белая достается, вот ить и спросить не у кого, окромя Господа нашего, Отца небесного. И жди ответа — не дождешься...

— А потом? Потом что было?

— А ничего и не было. Родила она до срока, пес тот в больницу и носа не показал. Мальчика из больницы сразу в учреждение забрали, а куда ж еще его?.. Ей работать надо, на лекарства да на содержание зарабатывать. А пес так ни разу на мальчонку-то и не глянул. Какой-никакой, а твой сын. Ты его таким сделал, твой крест! А ему и дела нету, разженился, и вся недолга!

— А где он... сейчас?

— Пес твой в геенне огненной, — опять рассердилась старуха, — а Володечка в интернате для слабоумных. Марина, голубушка, то и дело к нему в Смоленск ездит. Говорит, случай... ну слово какое-то... ну когда не поможешь ничем, нельзя помочь...

— Патологический случай, — машинально сказала Глафира.

— Во-во. Он и есть.

— А вы?

— Чего я?

— Вы ездите... к мальчику?

— И-и, девка! Как тебя?! Глаша, что ли? Я, Глаша, если его увижу, так из меня сразу и дух вон! Да и Мариночка запретила. Никто, говорит, не смей! Я, говорит, одна за ним ответственная.

Старуха помолчала, пожевала губами.

— И такая силища в ней женская, — сказала она с тоской, — такая душевность да твердость! И вот поди ж ты... Опереться не на кого... А тута ты приперлась! — Бабка рассвирепела и даже полотенцем замахнулась. Но Глафира больше ее не боялась. Ей даже странно было, как это можно — бояться старухи?! Старухи можно бояться, когда не знаешь, что *на самом деле* страшно.

Огонь в камине почти погас, Глафире было холодно в разлоговском пиджаке, напяленном на лифчик, и ноги в мокрых носках, которые она так и не сняла, совсем заледенели. Вера Васильевна перемывала под краном чашки, поглядывала на нее искоса.

— Оставайтесь, — предложила Глафира равнодушно, — куда вы на ночь глядя поедете! Хотя у вас Марина, лебедь белая, вы ее бросить не можете...

— Не могу, — сурово подтвердила бабка, закрыла воду и вытерла руки.

— Тогда я вас отвезу. Одевайтесь.

— Как... отвезешь? Сама, что ль? — помолчав, спросила старуха. — А слуги твои чего?

— Нет никаких слуг, — отчеканила Глафира и поднялась. — Я сейчас, только документы возьму.

— Ты бы, девка, чего поприличней поднадела! Титьки чтоб прикрыть. Не ровен час, в милицию заберут в эдаком макинтоше-то! — вдогонку ей велела старуха.

— Надену, — пообещала Глафира. Ей было все равно.

Когда она спустилась со второго этажа, Вера Васильевна в галошах, плаще и с саквояжем на коленях неподвижно сидела у дверей.

— Вот так-то вот, — объявила она, завидев Глафиру, и тяжело поднялась. — Вот такая она, жизнь-то.

— Кому жизнь, — возразила Глафира, гремя ключами. — Кому смерть.

С этими ключами выходило совсем уж непонятное и странное. Волошин всю голову сломал и никак не мог сообразить, где он напутал. Но где-то же напутал! И разлоговская секретарша посматривала на него как-то странно. Никаких вопросов не задавала, ясное дело, но... посматривала, и Волошина это беспокоило.

Каждое утро начиналось одинаково. Он стремительным шагом входил в приемную Разлогова, Варя, сосредоточенная и по-утреннему деловитая, поднималась ему навстречу, улыбалась приветливой, казенной, учрежденческой улыбкой.

— Доброе утро, Варя, — говорил Волошин шутливым, казенным, начальничьим тоном. — Ну что? Сегодня пока об убийствах по телефону не сообщали?

— Нет, Марк Анатольевич!

И за этот казенный, бодряческий, дурацкий тон Волошин себя ненавидел, но съехать с него не мог решительно. Не получалось.

Спросив кофе, он удалялся к себе в кабинет и там «работал», то есть сидел за столом и смотрел в окно. Дела громоздились и накапливались вокруг него, как сугробы вокруг торчащего посреди поля дерева. Он и чувствовал себя этим самым деревом — одиноким, замерзшим, лишенным всех жизненных токов, и посреди поля!..

Без Разлогова он ничего не мог, и осознание этого, пришедшее в последнее время, было ужасным. Как будто неожиданно для себя сорокалетний Волошин вдруг обнаружил, что он импотент, опозорился и поправить уже ничего нельзя!.. Нет, наверное, можно, но в какой-то другой жизни. В этой все уже знают, что он импотент.

Чертов Разлогов! Умер и все испортил. Впрочем, все портить Разлогов умел виртуозно и делал это с огоньком, можно сказать, с упоением! Он испортил жизнь себе, испортил Марине Нескоровой — уж она-то этого никак не заслужила! — и теперь вот, уже после смерти, старательно портил жизнь ему, Волошину.

Дела накапливались и громоздились, возникали из воздуха, или ветер, что ли, их приносил!.. Завод в Оренбурге буксовал, на заводе в Перми сырья осталось на две недели, а в Дикалеве вот-вот начнутся голодные бунты.

Три дня назад звонил министр и говорил с Волошиным так, как никто с ним не говорил со времен службы в армии. Тогда, в армии, после такого разговора вышла крупная драка с «нанесением телесных повреждений второй и третьей степени тяжести», про это даже в газетах писали! Нанести министру «телесные повреждения» Волошин не мог, и приходилось молча сжимать зубы и потные от унижения кулаки.

В сухом остатке, как выражался профессор на кафедре общей химии, речь министра сводилась к следующему: премьер крайне недоволен. Премьер, можно сказать, раздражен. «Эксимер» получил полную свободу действий, в регионах особенно, в обмен на обещание совета директоров, что до центра никакие скандалы доходить не будут. Все решается на местах и своими силами. Никаких демонстраций и маршей протеста. Никакой скулеж о дополнительных бюджетных вливаниях не принимается. Сколько влили, столько и влили, больше не будет. Только при соблюдении вышеперечисленных договоренностей премьер и правительство в целом готовы проявлять к группе компаний «Эксимер» определенную лояльность. В противном случае...

Министр говорил, а Волошин слушал, потной рукой сжимая телефонную трубку.

— У вас есть две недели, — заключил министр, которому не было никакого дела до потных рук

Волошина. — Ну максимум три! Наведите на своих производствах порядок, Марк Анатольевич! В противном случае...

Когда порядок наводил Разлогов, у него это получалось — и связи какие-то были, и подключать их он умел вовремя, и в долгу не оставался. И вроде бы выходило, что все делается «само собой», и Волошин к тому привык — это было удобно! Привык и — хуже того! — поверил, что особенного ничего делать и не нужно, все так или иначе решится само собой.

И тут вдруг оказалось, что решалось уж никак не «само собой», а Разлоговым, вот ведь открытие!.. За собственную глупость, наивную донельзя, Волошин теперь себя презирал. На такой должности и в таком возрасте наивничать уж совсем неуместно!

И бумаги! Бумаги, на которые Волошин так рассчитывал, исчезли бесследно. Да и с ключами он напутал. Хуже того, в путаницу с ключами оказалась вовлечена секретарша, которая теперь смотрела на него странно. Или со страху и от ненависти к себе он придумывал, что странно?..

— Марк Анатольевич, из Перми директор третий раз звонит. Будете говорить?

Волошин знал, что поговорить нужно, необходимо просто, именно сегодня, сейчас.

— Нет, я занят, — сказал он в трубку деловым до отвращения тоном. — Передайте ему, что я сам позвоню.

— Хорошо, — помедлив, отозвалась Варя, и Волошину показалось, что она знает, что он трус и импотент, и это его взбесило.

— Скажите, что я поговорю с ним сегодня же! — рявкнул он. — Чтобы он ждал моего звонка!

— Я поняла, Марк Анатольевич.

193

— И не забудьте меня с ним соединить. Часов в шесть. Вам понятно?

Она опять помедлила.

— В это время в Перми будет восемь вечера, — сказала она совершенно спокойно. — Но я вас соединю, конечно.

Волошин швырнул трубку, пробормотал: «Ну и прекрасно» — и опять уставился в окно. Если бы Разлогов сию минуту воскрес, Волошин, наверное, тут же убил бы его.

— У тебя все признаки надвигающейся депрессии, — сказала ему позавчера мать. — Возьми себя в руки, а лучше езжай, подлечись. Я знаю, что говорю!..

Она была доктор наук, специалист в психиатрии, известный на всю Москву. Конечно, она знала, что говорит!

Разлогова нет, документы пропали, премьер недоволен, заводы вот-вот встанут, и у него, Волошина, на все про все две недели. От силы три. В противном случае... Случай действительно противный донельзя.

Волошин допил из холодной чашки холодный кофе, от которого в желудке все горело и сворачивалось в трубочку, встал и вышел на балкон. У них был шикарный балкон, общий с Разлоговым. По балкону можно было гулять, летом сюда выносили деревянные столы и диваны с полосатыми подушками и сюда же подавали обед. Чистые скатерти трепетали на теплом ветру, красные маркизы давали веселую тень, розы, увивавшие деревянную решетку, были упруги и прелестны, и в самом сидении на балконе было что-то южное, легкомысленное, легкое и приятное!

Волошин вышел, глубоко вдохнул воздух, сунул руки в карманы и закрыл глаза. Вот и зима на носу. Между белыми фигурными колонночками балюстрады намело сухого, колючего, серого снега. Деревянные решетки сдвинуты и накрыты мешковиной. Ветрено, холодно, пусто. Город лежал далеко-далеко, насупленный и серый, и было понятно, что вот-вот пойдет снег.

Волошин подошел к краю и заглянул вниз. Там, внизу, были машины, зонты, грязное шоссе. Он наклонился и взял щепотку сухого снега. Конечно, ничем не пахло от этого снега, ни свежестью, ни морозцем! Он быстро таял в пальцах, капли падали Волошину на пиджак, оставляли пятна, как от слез.

Итак, нужно на что-то решаться. Понять, что произошло с ключами, где он напутал! Это самый важный вопрос. Премьер и министр, завод в Дикалеве и заказ на зубные щетки от компании «Дюнон», самый крупный на сегодняшний день, — все это потом. Сначала нужно разобраться с бумагами, а бумаг никаких он не добудет, пока не откроет сейф. А сейф он не откроет, пока не поймет, где ключи. Нужно отыскать ключи. Потом нужно отыскать сейф. Какой-то третий, в двух он уже проверил! В противном случае...

Тут Марк Волошин засмеялся тоскливым хриплым смехом — словно ворона закаркала. Снег в ладони растаял совсем, остались только песчинки и какая-то мутная серость, как будто гарь. Разве от снега остается... гарь?

Он вдруг подумал — от моей жизни тоже осталась... одна гарь. И тут же спохватился. Жалеть себя нельзя, ни в коем случае!.. Следует быть ироничным и отстраненным, а он, кажется, только и делает в последнее время, что жалеет себя. Никакой иронии и отстраненности!

Вчера он приехал домой в пустую, гулкую от пустоты, старую квартиру в центре Москвы. Он прожил в ней всю жизнь, в этой квартире, и очень ее любил, а потом разлюбил в одночасье. Приехал голодный, продрогший до костей, как уличный пес. Он долго шатался по улице возле дома Марины Нескоровой, все прикидывая, может, рассказать ей обо всем, и вместе они что-нибудь надумают!.. Но так ни на что и не решился, конечно.

Он не стал заезжать в магазины, хотя знал, что есть нечего, холодильник пустой, но у него не было сил на магазины. Стуча зубами, он открыл дверь, вошел и вдруг весь с головы до ног покрылся «гусиной кожей», даже волосы на голове шевельнулись. Дома что-то изменилось!.. За то время, что он шатался по улицам и мучился на работе, у него дома случилось что-то хорошее, почти волшебное!

Конечно, этого не могло быть, но он на секунду поверил. Он вдруг весь расправился, потеплел, заулыбался глупо и крикнул громко, как когда-то:

— Дашка!

И побежал на кухню, где, конечно, никого не оказалось, и свет не горел. Волошин не сразу понял, в чем дело, а потом догадался — просто в квартире стало тепло. Должно быть, днем, пока он мучился на работе и шатался возле дома Марины Нескоровой, вдруг затопили, и это непривычное тепло сбило его с толку. Он постоял на темной кухне, грея о батарею руки и думая уныло, что ему даже некому сказать о том, что затопили! О том, что он приехал с работы и вдруг тепло!

Впрочем, все это глупости. Просто ирония и отстраненность подевались куда-то в ту секунду, когда он почти поверил, что случилось что-то хорошее!..

Волошин сунул руки в карманы, медленно пошел вдоль балюстрады, и ветер продувал его насквозь, до самых костей, и глубже, до самого сердца, которое нынче было у него маленьким, скорченным, ледяным. Он дошел до стеклянных дверей в кабинет Разлогова и остановился, увидев внутри свет.

Странное дело!.. Откуда там свет?..

Волошин осторожно приблизился, стал у стены и заглянул в окно. Ну да, кабинет как кабинет, там ничего не трогали после разлоговской смерти, только разобрали бумаги, которыми был завален стол. Туда никто не заходил, кроме Волошина и секретарши, и свет теперь зажигали редко. Он вытянул шею и смотрел. Вдруг с той стороны стекла, так близко от него, что он отшатнулся, прошла Варя. Она прошла, деловито и по-хозяйски уселась за стол Владимира Разлогова, нагнулась, на миг пропав из глаз, вытащила нижний ящик, аккуратно поставила его перед собой и стала сосредоточенно в нем копаться!

Волошин до такой степени ничего не понял, что даже головой помотал. От его мотания ничего не изменилось — Варя по-прежнему сидела за столом и рылась в ящике!

...И что это значит, черт побери все на свете?!

Нащупав в кармане мобильный телефон, Волошин быстро набрал номер собственной приемной. В трубке хрюкнуло и прогудело первым длинным гудком. Варя за стеклом перестала копаться в ящике и подняла голову — видимо, на многокнопочном и сложном телефонном аппарате замигала лампочка. В ухе у Волошина прогудело второй раз.

Варя раздумывала. Волошин ждал. Снова прогудело, она протянула руку, сняла трубку, и Волошин услышал привычное:

— Группа компаний «Эксимер», чем могу помочь?

Он моментально нажал «отбой». Варя еще подержала трубку возле уха, а потом вернула ее на аппарат.

...Что она станет делать дальше? Забеспокоится? Или продолжит копаться в чужих вещах?!

Она посидела немного, потом проворно и аккуратно собрала бумаги в ящик, и Волошин понял, что она сейчас вернется в приемную. Или заглянет к нему. Просто так.

Ему по балкону бежать было дальше, чем ей идти по кабинету, и он на самом деле побежал! Поскользнулся на сером сухом снегу, чуть не упал, влетел в распахнутую дверь, запутался в шторе, опять чуть не упал, плюхнулся в кресло, и тут в дверь постучали.

— Да, — ответил он, чуть задыхаясь.

— Я забыла вам утром передать, — она вошла и положила ему на стол какой-то конверт. Он посмотрел мельком и перевел взгляд на ее лицо. Она казалась совершенно невозмутимой, только щеки красные. Или они у нее всегда красные?..

— Может быть, кофе сделать?

— Спасибо, не нужно.

Варя пошла было вон, но остановилась на пороге.

— Марк Анатольевич, у вас дверь на балкон открыта. Простудитесь.

Он быстро оглянулся. Дверь была распахнута настежь, штора шевелилась от ветра. Он встал, решительным шагом дошел до дверей и захлопнул их. Варя все стояла.

— Вы что-то хотели мне сказать?

— Нет-нет, — спохватилась она. — Ничего.

Волошин остался один. Сидеть он совсем не мог, вскочил и начал ходить. Ходить было особенно негде, в середине кабинета была ступенька, придуманная дизайнером для какого-то там «разделения пространства», вот об «разделение» это он теперь все время спотыкался, и мысли спотыкались тоже.

...Что она могла там искать?! Да еще так уверенно, так... по-хозяйски?! *Те самые* бумаги? Зачем они ей?! Да она и не может о них знать! Тогда что? Деньги? Ценности? Забытые Разлоговым часы «Франк Мюллер»?! Именно она, эта самая Варя, позвонила ему среди ночи и сказала, что ключ от сейфа не подходит. Он тогда примчался проверять, и выяснилось, что не подходят *оба ключа* — тот, что был в кармане Волошина, не подходил тоже! Он долго не мог сообразить, в чем дело, и тут она позвонила снова и рассказала, что кто-то сообщил ей о том, что Разлогов убит. Но при чем тут она, ведь она... никто! Просто секретарша и не может иметь отношения ни к чему!.. Или может? Историй про корпоративный шпионаж Волошин знал множество и знал, что большинство таких историй — чистой воды выдумка для детективных романов. Если она не работает на конкурентов, но тем не менее копается в разлоговском столе, как в своем собственном, значит, ей что-то известно. Что ей может быть известно?

Он все ходил, спотыкался и думал.

Надо бы запросить в отделе кадров ее личное дело. Надо выяснить, откуда она пришла. Надо...

Зажужжал зуммер, и Волошин посмотрел на аппарат. Вызывала его секретарша Варя, о которой он думал так напряженно.

— Да.

— Марк Анатольевич, к вам Елена Степанова.

— Кто такая Елена Степанова?!

Почему-то вместо того, чтобы внятно и четко ответить на вопрос, как и полагается секретарше, Варя прошелестела в трубку:

— Одну секундочку, пожалуйста.

— Пожалуйста, — сказал Волошин смолкшему аппарату, и через эту самую секундочку в дверь постучали.

— Объясните мне, черт возьми, что происходит, — начал Волошин тихо и грозно, но секретарша, будь она неладна, вдруг заговорщицким движением приложила палец к губам и прикрыла за собой дверь.

Волошин вытаращил глаза.

— Что?! Что такое?!

— Елена Степанова — кинолог, — быстро сказала Варя.

— Кто?!

— Кинолог. Тише, Марк Анатольевич, там все слышно.

— Какой, к бесу, филолог?! То есть кинолог! У нас что, собачий клуб?!

Он тяжело дышал и так ее ненавидел, что даже смотреть не мог, отворачивался.

— Она привезла собаку, — быстро продолжила Варя. — Собаку Разлогова, Димку!

— Так, — сказал Волошин. — Понятно.

И они посмотрели друг на друга.

— Как это может быть? — вдруг беспомощно спросил начальник у секретарши. — Он же пропал, Димка! Когда Разлогов... умер!

— Он не пропал, — быстро и испуганно сказала Варя. — Он был все время у этой... Елены Степановой!

Специалистка по собакам оказалась крепкой молодой женщиной в джинсах и овчинном тулупе. Не дубленке, а именно тулупе! У нее были красные руки и доброе расстроенное лицо.

— Здрасти, — сказала она Волошину, как только тот появился на пороге, — а я вас знаю. Помните меня?

— Нет, — признался Волошин, рассматривая ее.

— Ох как жарко! Можно, я сниму? — и она сняла с плеч свой тулуп.

— Конечно, — спохватился Волошин, но не сделал ни одного движения. Тулуп подхватила Варя, побежала и пристроила его в шкаф. Из-за тулупа дверь не закрывалась, и Варя некоторое время пыталась ее прихлопнуть, а потом перестала.

— Я видела вас у Володи на даче, — продолжала Елена Степанова. — Как-то приезжала Димке прививку делать, а вы там были. Не помните?

Конечно, он не помнил! Он вообще никогда не запоминал в лицо... персонал и гордился этим!

— Хотите кофе? — встряла Варя.

— Нет, спасибо. Я бы водички попила, — кинолог расстроенно посмотрела на Волошина. — Я знаю, все знаю! Володя умер так неожиданно! Господи, я когда узнала...

— Да, — сухо сказал Волошин.

Варя подала ей стакан воды, она залпом выпила и почему-то вытерла совершенно сухой лоб.

— Я вот теперь не знаю, что мне с Димкой делать! Вы поймите, я бы его себе оставила, но он так тоскует, сил моих нет глядеть на него! И собака очень дорогая! Ну содержать дорого, — зачем-то объяснила она, — мне не потянуть...

— Как у вас оказалась собака? — перебил Волошин неприятным голосом.

Елена Степанова шмыгнула носом и пожала плечами. Плечи были круглые и мягкие, должно быть, именно такие и должны быть у женщины, которая любит собак.

— Да как обычно. Позвонили, попросили передержать. Ну я приехала да забрала его, вот и все дела. А теперь я звоню-звоню, но никто не отвечает...

— Кто позвонил? Кто попросил?

Она опять пожала плечами и покосилась на пустой стакан. Варя мигом налила ей еще воды.

— Глафира, — отхлебнув, ответила Елена Степанова. — Она редко звонит, обычно Володя просил... А тут она позвонила и говорит: заберите собаку, мы уезжаем. Я приехала и забрала.

— Куда приехали?

— Ну на дачу, куда же еще! — Она посмотрела удивленно. — Все как обычно. Только теперь Володя умер, а у Глафиры телефон не отвечает! Я два дня назад поехала туда, а там никого!

— Туда — это на дачу Разлогова? — уточнил Волошин.

— Ну конечно! Походила, постучала, не отзывается никто...

— А кто вас пустил на участок, если там никого не было?

— Так у меня же вот! — и она вытащила из кармана какую-то плоскую штуковину. — Брелок. Он ворота открывает! Мне его Володя дал, еще когда Димка маленький был, и я к нему на занятия ездила! Володя говорит: «Мало ли, приедешь, а нас нет никого. У нас, — говорит, — так часто бывает». Ну и дал брелок, ты, говорит, спокойно заезжай и занимайся с ним! Ну с псом! И главное, телефон не отвечает, а Володя умер...

— Постойте, — перебил Волошин, — значит, вам звонила Глафира. Попросила забрать собаку. Вы приехали и взяли.

Елена Степанова кивала.

— Когда вы собаку забирали, Разлогов был дома?

— Нет. Никого не было. Димка был один.

— Так. Был Димка. Дальше что?

— Да ничего! Я на него ошейник надела, намордник взяла, так, на всякий случай. По телику все показывают, как собаки на людей бросаются, а люди-то на собак чаще... Ну мы и уехали с ним ко мне на дачу. А потом, дня через два, что ли, в «Новостях» и говорят, что Владимир Разлогов... Вот я теперь звоню, звоню, а телефон не работает. — Она опять шмыгнула носом, очень горестно. — И Димка тоскует. Вот я и решила на работу приехать! Ну к вам то есть.

— Откуда вы знаете, где мы работаем?

Она взглянула испуганно, и Волошин изменил тон.

— Вы у нас тут раньше бывали? — спросил ласково.

— Мы первый раз с Володей здесь встречались! — Она вдруг заспешила, как будто в чем-то оправдывалась. — Меня Марина Леденева хорошо знает, директор книжного магазина «Москва». Ну на Тверской!

Волошин кивнул. Этот магазин знали все.

— Я к ее Цезарю приезжала. Цезарь — собака, — пояснила она и улыбнулась доброй улыбкой. — Хорошая собака, умная. И Димка умный очень. Шалопай, конечно, как все мальчишки, но умный! Вот ему раз сказал, и он...

— Вас рекомендовала Марина Леденева, Разлогов вас здесь принял, вы стали заниматься его собакой и время от времени брали ее на передержку, когда Разлогов уезжал. Так?

— Да-да!

— В последний раз вам позвонила его жена и попросила увезти собаку?

— Да, все в точности так.

— Вы приехали, на даче никого не было, вы забрали собаку и уехали?

— Да.

— Теперь вы хотите ее вернуть, а телефон Глафиры не отвечает?

— Ну да, — не понимая, к чему такой допрос, подтвердила Лена, и щеки у нее покраснели.

— А ее телефон... как не отвечает? — вдруг спросила Варя, и Волошин взглянул на нее с изумлением. — Трубку никто не берет?

— Выключен он. Вне зоны действия сети, — Лена пожала плечами. — Ну я в первые дни думала, ни до чего человеку... Ну уж не до собаки точно! И потом... Не может же она телефон навсегда выключить! А он «вне зоны» да «вне зоны»...

— Лена, какого числа вы собаку забирали, помните? — Это опять Варя спросила. — Только точно!

— Да чего там не помнишь! Третьего, совершенно точно.

Варя посмотрела Волошину в глаза.

Третьего числа Разлогов умер. Или его убили.

— Вы собаку днем забирали?

— Ну ближе к вечеру. Часа четыре было. Я специально так поехала, чтоб до пробок успеть...

И все замолчали. Волошин думал.

Глафира велела забрать собаку. Если бы пса не забрали, он никогда и никого не подпустил бы к Разлогову. Тем не менее Димку забрали, и в тот же день Разлогова не стало.

Выходит, Глафира знала, что Разлогова... убьют? И убрала собаку, чтобы сделать это было легче? Или она сама заказала убийство и хорошо к нему подготовилась?

— Глафира часто вам звонила?

— Говорю же, редко! Володя чаще звонил. Так что мне теперь с собакой-то?.. Может, вы знаете, где Глафира, и как-то с ней свяжетесь?

— Дайте мне ее телефон, — вдруг опять встряла Варя. — Ну номер, который у вас есть! Я попробую позвонить.

— Чего там пробовать, я каждый час пробую! — вдруг возмутилась Лена. — Я думала, у вас, может, есть запасной или домашний...

Тем не менее мобильный достала, понажимала какие-то кнопки.

— Ну вот! Записывайте!

Пока Варя переписывала цифры на желтую бумажку, Волошин принял решение.

Он вернулся в кабинет, оставив дверь нараспашку, вытащил телефон и нажал кнопку вызова.

— Глафира Сергеевна, — громко сказал он, когда ответили, — кинолог очень просит вас забрать собаку, которую вы ей отдали.

— Вы что? — помолчав, спросила в трубке Глафира. — С ума сошли?!

— Приезжайте, — велел Волошин и положил трубку. И потер лицо обеими руками.

...Если Разлогова на самом деле убили, значит, это сделала его жена. Больше никому не удалось бы так легко и просто избавиться от собаки!

Глафира подъехала к шикарному, новенькому, с иголочки зданию, в котором, помимо всего прочего, помещалась еще и редакция журнала «День сегодняшний», с таким расчетом, чтобы точно не застать Прохорова на работе.

В этот самый день и час он всегда присутствовал на каком-то смутном совещании то ли в Минпечати, то ли еще где-то и больше в офис никогда не возвращался. Очень удобно.

Глафира была уверена, что такие совещания специально затем и собирают, чтобы поменьше торчать на скучном рабочем месте. Так сказать, создают законный повод для отдыха.

В подземный гараж она не поехала, приткнула тяжеленную разлоговскую машину кое-как, уповая только на то, что задеть ее никто не посмеет — исключительно из чувства самосохранения.

В короткой щегольской курточке она сильно мерзла, даже в машине мерзла. Да еще и снег вдруг пошел! Почему-то московские автомобилисты никогда не бывают готовы к «снегопадам и метелям», несмотря на то что зима наступает исправно, из года в год и из века в век, и еще ни разу на смену лету и осени не пришла весна, а вот поди ж ты!.. Дорожные службы «не справляются», техника «не успевает», водители в обмороке — оказывается, нужно было менять резину, снимать летнюю, ставить зимнюю!

Глафира была уверена, что к вечеру город встанет намертво, замкнутся все многочисленные «кольца» — и Садовое, и «третье», и «первое», и многострадальный МКАД! Хорошо бы сейчас не торчать возле щегольского офисного здания в центре Москвы, не прикидывать, как бы получше провести предстоящий разговор, не ежиться от холода в щегольской короткой курточке, а затопить камин, наварить картошки, чтобы пахло по всему дому сытным картофельным духом, обнять за шею мастифа Димку и рассказывать ему, рассказывать, и совать руки под теплый бок, и ронять слезы на шелковые широкие уши, и смотреть в карие, сочувствующие, все понимающие глаза, и жаловаться на то, что жизнь изменилась так непоправимо, и вспоминать, как все было раньше, когда она, Глафира, была еще нормальным человеком, свободным от груза, который давил теперь на ее плечи. А раньше — до груза! — она была уверена, что живется ей ничего.

«Это потом ты поймешь, что вместо, скажем, мешка асбеста теперь несешь железобетон, но это потом, потом».

Димка Горин, написавший эти стихи, должно быть, понимал жизнь лучше Глафиры.

Должно быть, мастиф Димка тоже понимал, потому что смотрел внимательно и серьезно, слушал, собирал складки на лбу. А может, совсем ничего не понимал, а слушал и собирал складки просто потому, что Глафира не давала ему ни малейшего шанса уклониться от ее словоизлияний и... как бы это сказать помягче... «чувствоизлияний»! Она излива-

ла на него чувства, а он морщился, собир...
ки, кряхтел, терпел. Разлогов ни за что б...
терпеть! Он вообще относился к Глафирин...
ствоизлияниям» сдержанно — всегда, с са...
чала, и она долго не могла взять в толк — почему.
Когда она кидалась ему на шею, он иногда даже
рук из карманов не вынимал. Просто стоял и ждал,
когда ей надоест кидаться. Ей долго не надоедало,
правду сказать. Несколько лет. А потом она поняла, в чем дело, — просто он никогда ее не любил, и
ничего тут не поделаешь. Из каких-то своих соображений он решил с ней жить и даже правила соблюдал — вот, к примеру, никогда не таскал своих
девок на заграничные курорты, где могли быть
знакомые. Он соблюдал правила, был по-своему
честен, иногда нежен и всегда жил своей жизнью.

Глафира из-за этого сильно переживала, и долго — те самые несколько лет, что она кидалась ему
на шею. А потом ей встретился Прохоров, и ему
как-то ловко и моментально удалось убедить ее в
том, что он и есть самая большая любовь ее жизни.
И она... *дала себя* убедить. Правда, отчасти это на-
поминало игру в «ты первый начал» все с тем же
Разлоговым. У тебя белокурые красотки, хорошо
же!.. Значит, у меня редактор модного журнала.
И вовсе мы не пытаемся ничего друг другу доказать, мы просто так живем — свободно и современно! У нас общий дом, общие знакомые, общая собака Димка, а личная жизнь у каждого своя.

Димка Горин, в честь которого мастиф и был на-
зван, фыркал, крутил башкой и громогласно орал:

— Идиоты! Идиот и идиотка! Что это, мать вашу, за сериал «Санта-Барбара»?! — Брал Разлогова
за свитер и встряхивал. Разлогов матерился и отби-
вался. — Нет, ты скажи мне, какого х... сериал-то
играть?! Ну у тебя бабы — ладно, у всех бабы! А если
она себе кого найдет, чего ты делать-то будешь, а?!

новой женишься?! Так я тебе заранее говорю — там, на кафедре, приличных больше не осталось, одни неприличные!

О Глафирином романе с Прохоровым знали все, но предполагалось, что не знает никто. Хотя Димка Горин, может, вправду ни о чем не догадывался. Как всякий гений, он смотрел немножко выше и дальше, чем все остальные «не гении», а того, что под носом, не видел вовсе.

Про то, что Глафиру никак нельзя «упустить», он толковал Разлогову по пьянке, а она подслушивала. Про то, что Разлогов достоин «самой лучшей бабы», особенно после «всего, что было», он толковал Глафире на свежую голову, и Глафира не знала, подслушивает Разлогов или нет. Вряд ли. Ему никогда не было дела до чьих-то чужих... переживаний. Искренне не было. «Я извлекаю из прошлого уроки и двигаюсь дальше, без всякого груза на плечах, но вооруженный новыми знаниями. Только вперед».

Вопрос о том, что там «такого» было в прошлом и почему «после этого» Разлогов достоин самого лучшего, так и оставался без ответа, хотя Глафира несколько раз осторожно пыталась выяснить, в чем дело. Димка Горин напускал на себя суровый вид, не без загадочности, и отвечал в том смысле, что, мол, что было, то прошло, а на ошибках учатся. То ли на самом деле не хотел говорить, то ли не знал ничего и все выдумывал, это на него похоже!..

— Я хочу домой, — громко сказала Глафира в темноте разлоговской машины. — Я хочу домой прямо сейчас. Там меня ждет моя собака.

Ах как Волошин смотрел на нее, когда на стоянке у «Эксимера» Глафира кинулась к мастифу, которого Лена Степанова держала на поводке! Поначалу, в угаре встречи с собакой, Глафира и внимания на Волошина не обратила, а потом ей вдруг

208

стало неудобно, как будто кто-то горячим сверлом вгрызался в ее висок. Димка жарко дышал ей в лицо, и пытался лизнуть, и ухмылялся счастливо чудовищной акульей пастью, и заглядывал в глаза, и Глафира вдруг заревела, и ей показалось, что мастиф тоже чуть не плачет, и тут она почувствовала сверло, разрывающее ей висок. И уже не могла от сверла отделаться, оно вгрызалось все глубже, буравило насквозь. Димка все совался к ней, вскидывал на плечи пудовые лапы, гибкий драконий хвост молотил так, что по асфальту, кажется, расползались трещины, и подкидывал башкой ее руку так, что Глафира чуть не валилась на спину, и толкался, и лизал, и заглядывал в глаза, но сверло не отставало. Глафира оглянулась, разгоряченная, сияющая, позабывшая обо всех своих горестях и страхах, и, как будто на нож, наткнулась на взгляд Волошина.

Он смотрел исподлобья, брезгливо, не отрываясь, — даже не как на врага, а как на нечто мерзкое, гадкое. Так смотрят на таракана, прикидывая, раздавить его каблуком прямо сейчас или пока воздержаться, потому что раздавленный таракан отвратительно, тошнотворно хрустит! Глафира — таракан! — вдруг так растерялась, что от растерянности улыбнулась глупой, искательной улыбкой. Волошин моментально отвернулся. Щеки у него были красны лихорадочным нездоровым румянцем, пальцы сжаты в кулак.

Он убил бы меня, если бы мог, подумала Глафира. А Разлогова?.. Разлогова он убил бы, если бы мог?

Тогда, возле «Эксимера», она совершила ошибку. Может, потому, что Димка нашелся, а может, потому, что очень устала от неопределенности, подозрений и вранья.

— Марк, — сказала она Волошину дурацким голосом провинившейся девочки, — за что вы меня так ненавидите? Что такого я вам сделала?

Кинолог Лена Степанова от изумления разинула рот — в прямом и переносном смысле слова. Волошин разжал кулак и посмотрел на свои пальцы.

— Мне нет до вас никакого дела, — отчеканил он, порассматривав пальцы. — С чего вы взяли?..

И, не дожидаясь ответа, ушел в сторону крыльца, на котором курил, должно быть, весь штат центрального офиса...

— Мне надо подумать, — вновь вслух объявила Глафира. — Мне надо подумать о Волошине тоже. Но сейчас мне надо подумать, как мое кольцо попало на фотографию Олеси Светозаровой

При имени Олеси, произнесенном вслух, Глафира передернула плечами. Глупо было ревновать прошлого Разлогова к его прошлым девицам, но Глафира ревновала. Даже когда поняла, что он ее не любит. И она его тоже не любит, еще чего!.. Она любит Прохорова. Да?

— Да-да, — сердито ответила Глафира самой себе и полезла из машины. Эта самая машина была так велика и высока, что Глафира все приставала к Разлогову, чтобы он приделал к ней откидную лесенку. А что тут такого?.. Чтобы лезть было удобней!

Кое-как вывалившись из водительской двери — лесенку-то Разлогов не приделал! — Глафира потянула за собой сумку и шарф. Как холодно, ужас! Даже зубы мерзнут!

План был простой — зайти в редакцию, как бы в поисках Прохорова, которого, ясное дело, нет и не будет. В процессе поисков отсутствующего Прохорова выяснить, как выглядит репортер Столетов и на месте ли он. Если на месте, спуститься вниз, подловить его на выходе из офиса. И хорошенько обо всем расспросить. Вот в этом самом «хорошенько» и была главная загвоздка. Хорошенько — это значит точно зная, о чем спрашивать. Глафира не знала решительно.

Шарф, которым она обмоталась, как пленный французский драгун времен войны двенадцатого года, кололся и щекотал уши. Этот шарф связала толстая одышливая бабка, которая сидела на табуреточке при входе в деревянную избушку. Избушка располагалась неподалеку от Иркутска, на территории этнографического музея под названием «Тальцы», и именовалась «Дом ткача». Бабка сидела на табуреточке, смотрела за порядком из-под очков и орудовала спицами. Перед ней на столике были разложены носки, варежки, жилет тошнотворно-голубого цвета и вот этот самый шарф, нынешний Глафирин. Здоровенный Разлогов во всех без исключения «Домах ткачей» первым делом стукался лбом о притолоку. Он шагнул следом за Глафирой, стукнулся, выругался, бабка сурово взглянула из-под очков. Спицы продолжали мелькать. Ткацкий станок с натянутой основой и деревянной педалью, а заодно и веретено с прялкой Глафиру не очень интересовали. Зато Разлогову всегда страшно нравились всякие механизмы. Держась за лоб, он осмотрел станок, потом присел и полез куда-то под педаль.

— Ничего не трогайте тама! — прикрикнула бабка и на секунду перестала вязать. — Потому вещь музейная, редкая!..

— А это все продается? — чтобы отвлечь бабку от Разлогова, спросила Глафира и потрогала варежки.

— Продается, — буркнула бабка, и спицы опять замелькали. — Тока не береть нихто.

— Почему не берет? — удивилась Глафира.

Варежки были сказочные. Таких в Москве днем с огнем не сыскать, ей-богу!

Бабка глянула поверх очков, вздохнула так, что табуреточка под ней скрипнула, опустила на колени вязание и утерла рот концом платка.

— Так ить дорого выходить, — объяснила она неторопливо. — Вещь-от пустяшная, а работы с ей много. Шерсть обстриги, вымой, насуши, пряжу спряди, нитку скрути, да вишь, покрась! А прясть тоже не всякий день дозволено. Ежели б, например, прясть на Гаврилу, говорят, работа не впрок...

— На какого Гаврилу? — Это Разлогов спросил, вылезший к тому времени из-под ткацкого станка.

Глафира на него посмотрела, и бабка на него посмотрела тоже. Он был очень большой, в джинсах и черной майке. Темные очки зацеплены за ворот, и кругом паутина — и на майке, и на джинсах — должно быть, основательно лазал там, под станком. Серые глаза в угольно-черных прямых ресницах смотрели весело и как-то даже... любовно, что ли. Он подошел, одной рукой стал перекладывать вещички на столике, а другой прихватил Глафиру за талию. Всерьез так прихватил.

Бабка вдруг усмехнулась, очень по-женски.

— А Гаврила, милок, это у православных праздник такой! А ты каких будешь? Не православных рази? На татарина, чай, не похож!

— Не похож, — согласился Разлогов, — не похож я на татарина, мать! Это ты в самый корень смотришь!

— А я, милок, завсегда в его смотрю, в корень-от! — И тут бабка засмеялась и прикрыла рот большой ладонью. — Мне б лет пийсят скинуть, так я бы пряслицу в подлавицу, а сама — бух в пух! Особливо ежель с тобой вместе!

И тут Разлогов покраснел. Глафира видела это своими собственными глазами! Тучная бабка хихикала на своей табуреточке, расходилась от души. Вздрагивали и взблескивали ее спицы, воткнутые в вязаный ком. Пылинки танцевали над ткацким станком в прямом и жарком луче солнца, и венцы лиственной избы были темными от времени, а скобленый пол, наоборот, светлый от чистоты, и Разлогов стоял весь красный.

Глафира решила, что его надо спасать.

— А шарф сколько стоит, к примеру?

Бабка перестала колыхаться и призналась сокрушенно:

— Так ить тыщу рублей, доча. Говорю ж тебе, не укупишь! А как же? Нитку сучить, нитку свивать, а спервоначалу крутить!.. Да и рази ж кто знаит, как хороша пряха-то прядет! Недаром говорят...

Не слушая, Глафира взяла шарф — он был тяжелый, крупной вязки, и кололся, — и намотала его на себя.

— И-и, — махнула рукой бабка, — сказано тебе — тыщу рублев! Скидай, скидай, доча! Не укупишь.

От шарфа, несколько раз обернутого вокруг шеи, Глафире было до невозможности жарко, и кололся он ужасно. Надо было как-то намекнуть Разлогову, что шарф следует купить немедленно, и она спросила у бабки:

— А это кто?

— Хде? — не поняла бабка.

— Ну шерсть чья? Шарф из кого?

— Как из кого? — перепугалась бабка. — Из кого ж ему быть? Из овцы ен, из шерсти ейной! А так — из кого ж? Из собак даже самоеды не вяжуть, не то православные! Куды ж ее, шерсть-то собачью? На пряжу не годится!

Разлогов все не догадывался про тысячу рублей, Глафира слегка пнула его в бок и опять спросила:

— А как из пряжи нитка получается?

Старуха всплеснула руками и опять засмеялась

весело, с удовольствием. Разлогов тоже посмотрел с удовольствием. Глафира ничего не поняла.

— Ты никак прясть собралась, доча? Ну, сынок! Начнет жинка прясть, берегись тогда! Весь дом опрядет! А пряжа, что ж, доча?.. Пряжа, коль на нитки, сучится с двух початков на один и сматывается прям на мотовило, ну это, сам — есть, рогулька такая с костылем на пятке. А мотушка потом красится и распетливается на воробах, а с них уж мотается на вьюшку. Довольно с тебя или еще ученья хочешь?

И она опять засмеялась и стрельнула в Разлогова глазами, совсем по-молодому.

— Дай тысячу, — тихо и мрачно сказала Глафира, ни с того ни с сего глупо приревновав его к старухе.

Разлогов полез в задний карман джинсов и достал бумажку. Старуха охнула и — по крайней мере, Глафире так показалось! — только в последний момент удержалась, чтоб не перекреститься.

— Можно мне шарфик? — дурацким голосом спросила Глафира и сунула тысячерублевку бабке.

— Забирай, забирай, доча, — засуетилась старуха, принимая купюру. — Оно, ты погляди, как красиво! И шерсть — чистый каракуль! А из собак мы не прядем, не вяжем, мы только из овцы, стало быть...

Провожаемые приговорами и поклонами, они выбрались на жаркую, летнюю, солнечную улицу — Глафира в тяжелом овечьем шарфе, и Разлогов в паутине. Выходя, он, ясное дело, стукнулся лбом о притолоку, обронил очки и долго шарил под крыльцом — искал их.

— Зачем тебе такой шарф? — спросил он, зацепив очки за ворот майки. — А?! В нем сто килограммов живой овечьей шерсти! — Подумал и добавил: — А собачьей вовсе нету! Что мы, самоеды, что ли, из собак шерсть чесать!..

— Это не шарф, а мечта моей жизни, — объявила Глафира. — Ни у кого такого нет!

— Это точно.

— Точно! — согласилась она с вызовом. — И потом... бабке нужно помочь. Ну что она там сидит, работает, а у нее никто ничего не покупает!

— Всех не спасешь, Глаша.

Она отмахнулась.

— Да и не надо спасать! Они и без нас спасутся! Но вот... подбодрить их мы можем.

— Подбодрить? — переспросил Разлогов.

Солнце в Тальцах шпарило вовсю, и разлоговские прямые черные ресницы почти сошлись, глаз было не видно.

— Ну да, — подтвердила Глафира, разматывая шарф, — подбодрить. Это очень просто, и обошлось тебе всего в тысячу рублей. Подержи, — Разлогов взял шарф. — Кстати, ты видел, как она с тобой кокетничала, эта бабка? Ты ей понравился.

— Да ладно!

— Конечно, кокетничала!

— Да брось ты!

Тут она догадалась посмотреть ему в лицо. Оно рдело, как пион. Многоопытный, всем женщинам предпочитавший блондинок, Разлогов краснел, как юнкер во время утренника у «бестужевок». Глафира остановилась и взяла его за розовые юнкерские щеки.

— Разлогов, — сказала она с подозрением, — чего это тебя так разобрало?!

— Меня не разобрало!

— Ты влюбился в бабку с шарфом?!

Тут он захохотал, и на него оглянулась какая-то скучная экскурсия. Все повернули головы как один.

Разлогов моментально замотал Глафирину голову в шарф, как мумию, и сказал глухо, из-за шарфа:

— Подбодрить, значит?

Ничего не видя, Глафира кивнула и стала разматывать с лица и головы шарф — жарко было невыносимо! Вынырнув на солнце, она зажмурилась немножко, а когда посмотрела на Разлогова, оказалось, что он очень серьезен.

— Ты что?

Он хотел что-то сказать, даже губы сложил, и она вдруг поняла, что он скажет сейчас что-то очень важное, нужное, имеющее отношение к их жизни и к жизни вообще. Она поняла, и перестала возиться с шарфом, и замерла, рассматривая его.

И он отступил. Он вдруг зашарил по майке, нащупал темные очки и нацепил их, словно в скафандр залез.

— Ты что?!

— Я ничего, — сказал Разлогов фальшиво до невозможности. — А что такое?

Глафира пожала плечами. Ей вдруг стало... неинтересно, как экскурсантам на давешней экскурсии. Как будто что-то самое главное, важное прошло мимо нее, а она не успела остановить, разглядеть его, окликнуть! А может, и сама... спугнула? Она долго потом думала, представляла, что именно она могла... спугнуть? И выдумывала, и фантазировала — все самое невозможное представлялось ей возможным, а самое невероятное вероятным, — несостоявшееся на лужайке перед лиственничным «Домом ткача» в этнографическом заповеднике «Тальцы».

С тех пор Глафира обожала шарф из тяжелой жесткой овечьей шерсти. Стильная до невозможности, безупречная от напедикюренных ступней до кончиков продуманно выгоревших волос, изящная от шпилек до розовых ноготков Даша Волошина, жена Марка, несколько раз вскользь говорила, что шарф прелестен. Просто гордость коллекции Burberry's, молодцы дизайнеры. Глафира подтверждала, что дизайнеры Burberry's, безусловно, молодцы, и вспоминала бабку из Тальцов, которая никогда не прядет на Гаврилу!..

Сейчас на ледяном осеннем ветру шарф был просто спасением — чай, из овечьей шерсти вязан, а не из собачьей! Затянув его потуже и сунув в карман руки, Глафира зашагала к щегольскому подъезду, сияющему европейским утешительным светом среди мрачной и промозглой русской осени.

Когда она была уже возле крыльца, из раздвижных дверей выскочил какой-то парень, тоже по глаза замотанный в шарф, и с брезентовой сумкой наперевес. Одной рукой он доставал что-то из кармана куртки, другой втыкал в уши наушники, в общем, Глафиру не видел.

— Ой, извиняюсь!

Глафира, насилу удержавшаяся на ногах, надменно кивнула и шагнула на крыльцо. Дверь навстречу ей приветливо раздвинулась, но войти ей не удалось. Следующий парень, точная копия предыдущего, вылетел на крыльцо, чуть не сбив ее с ног.

— Ой, извиняюсь, девушка!

Глафира кивнула на этот раз менее величественно — все-таки своей брезентовой сумищей он дал ей по ноге довольно ощутимо! Не задержавшись ни на секунду, галантный юноша скатился с крыльца и заорал на всю улицу, перекрывая шум машин:

— Дэ-эн! Дэ-эн! Столетов, стой!

Глафира замерла на крыльце.

Тот, первый, уходил в сторону Садового кольца и никаких воплей не слышал. Второй кенгуриными прыжками поскакал за ним, догнал, они остановились на краю тротуара и стали совещаться.

Глафире следовало быстро принять решение. Собственно, один из них и есть тот, кого она искала и с кем собиралась... поговорить. Вот он, в двух шагах, хватай его и задавай любые вопросы! Глафира медленно пошла в сторону совещавшихся парней.

...Что сказать? Как представиться? Как спросить?.. Да еще неизвестно, что они подумают, если она просто так подойдет к ним на улице! И вообще... как подойти к незнакомым людям... просто так?! Хорошо и правильно воспитанная Глафира никогда ничего подобного не проделывала, даже во времена студенческой юности! По этому поводу Глафира Сергеевна пребывала в некотором смятении, а ноги сами несли ее к парочке молодых орангутанов, продолжавших активно совещаться на краю тротуара. Смятенная Глафира приблизилась к ним почти вплотную и остановилась. Они не обращали на нее никакого внимания.

— Да ладно же, Дэн!..

— Да че ладно-то! Туда на метро быстрее!

— На метро?! Да это пипец сейчас на метро! У меня аппаратура! Ты че? Забыл?

— Е-мое, аппаратура!

— Вот именно. Давай собаку ловить, а там поглядим.

— Здравствуйте, — негромко сказала решительная Глафира.

Орангутаны оглянулись на нее, недоумение слегка отразилось на лицах, они неловко болтнулись хилыми телами — поздоровались, — и тут же отвернулись.

— Ну а твоя тачка где?

— Гикнулась моя тачка. Все, песец.

— Как гикнулась?! — испуганно спросил Дэн Столетов, нынешний Глафирин «объект». — Че такое?

— Да ниче такого! Сто лет в обед ей, вот и вся

простокваша! Привез Умару, а тот говорит — не-е, мы не сделаем! Вези на родной сервис, там ремень генераторный менять надо. Колодки мы сами поставим, а ремень, говорит...

— Извините, пожалуйста, — вновь вступила Глафира. — Можно с вами поговорить?

Тот, кого звали Дэн Столетов, продолжая слушать приятеля, полез в задний карман, достал десятирублевку и сунул Глафире. Та денежку приняла.

— А у тебя бабки есть на собаку? Он сейчас по центру знаешь сколько сдерет?! Мало не покажется!

— Девушка, — вдруг сказал второй, обращаясь вроде бы к Дэну Столетову, неприятно сморщив лицо, и Глафира поняла, что он говорит это ей. — Идите отсюда! Мы по пятницам не подаем!

— Ну почему, я подал уже!

— Ну тем более! Он вам подал! Идите, а?.. Чего вы тут торчите, поговорить не даете? Где принимают в школу моделей, мы не знаем.

— Не знаем, — подтвердил Дэн.

Привязчивая деваха неожиданно засмеялась, громко, от души, и парни уставились на нее. Н-да. Пожалуй, со школой моделей они того... погорячились. Деваха была высоченная — в этом смысле вполне модельная, очень коротко стриженная, на носу очки. На шее небывалой красоты шарф, и ниже шарфа... тут орангутаны быстро взглянули друг на друга... ниже шарфа тоже все очень красиво.

— Вы кто? — вдруг выпалил Дэн Столетов. — Я вас откуда-то...

— Глафира Разлогова, — быстро сказала деваха, и Дэн охнул тихонько. И второй тоже как-то странно дернул шеей.

— Мне нужно с вами поговорить, — быстро сказала Глафира Дэну. — Вы делали статью про Олесю Светозарову?

Парни переглянулись, и Дэн растерянно сунул в

нагрудный карман куртки тоненькие проводки наушников.

— А... ну да... делали. — Он кивнул на второго. — Мы вместе делали. Это мой друг Сапогов. Кстати, классный фотограф!

— Очень приятно, — заверила Глафира друга Сапогова.

— И мне... того... приятно. А вы Владимира Разлогова жена, да? — вдруг выпалил друг Сапогов, классный фотограф.

Глафира кивнула.

— А чего вы такая молодая?

Дэн пнул в бок своего не в меру непосредственного и простодушного друга.

— Какая есть, — Глафира сунула в карманы замерзшие руки и поглубже спряталась в шарф, как черепаха в панцирь. Холодно было ужасно!..

— Мы можем поговорить, Денис?

Они опять переглянулись, как будто она задавала бог весть какие сложные вопросы. Дэн пожал плечами.

— Поговорить... конечно. Приходите завтра в контору часов в двенадцать. Как раз Андрей Ильич подгребет... Ну Прохоров, наш главный, — пояснил он зачем-то. — И поговорим!

— Нет, это все не то, — решительно отказалась Глафира. — Во-первых, мне нужно поговорить именно с вами! Во-вторых, на нейтральной территории. Так что в контору я не пойду.

На лицах обоих парней отразилась вселенская скорбь и обида на все человечество. С чего бы?..

— Я не поняла, — Глафира переводила взгляд с одного на другого. — Вы не хотите со мной разговаривать?

— В суд подаете? — мрачно осведомился Дэн Столетов.

— Почему в суд? — не поняла Глафира. — В какой суд?

220

— В народный, — пояснил друг Сапогов и кивнул на Дэна. — На него все грозятся в суд подать!

— За что? — осведомилась Глафира.

— За все, блин! — вдруг взорвался Дэн Столетов. — Только я не брал ничего, понятно вам?! И Сапогов ничего не брал! — Сапогов помотал головой сначала из стороны в сторону, а потом вверх-вниз, подтверждая, что нет, не брал. — Мы свою работу сделали и ушли, и точка! Мы журналисты, а не гопники!

Сапогов опять помотал, подтверждая, что они журналисты, а не гопники.

— И разговаривать мы будем только в присутствии адвоката, — выпалил несостоявшийся гопник Денис Столетов, названный так в честь «Денискиных рассказов» Драгунского. — А вы, пожалуйста, подавайте в суд, хоть в Гаагу! Только я все равно ничего не брал!

— А что украли-то? — осторожно спросила Глафира. — И у кого?

— Ничего мы не крали! Ни я, ни Сапогов! А у этой Олеси, про которую материал делали, украли кольцо с бриллиантом!

— Вот это?

В желтом свете фонарей, как всегда, немного тревожном и нервном, бриллиантовый мяч переливался, дрожал, горел и как будто двоился. Словно отсвет лег на лица обоих притихших парней, и вроде бы даже всполохи пошли, как от молнии.

Дэн Столетов потянул с шеи шарф.

— Где вы его?..

Друг Сапогов шевельнул губами беззвучно.

— Откуда оно?..

— Оно всегда было у меня.

— То есть это вы его украли?!

— Мне его подарил мой муж, Владимир Разлогов, — отчеканила Глафира и спрятала руку в перчатку. Парни проводили камень глазами. — Нам надо поговорить!

— Так, хорошо, — быстро и серьезно сказал Дэн Столетов, — поговорить. Только мы правда сейчас не можем. Мы на съемку едем, опаздываем уже! Если только после... Но она может затянуться, съемка-то!

— Уходящую натуру снимать всегда долго, — подхватил друг Сапогов.

— Какую... уходящую натуру? — не поняла Глафира.

— Мастодонтов, — и Дэн Столетов махнул рукой. — Ну великих! Вы что, не понимаете?

— Нет, — призналась Глафира.

— Что тут непонятного? Великих, — и Дэн Столетов опять сделал некое движение рукой. — Не нынешних, а настоящих! Ну вот, Татьяну Доронину, к примеру. Эльдара Рязанова. Караченцова. Людмилу Гурченко. Знаете таких?

Глафира призналась, что знает.

— Ну это все великие. Снимать их всегда долго. Интервью брать тоже тяжело! Они за свою жизнь столько интервью дали, что... — тут Дэн закатил глаза. — А пресс-секретари у них такие вредные бывают, ужас. И то нельзя, и другое нельзя!.. Но это все неважно, потому что когда великий соглашается, ну в принципе на интервью соглашается, у всей редакции праздник! Потому что если великий отказывается, тогда весь журнал приходится верстать из помощника депутата Окуприенко по вопросам экологии и детского творчества и из Олеси Светозаровой, чтоб ей!..

— А сегодня вы кого снимаете?

— Даниила Красавина, — встрял друг Сапогов, — режиссера. И ехать, блин, не на чем!..

— Красавина?! — почти завизжала Глафира. Прохожий оглянулся на нее, споткнулся и чуть не упал. — Режиссера?! Того самого?!

— Того, — озабоченно признался Дэн Столетов. — И опаздываем мы как сволочи последние!.. Ну то есть сильно опаздываем, извините.

Глафира быстро соображала.

— А давайте я вас подвезу, — предложила она, — я на машине!

Парни уставились на нее.

— Да-да! Вы закончите вашу съемку, а потом мы поговорим.

— Да это долгая песня, съемка-то!

— Ну и ничего! Я с вами пойду. Вы скажете, что я, — она подумала секунду, — что я корреспондент отдела культуры. — Парни смотрели на нее во все глаза. — Вы не пугайтесь, я образованная! Работаю на филфаке, изучаю вагантов. Ну и так по мелочи знаю кое-что. Я вас не подведу.

— Ну да мы не боимся, — сказал друг Сапогов как-то неуверенно. — Только это долго все будет!

— Очень хорошо, — поспешно выпалила Глафира, — если хотите, я вас потом еще по домам развезу, хотя у меня там собака не кормлена. Услуга за услугу. Я вас везу, а вы со мной разговариваете! И еще я возьму автограф у самого Красавина, великого и могучего режиссера!

Парни опять переглянулись, и Дэн Столетов спросил осторожно:

— Ну а чего такого он снял-то?

— Он все снял, — объявила Глафира. — Абсолютно все! Пошли, вон моя машина.

Разлоговский джип произвел на них гораздо более глубокое впечатление, чем предстоящее интервью с Даниилом Красавиным. У них стали торжественно-счастливые и одновременно вдумчиво-печальные лица.

...Должно быть, с начала времен у всех мужчин на свете делаются такие лица, когда они смотрят на породистых скакунов, мощных, как аравийский ураган, стремительных, как полет стрижа над синей водой, и быстрых, как стрела арабского лучника!..

— Это такая... ваша машина, да?

— Да, да! Лезьте! Только там сзади на сиденье плед валяется, вы его скиньте на пол, это собачий!

Дэн уселся на переднее кресло, осмотрелся, как будто попал в незнакомое, но шикарное место, и оглянулся на друга Сапогова, в распоряжении которого оказался весь задний диван вместе с собачьим пледом.

— Обалдеть.

— Я в таком ни разу не сидел.

— Куда едем? — Глафира захлопнула за собой дверь и вытянула ремень безопасности. — И вы пристегнитесь, пожалуйста, Денис!

Пристегиваться — всегда и везде — ее приучил Разлогов. Он говорил, что это секундная манипуляция и приучить себя к ней ничего не стоит. Жизнь дороже любой секундной манипуляции, считал Разлогов. И был прав.

— А это «Лендровер-Вог», да?

— Да. Куда едем?

— А их на платформе «БМВ» собирают, да?

— Ты что, уж сто лет как на фордовской!

— На какой фордовской! Ты посмотри на консоль, чистый «бэха»!

— Парни! — громко сказала Глафира и осторожно, как бы по очереди переступая колесами, съехала с бордюра. — Едем мы куда?..

— А?! — Дэн Столетов взглянул на нее, глаза у него сияли, как у маленького. — Да тут близко, только неудобно очень! На Бронную. Дом семь. Слышь, Сапогов, дом семь, да?

— Семнадцать.

— Ну вот, я и говорю, семнадцать!

— Малая или Большая? — спросила Глафира.

— Здоровенная! — восхищенно сказал Сапогов. —

Ух, здоровенная машина! Снаружи тоже, конечно, видно, что большая, но внутри!.. Как самолет!

Глафира выкрутила руль и вздохнула. Разлогов, в общем и целом к машинам равнодушный, эту тоже любил, разговаривал с ней, хвалил, пенял. Впрочем, не «с ней», а «с ним». Это была машина-мальчик. Как же ты не видишь, говорил он Глафире, когда она спрашивала, почему мальчик, а не девочка. Какая девочка! Это уж точно мальчик!

Добравшись до Бронной, оказавшейся Малой, дом семнадцать, они шикарно поставили «мальчика» во дворе, ибо у дома имелись привратник и шлагбаум, которым привратник распоряжался. После звонка Даниилу Арсеньевичу их пустили в заветный двор, иначе размеры разлоговского «мальчика» сыграли бы с ними злую шутку — встать было негде не то что джипу, напоминавшему размерами самолет, но и велосипеду. Ну негде ставить машины в Москве, негде, и точка! И вообще земли в России даже людям не хватает, что там говорить о машинах! Вот в Японии, говорят, всем хватает, хотя, по слухам, она маленькая совсем, Япония-то! Но как-то там все по-другому складывается! Короче, если б не дяденька со шлагбаумом, кататься бы им по тесным, густо и беспорядочно уставленным машинами улицам до завтра, ей-богу!

Глафира волновалась — Даниил Красавин, еще бы! — а парни нисколько. Даниил Красавин, подумаешь!.. Мастодонт. Уходящая натура.

Подъезд старого дома был светел, чист и благолепен. Мраморная лестница, напоминавшая Глафире фильмы про Алексея Максимовича Горького, пролетарского писателя, проживавшего в особняке купчины Рябушинского, широка и приветлива, высокие окна отмыты до блеска, ковровая дорожка, затертая множеством ног, старательно подчищена, а латунные штучки, прикреплявшие дорожку к мрамору ступеней, горят, как жар!

Немного не хватало бюстов русских поэтов в нишах, античных ваз и итальянских пейзажей, писанных русским живописцем.

Глафира крутила головой во все стороны. И все ей ужасно нравилось. Только в таком доме и мог жить Даниил Красавин, снявший «Дождь», «Свет очей» и поставивший в своем театре абсолютно революционный спектакль «Преступление и наказание»! Где-то громко хлопнула дверь, потом что-то загудело, и в освещенной клетке лифта проплыла вниз сухонькая дама в меховой шапочке пирожком, державшая на поводке огромного мраморного дога.

— Класс, да? — восхищенно спросила Глафира у Дэна Столетова.

— Чего?

Глафира махнула на него рукой.

Дверь им открыл сам хозяин. Почему-то Глафира ожидала увидеть сухонького старичка в малиновом шлафроке, непременно с галстуком-бабочкой на морщинистой куриной шейке, с крохотными ручками в россыпях стариковских веснушек и мудрыми, водянистыми от старости глазами. Мэтр распахнул перед ними высоченную дверь и заорал так, что откуда-то сверху на чинное благолепие подъезда обрушилось эхо.

— Опаздывать?! — Мэтр вытаращил глаза, нисколько не водянистые. — Стервецы! Ждать вас, что ли?! Пошли вон отсюда!

Глафира сделала шаг назад. Дэн Столетов и друг Сапогов остановились в нерешительности.

— Стервецы! — раскатисто програссировал мэтр. — Штаны спущу и всыплю!

— Даня, — донесся откуда-то чистый и ясный женский голос. — Пригласи гостей войти!

— Приглашай сама! — грохнул мэтр. — Не желаю! Сто раз говорил, не нужны мне эти сволочные журналисты!

Тут он вдруг заметил Глафиру. Что было дальше, Глафира помнила не слишком отчетливо. Великий режиссер Даниил Красавин вдруг преобразился, на самом деле преобразился, на глазах!

— Па-а-азвольте, — провозгласил он и, оттеснив Дэна и его друга, за лапку ввел Глафиру в квартиру. Рука под тонким кашемиром водолазки была горячей и твердой. — Па-а-азвольте, — повторил он и в мгновение ока снял с нее курточку.

Глафира размотала шарф, который мэтр принял у нее из рук как некую драгоценность, некую часть ее самое, и пристроил на комод, и провел рукой — без всяких старческих веснушек! — будто погладил.

Погладив шарф, он повернулся к Глафире и произнес серьезно:

— Опаздывать нехорошо.

— Прошу прощения, — сказала Глафира, завороженно глядя в его молодое, крепкое, загорелое лицо. Сколько ему может быть лет? Семьдесят пять? Семьдесят восемь?..

— Если б вы сейчас сказали «извиняюсь», — объявил мэтр, — я бы вас выгнал. Несмотря... ни на что!

Интересно, пронеслось в смятенной Глафириной голове, ни на что — это на что?..

— Как вас зовут?

— Глафира, — спохватилась она. — Я специалист по средневековой немецкой поэзии.

— Вы будете декламировать мне стихи? — весело удивился Красавин.

Понимая, что горит синим пламенем, вернее, уже погорела, Глафира моментально, но сбивчиво представила топтавшихся в дверях парней.

— Это фотограф Сапогов, он будет снимать. А это журналист Столетов, он будет писать.

— Прямо здесь?! — ужаснулся мэтр. — Он будет писать прямо здесь?

— Даниил, — сказали совсем близко, — не пугай детей! Проходите, пожалуйста. Сейчас Нина Ивановна подаст чай. И у тебя совсем нет времени. Через час приедет Кустурица. А Эмир никогда не опаздывает, ты знаешь!

Глафира была как во сне.

— И познакомь нас, наконец!

— Маша, это Сапогов и Петраков, один пишет, другой фотографирует.

— Столетов, — поправил глупый Дэн.

Великий режиссер махнул рукой:

— Какая разница! И так сойдет. А это Глафира, она чтец-декламатор. Декламирует из немецких поэтов. А это моя жена Маша.

Жена Маша протянула узкую руку так, как протягивают для поцелуя. Глафира едва удержалась, чтобы не приложиться. Маша была хороша, но какой-то чрезмерной, киношной, невсамделишной красотой. И одета она была как-то... невсамделишно. Фотографии таких женщин можно встретить в старых журналах — Аристотель Онассис и Мария Каллас, Джейн Биркин и Серж Гензбур, Тонино Гуэро и его жена Лора.

На жене Маше был шелковый бурнус, расшитый райскими цветами, из-под которого виднелись алые шаровары. Голова повязана косынкой туго-туго, так что бледное, правильное, без единой морщинки лицо выступает вперед. Тонкая рука обвита, как лентой, широким золотым браслетом, и кажется, что эта хрупкая кость с трудом выдерживает тяжесть старинного золота. Перстни, по сравнению с которыми Глафирин бегемот был просто глупой поделкой, переливались на пальцах.

В отличие от жены «сам» был в водолазке и джинсах. Глафира тоже была в водолазке и джинсах. И друг Сапогов, разинувший на жену Машу рот. И Дэн Столетов, оскорбившийся на Петракова, тоже.

В одной из многочисленных дверей бесшумно возникла серая женщина в сером платье и с серыми волосами.

— Прошу, — сказала она серым голосом и показала, куда именно просит.

— Не задерживайте Даниила Арсеньевича, — обращаясь к Глафире, попросила райская птица ласково. Глафире показалось, что она чем-то недовольна. — У него встреча, и еще ему непременно нужно успеть перекусить.

— И клизму! — грохнул мэтр. — Мне непременно нужно успеть поставить клизму до приезда твоего драгоценного Эмира!

Он не вошел, а влетел в комнату, потеснив парней, которые таращились по сторонам, и с грохотом затворил за собой высокие двери.

— Нам никто не нужен! — объявил он весело. — Мы будем петь и смеяться, как дети! — Тут он вдруг спросил совершенно серьезно: — А дальше как? Мы будем петь и смеяться, как дети, а дальше?

Дэн Столетов пожал плечами. Друг Сапогов глянул хмуро.

— Среди упорной борьбы и труда, — продекламировала Глафира.

— А дальше? — заинтересованно настаивал мэтр.

— Ведь мы такими родились на свете, — дочитала Глафира, — чтоб не сдаваться нигде и никогда.

— Кто написал?

— Лебедев-Кумач. Тысяча девятьсот тридцать четвертый год, «Марш веселых ребят». Только там не «будем», а «можем».

— Мы? Мы и можем, и будем непременно!

— Нет, — улыбнулась Глафира. — В тексте так: «Мы можем петь и смеяться, как дети, среди упорной борьбы и труда...»

— Умница, — вдруг сказал Красавин как-то грустно. — Просто умница. Да, в общем, сразу видно, что умница. Не актерка. Актерки все дуры. Куда только мозги деваются?! Хорошо, когда в талант!..

От похвалы Глафира покраснела. Вот если б мне кто-нибудь когда-нибудь сказал, что я окажусь в доме Даниила Красавина и он назовет меня умницей, я бы плюнула тому в лицо, пронеслось у нее в голове. Улыбаясь и очень гордясь собой, Глафира глубоко вздохнула, огляделась по сторонам и вдруг замерла, как будто знаменитый режиссер ударил ее кулаком в живот.

Дыхания не стало совсем, и, чтобы не упасть, Глафира схватилась за плечо Сапогова, возившегося со своими треногами и «зонтиками». Он на нее оглянулся.

На стене, завешанной фотографиями, одна выделялась особо. Она была больше всех, черно-белая и очень выразительная. Она висела как будто отдельно, несмотря на то, что вместе с остальными! Но остальные расступались перед ней, расходились, не приближаясь.

На фотографии был какой-то луг без конца и без края, одинокое туманное дерево вдалеке, и на переднем плане трое. Все трое были счастливы и, казалось, отделены этим счастьем от всего остального мира. Одним из этих счастливых был великий Даниил Красавин. Второй Марина Нескорова, а третьим...

Третьим был Разлогов.

— Да, — сказал у нее за плечом Красавин. — Вы правы. Хорошая фотография. Так давно это было!

Он помолчал и добавил:

— Марина Нескорова — любимейшая из моих учениц! Жаль только...

— Что? — не поворачиваясь, спросила Глафира сухими губами.

— Все ушло в талант. — Красавин еще помолчал и добавил: — На жизнь ей Господь ничего не оставил. Один сплошной талант!

230

Варя даже не сразу поняла, что сегодня суббота. Она проснулась на диване в «маленькой» комнате — у них были две комнаты — «маленькая» и «большая», — увидела, что за окном светло, подскочила, побежала, пустила в ванной воду, на кухне включила чайник, пулей полетела в свою комнату, на ходу сдергивая пижамные штаны.

Опоздала, опоздала!..

В одну секунду она почистила зубы, еще за две приняла душ, напялила юбку — потом оказалось, что задом наперед напялила, — и ворвалась в кухню.

— Случилось чего, Варюш? — миролюбиво спросил отец и зевнул. Он бочком сидел у стола — у них на кухне можно было сидеть только бочком, — таращил сонные глаза.

— Привет, пап.

Загремели ложки и чашки, загрохотали банки и коробки. Посуду вчера вечером решено было не мыть, а «бросить, как есть, до утра», таким образом Варина кружка, подаренная когда-то Разлоговым, оказалась на самом дне, заваленная тарелками и кастрюлями. Варя выудила кружку — обрушив тарелки и кастрюли, — и стала остервенело ее мыть под горячей водой. Кружка была скользкая, жирная от тарелок и кастрюль, а вода слишком горячая, и Варя кружку выронила.

— Ах!

— Варюш, чего такое с тобой?! Порезалась? Дай я гляну!

Белые фарфоровые осколки разлетелись по всей раковине, а отколотое ушко ручки ускакало на пол. Вода хлестала, заливала спереди серую офисную юбку. Держась обеими руками за край раковины, Варя поначалу отчаянно шмыгала носом, судорожно глотала слюну, а потом все же заревела, громко, по-детски.

Подошел отец, отогнал ее от раковины и воду закрыл.

— Да что такое с тобой, Варвара? Что ты с утра пораньше буянишь?

Он не понимал, что от Разлогова теперь у Вари совсем ничего не осталось, что она опоздала на работу, что жизнь никогда не будет прежней, и ее, кажется, в чем-то подозревает Волошин, а она и не подозревает, она точно знает о его темных делишках, и это невыносимо, невыносимо, потому что она привыкла уважать своих «принцев». Уважать их и гордиться ими — и ей тогда было так радостно, так свободно! А теперь одного из них нет, а второй оказался даже не свинопасом, а жуликом!..

— Я не могу, — рыдала Варя, пока перепуганный отец капал ей валерьянку, — как ты не понимаешь, что я не могу! И кружка!.. Кружка разбилась!..

— Да и шут с ней, с кружкой! Папа тебе новую купит! На, на, попей! Попей и не реви больше!

Но он ничего не мог понять, а она ничего не могла объяснить!

У нее был свой мир, и он казался ей совершенным. Может быть, немного неправдоподобным, немного ненастоящим, но — прекрасным! В этом мире «взрослых» мужчин, больших дел, важных событий правили два принца, Разлогов и Волошин. И они оба принадлежали Варе. Должно быть, они удивились бы и не поверили, если б узнали, что принадлежат... секретарше, но суть в том, что они никогда бы об этом не узнали! Они и о ней-то, о Варе, едва знали! Должно быть, окажись каким-нибудь утром в приемной другая девушка, похожая на Варю, они бы и не заметили подмены. Но это неважно, совершенно неважно! Зато она знала о них все — или почти все!

И дело не только в расписании встреч. Она знала, кто из них всегда опаздывает, кто пьет кофе с сахаром, кто вечно забывает звонить матери. Она посылала водителей покупать розы их женам и мимозы возлюбленным, она договаривалась с сервисом, чтобы побыстрее сделали машину, заказывала билеты на самолет и покупала им виски и сухую колбасу.

И она всерьез считала, что лучше их нет никого на свете! Она считала так не потому, что была глупа и не видела никаких недостатков, а как раз потому, что знала все недостатки наперечет — у одного одни, у другого другие, — и все эти недостатки ей очень нравились. Если только недостатки могут нравиться, а оказалось, что могут! Поначалу ее огорчало, что ни один, ни другой принц не видит в ней потенциальную принцессу. Она была самой обыкновенной девушкой, и, как самой обыкновенной девушке, ей все не терпелось переписать эту сказку — сказку о деловых принцах, — в другую — сказку о Золушке. Ну чем она не принцесса?! Она умна, быстро учится, она даже очки стала носить, как Глафира Разлогова, хотя всю жизнь носила линзы! Да, она одета победнее, держится не слишком по-королевски и понятия не имеет, кто такие «ваганты», изучением которых, кажется, занималась разлоговская жена, ну и что?! Зато она, Варя, хорошенькая. И... всегда рядом, а это важно, кто бы там что бы ни думал!..

Но принцы не обращали на нее внимания, и со временем ей стало казаться, что так даже лучше, намного лучше! «Высокие» отношения тем и хороши, что чисты, прозрачны, понятны, никто не отводит глаз и не краснеет пятнами после корпоративной вечеринки! Что-то, должно быть, все-таки есть в этом нелепом и устаревшем понятии, которым были озабочены все русские писатели и которое называется «женское достоинство». Она, Варя, была... достойная! Она уважала принцев, а принцы уважали ее — так красиво! Красиво, интересно, надежно устроено, и тут все кончилось!

Всему пришел конец, вон, даже кружка разбилась!

— Варюша, да что ж ты так убиваешься-то?! И матери, как на грех, нет, унесло ее!

— Ку... куда? — проикала Варя, стуча зубами о край стакана.

— Да у нее ж каждую субботу эти самые танцы живота! Ты что? Забыла?

Варя перестала стучать зубами о стакан и подняла на отца глаза.

— А сегодня... суб... суббота?

— Совсем ты, Варюша, до ручки дошла, — сказал отец огорченно и принял у нее стакан. — Совсем тебе голову заморочили на этой твоей дурацкой работе.

— Пап, сегодня суббота, да?

— Кофейку тебе сварить? А хочешь, блинчик испеку? С вареньицем! Ты маленькая очень блинчики любила.

Варя вздохнула глубоко и посмотрела на свою юбку, спереди всю в пятнах от воды. Как это она забыла, что сегодня суббота?.. Что такое с ней случилось?..

Отец суетился у плиты, громыхал сковородкой, лез в самый дальний ящик за мукой — приготовился спасать дочь блинчиком. Он знал, конечно, что дочь давно выросла и блинчиком ее не спасешь, но как же быть-то?.. Он ничего не понимал в «тонких материях», которые он называл «мерехлюндии», не понимал дочкиных слез, вздохов и метаний, но видел, что ребенку худо, а чем поможешь-то, разве что блинчиком? Да ведь штука в том, что блинчиком-то не поможешь, и он это понимал!

У отца была расстроенная спина и, кажется, даже руки дрожали, и Варе вдруг стало так его жалко, что она опять заревела.

— Варюш? Ты чего, Варюш, а?..

— Пап, посиди со мной.

— Так я сейчас вот только тесто заведу и посижу...

— Пап, не надо мне ничего!

— Как не надо? — совсем уж потерялся отец. — Как это так, не надо?! Горяченького съесть — первое дело...

— Папа, посиди со мной, а?

Отец сунул сковородку на плиту, неловко пристроил мешок с мукой на край заставленного посудой стола и приткнулся рядом с Варей. Вид у него был несчастный.

— Ты бы с матерью поговорила, Варь. Она лучше разбирается!

— В чем разбирается?..

Отец скосил на нее глаза, печальные, как у больной собаки, и махнул рукой, совершенно безнадежно.

— Да во всем! Она у нас по всем вопросам... специалист, сама знаешь! Может, чего подскажет...

И отец стал сгребать крошки со стола. Соберет кучку, потом прижмет пальцем, чтоб не рассыпалась, и опять собирает. Варя следила за его рукой и ничего не понимала.

— Пап, ты чего придумал-то? Ты-то из-за чего страдаешь?..

Отец вздохнул и опять пригнал свою кучку.

— Ты небось влюбилась, Варюш, — выговорил он с усилием и вдруг покраснел, как школьник. — Из-за этого и мерехлюндии всякие! А я не умею про это говорить. Чего со мной про это разговаривать, когда я ничего не понимаю! Лучше уж с матерью.

Варя опять засопела — господи, он и правда ничего не понял, ничего!

— Ни в кого я не влюбилась, — начала она сердито, — что ты все придумываешь чепуху какую-то?! У меня на работе проблемы, а ты — влюбилась! Да я, если хочешь знать, никогда в жизни ни в кого не влюблялась и не собираюсь, потому что...

На протяжении ее речи отец вдруг задышал свободнее, задвигался, пересел поудобнее, не боком, не как больная собака! Как будто Варя каждым своим словом снимала неимоверную тяжесть с его плеч, и он постепенно распрямлялся, радуясь и не веря, что тяжести больше нет.

Варя остановилась.

— Пап, ты чего?!

— Так ведь я думал, что у тебя того...

— Чего у меня, пап?

— Любовь какая-нибудь неподходящая нарисовалась!

— Какая неподходящая любовь?! — почти завизжала невесть почему почувствовавшая себя оскорбленной Варя.

— Такая, такая, — заговорил отец умоляюще. — Не сердись. Я думал, ты в своих верхах влюбилась в какого-нибудь... негодяя, а он и знать тебя не желает!

Теперь Варя оскорбилась всерьез. В негодяя — надо же! Какие же они негодяи?! Они умницы, работают день и ночь, они умеют держать удар, они сильные, сделавшие себя сами...

...Опять выходит какая-то ерунда. Опять она думает про Волошина с Разлоговым. Но ни в одного, ни во второго она никогда не влюблялась, разве что чуть-чуть! Один из них умер, второй явно замешан в темные дела, так почему она все время думает... о них?!

— Папа, — заглушая свои мысли, метавшиеся, как перепуганные рыбки в садке, твердо сказала Варя. — Ни в каких негодяев я не влюбилась.

— Слава богу, — вставил отец.

— И не собираюсь.

— Тут ведь знаешь как?.. Вроде и не собираешься, а уже готово дело...

— Никакое дело не готово!

— И добро бы, они там у тебя нормальные люди были! А то ведь... ты прости меня, Варя, нечисть всякая. Им хорошую девушку погубить ничего не стоит, это вроде игра такая. Поиграют с тобой, как со щенком доверчивым, да и вышвырнут вон! А ты на всю жизнь... калекой останешься.

— Папа!

— Что? Ну что? Там же ведь порядочных людей нету, откуда они там возьмутся, порядочные-то? Порядочные наверх не попадают, им туда ход заказан. А ты маленькая еще, где тебе разобраться...

— Мне двадцать шесть лет!

— Я и говорю, — заключил отец грустно. — Одна надежда у меня, что ты умница, а волки эти... Ну не всех же им жрать. Тебя, может, и пожалеют.

— Папа, я никому там не нужна, — твердо сказала Варя. — Это для тебя я самая распрекрасная, а для них я... никто. Нуль. Пустое место. Волошин, по-моему, до сих пор не знает, как меня зовут!

— И слава богу, — быстро вставил отец, — слава богу!

— Да что ж хорошего-то?! Ко мне Вадик клинья подбивает, водитель. Вот он нормальный человек, да? Порядочный по определению, потому что наверх не пробился, так и помрет водителем! Следовательно, не волк. Меня не сожрет. Так, что ли?!

— Водитель?! — совершенно растерялся отец. — Нет, позволь, при чем тут водитель?!

— Да ни при чем он! В том-то и дело! Водитель твоей дочери тоже не подходит — это мелко! Опять получается мезальянс! Там волки, тут овцы. Волки кровожадные, овцы тупые. А я тут, посерединке.

— Варюш, что с тобой случилось-то?

— Ничего! — крикнула Варя. — Ничего не случилось! Разлогов умер, а Волошин... Волошин так странно себя ведет, что я даже не знаю...

— Ну расскажи мне, — вдруг попросил отец совершенно спокойно. — Вместе подумаем.

И Варя ему рассказала — про ключи от сейфа, про странный телефонный звонок, про то, что разлоговский заместитель среди ночи на работу поехал, и как ей показалось, он видел ее у Разлогова в кабинете, когда она пыталась найти в ящике ключ.

Отец слушал очень внимательно.

— А ты зачем в ящик-то полезла, Варюш?

— Ну где-то он должен быть, этот ключ!

— А может, Разлогов твой его домой забрал. И лежит он теперь у него в портфеле, никому не нужный!

— Пап, во-первых, он их никогда с работы не забирал. Зачем?! Он вечно все терял, забывал и боялся, что ключ этот тоже потеряется, а дубликатов нет. Во-вторых, после его... смерти я в сейф документы запирала, совершенно точно. И потом, самое-то главное!..

— Что?

— Ключ-то есть! Но он не подходит!

— Во-он что...

— Ну да! А он ну один в один как тот, который раньше был! Выходит, кто-то его поменял? Где-то достал точно такой же, но неподходящий?!

— Как это можно, Варь?

— Сама не знаю, пап. И, главное, зачем?! Там ничего особенного нету, так, деловые бумаги, самые обыкновенные. И мне кажется, Волошин что-то знает такое, от чего страшно нервничает. Только вот... что? Среди ночи на работу полетел, когда я ему про ключ сказала! Я потом подумала...

— Что?

Варя помолчала.

— Да нет, пап, ничего. И делами он совсем не занимается! Все забросил, все! Из Перми директор

238

каждый день звонит, заходится весь, а Марк с ним так ни разу и не поговорил!

— Ну это уж не твоего ума дело, Варюш.

— Как не моего-то, пап?! Ну как ты не понимаешь! У нас все было очень хорошо, а потом сразу стало так плохо!

— Это бывает, — тихо сказал отец.

— Ты ничего не понимаешь!

Ну конечно, он не понимал! Он ничего не знал о принцах и потенциальной принцессе и о том, как важно для принцессы... защитить их интересы. Вернее, **его** интересы, потому что принц остался только один. Может быть, он не нуждается ни в какой защите, и даже скорее всего, это так, но Варя считала иначе! После смерти Разлогова Волошин остался на ее попечении, как бы смешно и непонятно для папы это ни было! Но она не могла сказать отцу об этом.

— Я считаю так, — начал отец и полез за телевизор, стоявший на высокой полочке над столом. За телевизором лежали сигареты. Отец уже который год бросал курить, примерно с тех пор, как Варя родилась. Он прятал пачки во всяких укромных уголках, которых было великое множество — как известно, чем меньше квартира, тем больше в ней укромных уголков! — и когда они ему попадались, от радости он немедленно и с удовольствием закуривал. Впрочем, были и постоянные, «всегдашние» тайнички, и этот, за телевизором, был как раз такой.

Отец закурил, помахал у Вари перед носом, чтобы она дым не нюхала и не портила здоровье. О Варином здоровье в семье всегда очень заботились.

— Значит, так, — сказал он. — Это все не твое дело, Варюшка. И ты в него не лезь! Еще не хватает, чтоб ты в какие-нибудь тайны влезла по молодости и по неопытности!

— Хорошо, — тут же вспылила Варя, которая

вовсе не это хотела услышать. — Пусть все горит синим пламенем, а я с Вадимом поеду кататься в ЦПКО на каруселке! Да, пап?!

— Кто такой Вадим?

— Да водитель, я же тебе говорила! А чем это так воняет, а? — И она потянула носом.

— Да курю я, — сказал отец виновато. — Разволновался вот с тобой.

— Нет, это не сигаретами пахнет, еще чем-то... Пап, у нас сковородка на огне стоит!

Сковородка раскалилась почти докрасна, Варя стала ее стягивать, обожгла руку, уронила сковородку, та загрохотала, и на желтеньком линолеуме, там, куда угодила треклятая, получилось неровное, коричневое, обожженное пятно.

— А линолеум-то, — сказал отец с тоской, — только постелили! Мама будет ругаться...

— Как же, — согласилась Варя, которой не было никакого дела до линолеума. — Конечно, будет...

Они не придумали ничего лучшего, чем кое-как замаскировать ужасное пятно, поставив сверху табуретку, отец погасил сигарету и уселся на эту самую табуретку — очень неудобно, посреди кухни, ни туда ни сюда.

— Так и будешь сидеть?

— А что делать?

— Наплевать на линолеум!

— Да поди наплюй, Варюш. Мама будет сердиться.

— Посердится и перестанет.

— Варюш, а ты не думала, откуда мог появиться второй ключ? — вдруг задумчиво спросил отец с табуретки. — Ну откуда он вообще мог взяться? Ты ж говорила, он один в один как прежний, а не подходит.

— Не подходит, — согласилась Варя.

— С чего ты взяла, что он такой же? Ты что, их

240

сличала? Загогулины всякие, вырезы, бороздки? И как сличала, если этот не подходит, а тот пропал?

— Ничего я не сличала!

— А как тогда узнала, что этот один в один как тот?

— На нем написано «Крупп». У нас только один сейф этой фирмы, у Разлогова в кабинете! И на ключе тоже написано «Крупп». Разлогов говорил, что, если мы ключ потеряем, придется медвежатника вызывать или подрывника. Сами ни за что не откроем.

— Значит, сейф один и ключ один.

— Постой, пап, — Варя вдруг заволновалась. — Постой-постой... Ну конечно! Есть еще один такой же сейф. У Разлогова на даче, точно! Мы на фирме «Крупп» заказывали два сейфа и один дверной замок! Замок ему в кабинет, а сейф один домой, а другой на работу!

— Ну вот видишь. Значит, сейфов уже два. Да еще замок дверной! Может, и третий где-нибудь отыщется?

Варя даже ногой топнула.

— Точно, их же было два, как я забыла? Но... что это нам дает? Ничего не дает, потому что тот сейф на даче!

— Варюш, ну ключи-то наверняка схожи!

— Конечно, — быстро согласилась Варя и потерла лоб. — Конечно, схожи!

— Вот они и перепутались! — Отец поднялся было с табуретки, но плюхнулся обратно, видимо решив сидеть до последнего, то есть до мамы соблюдать нелепую конспирацию. — Этот твой Волошин небось как-нибудь случайно перепутал.

— Случайно, — пробормотала Варя, — случайно...

— Ну конечно! Он наверняка ездил к Разлогову на дачу, то есть к его вдове, забрать из того, дачного, сейфа документы. Ключ с работы оставил там, а с дачи привез, вот он и не подходит.

— Пап, — задумчиво сказала Варя, — может, ты и прав, конечно, но мы сейф уже больше недели открыть не можем, и Марк Анатольевич говорит, что не знает, почему сейф не открывается...

— Да он забыл давно, твой Марк Анатольевич! — непочтительно фыркнул отец. — И что на дачу ездил, и что в сейф там лазал! У него замок не открывается, и все дела! А ты целую историю развела! Да ему просто в голову не приходит, что он эти ключи как-то случайно поменял!..

— А зачем он тогда ночью на работу приезжал?

— Да мало ли зачем! Паспорт позабыл, а его милиция остановила.

— Ну па-па!

— Вот что, Варя, — сказал он отцовским голосом, — ты больше ничего не придумывай, не мечись и мерехлюндии не разводи, поняла? А про второй сейф ему напомнить вполне возможно. Скажи к слову — уж не тот ли у нас ключ оказался, что дачный сейф открывает? Он к вдове съездит, поменяет обратно, и вся недолга!

Варя помолчала. Все это было очень просто и очень логично. Слишком просто и слишком логично.

— Но ведь кто-то мне позвонил, — проговорила она задумчиво и взглянула на отца, — и сказал, что Разлогова убили!

— Час от часу не легче! — Отец в волнении поднялся со своей конспиративной табуретки и задвинул ее под стол. Пятно зияло посреди желтенького линолеума, лезло в глаза нахально. — Да что там у вас происходит-то?! Еще убийства нам не хватает! Он же сам по себе умер, Разлогов этот!

— Ну да. А потом мне позвонили и сказали, что его убили. В ту самую ночь и позвонили, когда я сейф открыть не смогла.

— Варя! — вдруг громко и беспомощно закричал

242

отец. — Ты мне эти штучки брось!.. Детективов, понимаешь, насмотрелась!

Он вдруг побагровел и даже слегка хлопнул ладонью по столу. Старательно собранные в кучку крошки разлетелись, рассыпались. Отец раздул ноздри и придвинулся к изумленной и перепуганной хлопаньем по столу Варе.

— Пап, ты что?..

— Ничего! — закричал он в полный голос. — Ничего! Тебе все хиханьки да хаханьки, а дело до убийства дошло!

— Пап, какие... хиханьки и хаханьки? Ты что, с ума сошел?

— Нет, это ты сошла! До чего договорилась! Убийство!

— Да мне правда по телефону позвонили и сказали...

— Увольняйся! — прогремел ее никогда не повышающий голос отец. — Увольняйся немедленно! Чтобы завтра же заявление отнесла! Чтоб духу твоего там не было! Чтоб я больше...

— Папа, папа, — забормотала Варя и схватила отца за руку. Он вырвался. — Ты что?.. Может, валерьянки тебе накапать? Или вот... блинчика...

— Какого еще блинчика! Не надо мне никакого блинчика! А ты что, не соображаешь совсем?! Тебе по телефону угрожают...

— Да никто мне не угрожал, папочка, миленький! Мне позвонили и сказали, что Разлогов не сам умер, а его убили...

Тогда по телефону ей сказали не так, но *как именно,* говорить отцу явно не следовало. Варя проворно накапала в стаканчик, из которого давеча пила, валерьянки и протянула разошедшемуся отцу. Тот махнул валерьянку залпом, как водку, выдохнул и утерся тыльной стороной ладони.

— Варвара, — начал он, — я тебе говорю, чтоб завтра же ноги твоей не было на этой работе, слышишь?! Я тебе не разрешаю... нет, я запрещаю туда ходить! Напиши заявление по собственному желанию, поняла?! Дома напишешь, а мать отнесет!

— Пап, ты с ума, что ли, сошел? Может, еще валерьянки надо?

— Не надо! — гаркнул отец. — Там какие-то темные дела творятся, а моя дочь, значит, в них замешана! Так, получается?! Ну ладно, ключи пропали, ты их искала, по чужим столам шарила, а тут еще какое-то убийство! Ты что, дурочка совсем? Не понимаешь ничего? Да если там у этих волков твоих какой криминал, да начнут разбираться, да всех чохом под суд и отдадут! И тебя первую!

— Никто не отдаст меня под суд, что ты говоришь...

— Я знаю, что говорю! Посадят, не приведи господь, за пособничество...

— Папа! — закричала Варя.

— Или за сокрытие улик! Они, волки эти, наверняка тебе какие-нибудь бумажки подсовывали, а ты их и прятала, в ящичек свой складывала! Вот тебе и сокрытие!

— Папа, что ты несешь?!

— А я говорю, что ноги твоей там больше никогда не будет!

— А я говорю, что ты сошел с ума!

— Варвара!

— Папа!

Они замерли и посмотрели друг на друга — зареванная Варя и отец, с которого пятнами сходила краснота.

Бедный, думала про отца Варя, бедный, бедный. Ничего он не понимает, но изо всех сил хочет ее защитить. А меня не надо защищать — не от кого!.. И — следуя железной женской логике — значит, никому я не нужна.

И она длинно и горестно вздохнула.

— Варюша, — тихим, нормальным, *своим* голосом заговорил отец и выдернул из-под стола табуретку, но садиться не стал. Потянулся и достал из-за телевизора сигареты. — Давай договоримся так. Ты завтра позвонишь своему оставшемуся начальнику и скажешь, что заболела.

— Завтра воскресенье, пап. И я не заболела.

— Значит, в понедельник! — повысил голос отец. — И возьмешь больничный. И выключишь мобильный телефон, если тебя будут искать.

— Никто не будет меня искать!

— Телефон все равно выключишь, — велел отец, — а там посмотрим...

Варино сознание зацепилось за этот выключенный телефон, и мысли опять замелькали и засуетились, как рыбки в садке, и Варя точно знала, что должна немедленно, сию же секунду поймать одну из них, и никак не могла сообразить, какую. Она знала только, что это очень важно, что это самое главное, что она должна сделать, но у нее не получалось.

— Так что, Варюша...

— Папа, папа, — перебила Варя, напряженно следя за рыбками-мыслями, — подожди...

В дверь позвонили, отец быстро и виновато затушил сигарету, утвердил табуретку над безобразным, выжженным пятном, неловко потянувшись, приотворил окно и пошел открывать.

Варя взялась за лоб. Что-то было сказано... что-то очень важное. Она думала об этом важном когда-то, а потом позабыла, и теперь ей нужно все вспомнить, обязательно нужно!.. Рыбки-мысли метались в разные стороны, и она никак не могла за ними уследить.

— Варя, к тебе пришли.

— Пап, подожди, не мешай мне!

— Варя.

Она посмотрела на отца. Тот стоял в дверях, выпрямившись, с крайне независимым видом. Как правило, этот вид не предвещал ничего хорошего. Когда в шестом классе Варе влепили в четверти двойку по русскому и вызвали в школу обоих родителей, отец, вернувшись, стоял в дверях с точно таким же независимым видом. И на втором курсе, когда решено было объявить бойкот деканату и принципиально не сдавать сессию, пока деканат не заменит истеричку, преподававшую им линейную алгебру, отец, вернувшись после разговора с деканом, выглядел точно так же. И когда Варя устраивалась на работу в «Эксимер»! Во всех случаях дело заканчивалось страшным скандалом, и Варя перепугалась, позабыв о мечущихся рыбках в садке!

— Папа, что такое?

— К тебе пришли, — сообщил отец очень холодно.

— Кто?

— Я не знаю.

Варя выскочила из кухни и нос к носу столкнулась... с Вадимом, который рассматривал себя в зеркале. Кроме Вадима, там еще отражались вешалка с двумя темными и одним светлым пальто и картина, на которой был нарисован луг, а на лугу стожок и березка.

— Привет, Варь, — поздоровался Вадим как ни в чем не бывало.

— Привет. — Она ничего не понимала. — Тебя Марк Анатольевич прислал? На работу надо?

— Никто меня не прислал, — возмутился Вадим и сунул ей букетик, состоявший из трех желтых хризантем. Варя букетик приняла. — А я мимо ехал, дай, думаю, заеду!

— А-а, — протянула бестолковая Варя и оглянулась. Ну конечно же!.. Отец топтался у нее за спиной, в коридорчике, ведущем на кухню. Вадим почесал бровь. Варя переложила букет из руки в руку, хрустнул целлофан. Отец поправлял на стене еще одну картину. На ней были изображены снега и церковка, ну и березка, конечно.

— Я тебя хотел это... покататься пригласить. Погулять, в смысле.

— Папа, — спохватилась Варя, повернувшись к отцу, и за руку выволокла его из коридорчика, — это Вадим. Он со мной работает! А это мой папа, Андрей Васильевич.

— Очень приятно! — объявил Вадим, а Варя вздохнула и сунула хризантемы в пыльную хрустальную вазу.

Разлогов однажды устроил ей урок хороших манер после вот такого «очень приятно». В Женеве ее познакомили с полной седовласой дамой, женой директора какого-то большого завода. «Очень приятно», — пролепетала хорошая девушка Варя, держа глаза долу. Разлогов потом ей объяснил. Он объяснял, а хорошая девушка Варя слушала, на этот раз совершенно всерьез держа глаза долу — от смущения.

«Очень приятно» говорит тот, кто выше по положению или старше. Тот, **кому** представляют, и уж никак не тот, **кого** представляют! Запомни это, пожалуйста, Варя.

Варя запомнила.

— Ну так чего? Погуляем?

— Ты бы позвонил сначала!

— Да я десять раз звонил! У тебя телефон не отвечает!

— Как не отвечает? Он вроде не звонил ни разу!

— Да не, он «вне зоны действия сети». Ты его небось так положила, что он не ловит! Ну в смысле сигнал не ловит.

Рыбки в садке закружились, заметались с удвоенной силой, и среди них вдруг отчетливо мелькнула одна, та самая! «Аппарат абонента выключен или находится вне зоны действия сети». Кинолог Лена Степанова не могла дозвониться Глафире

Сергеевне, потому что у нее был выключен телефон. А Марк дозвонился сразу же! Ну конечно, конечно!.. Варя тогда записала номер, по которому звонила Лена, и это оказался вовсе не Глафирин номер! Тем не менее в компьютере, в записной книжке, куда заносились все контакты, этот молчаливый номер был!

— Папа, — сказала Варя твердо, взяла отца за руку и посмотрела ему в глаза. — Мне нужно уехать. Вот, погуляю с Вадимом.

Отец пожал плечами. Вид у него был неважный.

— Вадим, я сейчас! Только переоденусь.

Вадим кивнул и покосился на отца. Ничего так папаша. Смирный. Сразу видно — интеллигент. С таким особенных проблем не будет, не дотошный.

— Погода сегодня, — произнес он, соскучившись стоять, — прям зима! Надо Варе сказать, чтоб теплее одевалась. Простынет.

Интеллигентный папаша кивнул, но ничего не ответил. Ладно, пусть пока помалкивает. Потом пообвыкнется, бог даст.

Выскочила Варя, хорошенькая, совершенно не офисная, другая, в джинсах и кургузой курточке. Джинсы в обтяг, любо-дорого посмотреть, а курточка ярко-красная, так прямо взял бы и съел!..

— Пап, не волнуйся, я позвоню!

— И не позавтракала ничего!

— Пап, где мой шарф? Ну большой, серый?

— Вон, наверху.

Этот шарф Варя подглядела у Глафиры Сергеевны. Какой у нее был шарф! Широкий, толстый, явно ручной работы. Наверняка привезла из Стокгольма, где он продавался в лавочке у милой пожилой фрекен, одетой в свитер и мягкие меховые сапожки! Наверняка в витрине у фрекен были выложены шапки и варежки, а еще дивные тяжелые свитера с высоким горлом, все сделано вручную.

А в лавочке наверняка хорошо пахло, и на широких и темных половицах лежали выцветшие шерстяные половички, а из окна видно было барки с парусами, набережную и рыбный рынок.

Варя намотала на шею шарф и завязала огромным узлом — так носила Глафира.

— Пошли?

И она выскочила из квартиры. Вадим потопал за ней, пробормотав «до свидания» в сторону интеллигентного папаши.

В коридорчике на четыре квартиры, отделенном от лестничной клетки железной решеткой — как в концлагере, — был навален всякий хлам, стояла детская коляска, и сильно пахло кошками и щами.

Варя проскочила коридорчик, погремела ключами и распахнула решетку.

— Давай, выходи!

— Ну а что за спешка-то, я не понял?

Она с грохотом захлопнула тюремную дверь, ведущую в ее жилье, и нажала кнопку лифта. Где-то далеко, то ли вверху, то ли внизу, завыло, загрохотало и поехало.

— Вадим, — сказала Варя и взяла его за отвороты куртки, — мне нужно, чтобы ты меня срочно отвез...

— Куда?!

— К Волошину. Ты знаешь, где он живет?..

Дэн Столетов так распереживался, что даже спал плохо, чего с ним отродясь не бывало, и он никогда не понимал, как это можно — не спать?! Тетя Оля иногда звонила маме и жаловалась на бессонницу, говорила, что «опять ночь не спала», и Дэн думал: как это может быть? Как можно «ночь не спать»? А что тогда делать? Нет, ежу понятно, что можно делать ночью, а ему-то, Дэну, тем более, но вот когда надо спать, что может быть проще и приятнее? Открываешь окошко, чтоб было свежо и прохладно — мама за это вечно распахнутое окно называла сыночка «отморозок в поисках ледяной свежести», — забираешься под одеяло поглубже, думаешь о чем-нибудь приятном и утешительном, и через пять минут готово дело, спишь!.. И снится всегда что-нибудь хорошее, приятное, легкое. А тут — на тебе! Полночи возился, возился, все никак не мог устроиться! То жарко, то холодно, то неудобно, и мысли какие-то тяжелые, словно жернова, тягучие и бугристые, как овсяный кисель, который варила ему, маленькому, тетя Оля, когда им с мамой вдруг взбредало в голову, что мальчик должен правильно питаться. Тогда они переставали все солить, варили гречку и овсяный кисель и запрещали есть чипсы. Потом тетя Оля из своей редакции вдруг приносила статью — это называлось «материал» — о том, что нужно пить исключительно сырую воду, но не простую, а «серебряную». Тогда про гречку и кисель все забывали и начинали искать серебряную ложку, клали ее на дно трехлитровой банки, а потом оттуда пили.

В общем, всякое бывало, и не всегда приятное, и слава богу, он теперь вырос и может делать все, что хочет! Ну почти все.

Дэн долго соображал, как бы ему заснуть, но ничего не придумывалось. В конце концов он встал и ушел на кухню — от своей скомканной неаппетитной постели и таких же скомканных мыслей. Хорошо, что мать с вечера на дачу уехала. Вдруг подхватилась и уехала, сказала, что там вода не перекрыта, как бы завтра мороз не ударил! Дэн не очень любил, когда мать одна таскалась на эту дачу, еще с тетей Олей туда-сюда, а одной нечего там делать. Он тревожился — вдруг свет вырубится, или насос полетит, или пьяные гаишники какие-нибудь набегут, а его, Дэна, рядом нет! И дачу эту он не любил — подумаешь, дача! Огород и будка посередине! И одному дома ему было... неуютно. Он этого очень стеснялся, и матери ни за что бы не признался, но с ней ему было как-то веселее, что ли! В компании себе подобных Дэн говорил, конечно, все, что положено — предки, мол, достали, житья от них нет, все учить лезут, хотя в жизни ни шиша не понимают, особенно в такой... в современной, ну в молодежной. Предков следовало поругивать за то, что они «совки», отечество именовать «Рашкой», а тысячу рублей «баблом». Дэну от всего этого как-то неудобно делалось.

Он пил на кухне чай и грустно думал о том, что он какой-то неправильный. Он редко об этом думал, а тут вдруг его пробрало. Дэн Столетов не знал, что в три часа ночи «пробирает» всех, у кого бессонница, но раньше у него никогда не случалось бессонницы, вот он и не знал! Он пил чай, вздыхал, грустил, жалел себя и думал, что он «неправильный».

Без матери ему скучно завтракать и ужинать — никто не пристает с расспросами, не предлагает на выбор блинчики или омлет, не почесывает за ухом мимоходом. Мать то и дело почесывала, и ему это нравилось ужасно! Он даже головой крутил, подставляя так, чтоб ей удобнее было чесать. Конечно, он никогда и ни за что не признался бы, что его, здоровенного двадцатидвухлетнего мужика, да еще и журналиста, мать чешет за ухом, но — что делать! — она чесала, и он млел, подставляя нестриженую башку, и ленился завтракать, когда ее не было дома! И с девушками выходила какая-то петрушка, тоже неправильная! Общепризнанные красавицы, у которых он время от времени брал интервью, его смешили, и он даже толком не знал, почему. Так... дуры. Дэну, взявшему этих интервью два или три десятка, казалось, что он видит их насквозь, и ничего там, внутри, нет ни интересного, ни заманчивого! Все ему казалось, что, кроме калькулятора и некоего специального датчика, который, как счетчик Гейгера, начинающий завывать и щелкать при повышенной радиации, сигнализирует о приближении достойной особи мужского пола, ничего там нет вообще. А может, он так считал, потому что датчики эти никогда не реагировали на него, Дэна!.. Кому он нужен, долговязый, лохматый, кое-как одетый корреспондентишка! С него и взять-то нечего, а за материал уже заплатила «достойная особь»! Некоторые красотки были чуть получше, другие и вовсе никудышные, вроде этой самой Олеси Светозаровой, которая орала, что он спер у нее бриллиант! А на съемке она то и дело откаблучивала нечто такое, от чего даже многоопытный Сапогов закатывал глаза. Ну например, все время отвлекалась на телефон, щебетала безудержно, называла собеседников исключительно «Мася» и каждый раз потом не могла вспомнить, о чем с ними, журналистами, говорила до того, как зазвонил проклятущий телефон! Дэн с Сапоговым с ней замучились. А потом, когда ее попросили переодеться, стала снимать блузку прямо при них!.. При этом она разговаривала по телефону с «Масей», придерживала трубку плечом, и тянула вверх свою кофточку, и уже почти стянула, когда Дэн с Сапоговым сообразили выскочить за дверь. Там, за дверью, они долго не могли друг на друга взглянуть, а когда взглянули, быстро отвели глаза. Сапогов был совершенно красный и очень сердитый, и Дэн знал, что сам выглядит точно так же! А эта дура, обнаружив, что их нет в спальне, еще и заорала на них — сколько вас ждать можно, я готова, не журналисты, а наказание! «Мася» сказал, что все будет очень быстро и весело, а все долго и скучно!..

Дура, одним словом! Разговаривала бы по телефону поменьше, и было бы куда быстрее!

Примерно это Дэн Столетов и изложил вчера

Глафире Разлоговой после того, как они отбыли из квартиры «мастодонта» Красавина. Вот кто нравился Дэну — Глафира! Как держится, как слушает, как смотрит сквозь свои очки — и не поймешь ее, и насквозь не видать, и счетчик никакой не щелкает, словно наплевать ей на всех мужчин на свете, включая «мастодонта»! А уж тот, даром что старый перечник, так за ней увивался! Такие пассы выделывал, такие пируэты выписывал! Дэн даже будто приревновал немного, но потом обошлось. Глафира все интервью просидела тихо, как мышь, только все смотрела на большую фотографию на стене, и вид у нее был сосредоточенный. В машине она рассеянно спросила про то самое интервью с Олесей, потом сказала, что ей нужно подумать, и назначила Дэну встречу — утром, в кофейне на Пушкинской. Он согласился, конечно, и всю ночь промучился бессонницей, как втрескавшийся чувак перед первым свиданием!

В кофейню он приперся за полчаса до назначенного срока, невыспавшийся, с зелеными кругами под глазами, злой, как пес. Да еще он голову помыл, чтоб волосы не висели сосульками, а сушить поленился, и всю дорогу мерз, ему казалось, что влажные волосы заледенели, и теперь башка у него выглядит, как у египетского фараона, который смазывал волосы кровью жертвенных животных, Дэн где-то про это читал.

Субботним утром в Москве было пусто и гулко, как в ресторане, из которого все разошлись, и вновь веселье начнется еще не скоро, под вечер! Редкие прохожие брели, подняв воротники, одинокие машины, не разобранные со вчерашнего дня, были кое-как приткнуты к припорошенному сухим снежком тротуару, и Дэн вдруг подумал, что у машин усталые и недовольные морды.

Ледяной ветер лез за воротник, и руки сильно мерзли, а перчатки он позабыл. Размышляя о том, что сейчас, до Глафиры, он съест омлет и выпьет самую большую кружку кофе со сливками и шоколадной крошкой, а потом, когда она появится, станет шикарно покуривать и прихлебывать «двойной эспрессо без сахара», он размотал с шеи шарф, с удовольствием принюхиваясь к запахам кофе и вкусной еды, и тут увидел ее. Она сидела совсем близко, смотрела в окно, и перед ней стояла огромная кружка — с белоснежной шапкой взбитых сливок, припорошенной шоколадной крошкой.

Дэн помедлил, пристроил на плечо сумку и подошел.

— Здрасти.

Глафира посмотрела на него, и он вдруг быстро и глубоко вздохнул.

— Привет. Спасибо, что пришли. Сегодня суббота, а я совершенно про это забыла! Заставила вас ехать, да еще так рано.

Дэн пожал плечами и плюхнулся напротив.

— Мой муж Разлогов, — продолжала Глафира, — всегда говорил, что в выходной день в приличный семейный дом можно звонить не раньше часа дня! До часу все спят, и звонить нельзя.

Дэн, который обычно спал не до часу, а пока мать не разбудит — хоть до трех! — сказал, что у него очень много работы и по субботам он встает ни свет ни заря. Чтоб работать.

Кажется, она не поверила ни одному его слову.

— Давайте завтракать, — предложила она, — а потом уже разговаривать. А то так, на пустой желудок, беседовать неинтересно.

Дэн сказал, что он вполне может разговаривать, а завтракать как раз вовсе не обязательно. Вот какую гордость демонстрировал Глафире Разлоговой Дэн Столетов! Вот какие гастроли давал!..

Пока она заказывала свой омлет, Дэн быстро ее рассмотрел. Она тоже выглядела утомленной, как будто не спала — может, вправду не спала?.. Под

254

глазами тени, щеки бледные, и словно мерзнет — огромный вязаный шарф, в котором она вчера была, лежал у нее на коленях, и она время от времени подсовывала под него руки, грела, наверное.

Когда Дэн, согласно ранее продуманному сценарию, заказал двойной эспрессо без сахара, Глафира Разлогова посмотрела удивленно, сверкнули ее очки, за которыми ничего было не разглядеть.

— А поесть? — спросила она как-то очень просто. — В такой холодный день обязательно надо поесть!

Дэн не мог рассказать ей про «сценарий», про бессонницу, про то, что он сильно нервничал со вчерашнего дня и до сих пор никак не отойдет! И признаться в том, что есть перед ней ему неловко, не мог тоже!

— Ну как хотите, — сказала она, словно сожалея, и он решил, что чем-то уже ее разочаровал.

...Ты не можешь ее разочаровать! Она ведь тебя даже не замечает. Только по-своему, по-умному, не как те, которые всех собеседников по телефону называют «Мася»! Ты ей для чего-то нужен. Что-то ей нужно узнать такое, что, может быть, знаешь только ты один. Вот и сиди спокойно, пей свой кофе, раз уж завтракать не стал, ни о чем... таком не думай.

...Как же не думать, если думается?..

— Денис, может, вы все-таки съедите, ну хоть булку с маслом!

— Называйте меня Дэн.

Тут она вдруг улыбнулась.

— А вы меня Глэдис!

Он не понял.

— Почему Глэдис?

— А почему Дэн?

Он пожал плечами. Ну а как иначе-то? Мамино обращение «Дениска» не годится, а Дэн — и шикарно, и современно!

— У меня есть знакомый итальянский ювелир, — и она отправила в рот кусок омлета, — так вот он утверждает, что у русских совершенно, ну совершенно европейские имена! Мы с вами — подтверждение его теории! Я Глэдис. Вы Дэн.

Смеется, понял журналист Столетов. Она надо мной смеется.

— Кстати, именно этот итальянец сделал кольцо, — и она покрутила у Дэна перед носом своим бегемотом, — которое потом украли, а после оно нашлось.

— Я не понял, кто украл-то?

Глафира пожала плечами.

— Я не знаю.

— Нет, не мы с Сапоговым...

— Господи, — перебила Глафира с досадой, — при чем тут вы с Сапоговым!

— Нет, но она говорила, что это мы с Сапоговым...

— Денис. — Его собеседница отложила вилку, перегнулась через стол и серьезно посмотрела ему в глаза. — Я понимаю, что вас обидели, обвинили невесть в чем и всякое такое!

— Да ничего меня не обидели, только я все равно ничего не брал!

— Я знаю, — твердо сказала Глафира, — но мне нужно понять, как именно перстень исчез из моей шкатулки и как потом туда вернулся! Ваша Олеся...

— Ни черта она не моя! То есть я хотел сказать...

— Ну да, — согласилась Глафира по-прежнему серьезно, — эта самая Олеся сфотографирована с *моим кольцом*. Второго такого нет. Я выяснила у ювелира, который любит русские имена. Понимаете?

— Понимаю, — согласился Дэн, не понимая, что он должен понимать.

— Это кольцо, — и она погладила своего бегемота, как живое существо, — лежало в шкатулке у меня дома. Потом его оттуда зачем-то взяли и туда же вернули. Вы не могли ни взять его, ни вернуть, это совершенно ясно.

— Так, — кивнул Дэн. — И... что?

— А вот что!

Под своей курткой, припрятанной на соседнем стуле, она откопала сумку, вытащила хорошо знакомый Дэну журнал — тот самый! — и быстро пролистала. В сером утреннем свете полыхал ее бриллиант.

— Денис, откуда взялась эта фотография?

— Да я уже вам говорил сто раз! Мы с Сапоговым...

— Денис! — она слегка повысила голос. — Послушай меня. Вот эта фотография откуда взялась?

Он посмотрел. Моргнул. Посмотрел на Глафиру, а потом опять в журнал.

Жесть какая-то с этими фотографиями!

С этой-то что не так?! Обычная пляжная идиллия — она в бикини и в загаре, и он в нелепейших пляжных труселях до колен!

— Денис, кто вам ее дал?

Он пожал плечами.

— Ну, наверное, она сама и дала! Мы только в квартире снимали, а на пляже... как же?.. Это называется «Из личного архива», и такие фотки...

— То есть она отдала вам фотографию, да? Или прислала по электронной почте?

— Нет, так отдала! Сапогов просил по почте, и чтоб разрешение было повыше, а она сказала, что на компьютере не умеет. То есть только включить и выключить умеет, а больше ничего. Сапогову-то нужно как минимум двадцать мегапикселей, он потом всю обратную дорогу ругался, что после сканера качество упадет так, что вытягивать придется. — Дэн хлебнул остывшего кофе и спросил осторожно: — А с этой фоткой что не в порядке, а?

— Все, — сказала Глафира жестко, — с ней все

не в порядке! То есть Олеся дала вам пакет с фотографиями, вы их отсканировали...

— Сапогов отсканировал!

— Их отсканировал Сапогов, — терпеливо продолжала Глафира. — И вы украсили ими интервью. Дэн улыбнулся — с некоторым превосходством.

— У нас говорят «поставили в номер».

— Вы все фотографии поставили?

— В каком смысле — все?

— Все, что от нее получили?

— Боже сохрани, — перепугался Дэн Столетов, — она дала штук двадцать, а мы взяли... ну три, наверное. Ну эту с морем, само собой, потом еще вот эту, на балу, и ту, где она в школе. Ну да, вот три и выходит!

— Кто их выбирает? Кто решает, какую поставить, а какую нет?

Дэн смотрел на нее во все глаза. Она сильно волновалась — вон, даже щеки загорелись! И шарф свой она сбросила с колен, теперь он огромным комом лежал на соседнем стуле, поверх куртки и сумки. И спрашивала она быстро-быстро, будто на одном дыхании.

— По-разному бывает, — сказал он, не понимая, чего она так волнуется. Из-за Разлогова, что ли, который едва виден на этой самой пляжной фотографии? — Бывает, фоторедактор ставит, а главный утверждает. А бывает, главный сам выбирает, а фоторедактор ставит...

— А здесь как было?

— Я... я не помню, Глафира.

— Вы должны вспомнить, — отчеканила она. — Это очень важно.

— Да не помню я совсем! Я материал сдал, а что потом было...

— Это очень важно! — почти крикнула она, и какой-то дядька, читавший в отдалении газету, поднял голову и посмотрел на них поверх очков. —

Послушайте, Денис, — заговорила Глафира потише, — если я не пойму, откуда взялась именно эта фотография, — и она ткнула вилкой в полуголую Олесю, — я ничего не пойму! А для меня это сейчас... самое важное.

— А что такого в этой фотографии? — не выдержал Дэн. — Ну пляж, ну море, ну Олеся!..

Глафира кивала, как бы подтверждая каждое его слово, и, не дойдя до Разлогова, Дэн устыдился и перечислять перестал.

— Ну, — повторила Глафира. — А еще кто?

Дэн вздохнул.

— Владимир Разлогов. Ваш муж.

— Вот именно. — Она посмотрела Дэну в лицо, как будто прикидывая, сказать или не сказать, и все же договорила: — Мой муж Владимир Разлогов славился тем, что всегда соблюдал правила игры. Он был... сложный человек, но по-своему честный.

— И... что это значит?

— Он *никогда* не ездил на курорты в обществе своих подружек, — тихо и твердо сказала Глафира. — Никогда, понимаете? Как раз во избежание... таких фотографий. Это правило выполнялось железно. Он не возит девиц на острова, а я не привожу кавалеров домой.

— Понятно.

— Ничего вам не понятно.

— Ну да, — вдруг окрысился Денис Столетов, — еще скажите, что я очень молод и взрослые отношения мне недоступны. Только это никакие не взрослые отношения, а... извращение какое-то!

— Вы ничего не понимаете!

— Да что тут понимать-то?! Ка-акое благородство! Он не возит баб на моря, а вы не спите с мужиками в его постели! Какое взаимопонимание! Какая тонкость чувств!

— Послушайте, — удивленно сказала Глафира, — что это вы так разошлись-то? Или вы воспитывать меня хотите?

— Никого я не хочу воспитывать! Только взрослые почему-то уверены, что самое правильное — это когда красиво врут! Вы же врете! Вы все время врете! И мужу вашему небось врали, а он вам верил! Это называется «правила игры»?! То есть вранье по правилам?! Он честный человек, он девиц с собой на курорты не возил! А вы-то тогда кто?!

— Кто... я?

— Вы такая же, как они все, даже хуже! Нет, вы в сто тысяч раз хуже, потому что прикидываетесь другой!

— Я не прикидываюсь.

— Прикидываетесь! Вчера Дунаевского цитировали...

— Лебедева-Кумача.

— Какая, на хрен, разница! Да вы должны были его, этого мужа, пинками выгнать, когда он стал с девицами путаться, и начать все сначала! А вы теорию придумали, что он честный, только как-то по-своему! И все ради чего?! Ради его денег, и ничего больше! И, значит, вы такая же, как все эти!

Тут Дэн ткнул в многострадальную Олесю чайной ложкой так, что смял страницу. Олесино бикини поехало в сторону и перекосилось. Глафира посмотрела на перекошенное бикини и вновь перевела на Дэна изумленные и, кажется, веселые глаза.

— Что вы надо мной смеетесь?!

— Я не смеюсь.

— Вчера я думал... А вы, вы ведь даже не такая же, вы хуже, потому что врете убедительней! Они дуры, у них все на лице написано, а у вас, наоборот, написано, что вы... что вы... благородная. Ангел! А на самом деле...

— На самом деле, — вдруг сказала Глафира, — я устроила ему ужасную сцену, когда первый раз

260

он... мне изменил и я об этом узнала. Ужасную, правда. Мне до сих пор стыдно, хотя много лет прошло. И уйти я хотела немедленно. Я тоже кричала, что это нечестно! Ну вот как вы сейчас. И что я не могу так жить. И конкурировать с его бабами я ни за что не стану! И он меня отговорил, Разлогов! Он сказал — давай ты сейчас пока никуда не пойдешь. А пойдешь, когда встретишь мужчину своей жизни.

— Встретила? — мрачно поинтересовался Дэн Столетов.

Глафира пожала плечами.

— Вроде... да. Вроде встретила.

— И не ушла?..

— Не от кого уходить. Разлогова нет.

— А зачем ты вообще вышла за него замуж, а?! Ну если не любила? Исключительно из-за денег?! Все из-за денег?!

— Дэн, — сказала Глафира, рассматривая его, — я не понимаю, почему должна выворачивать перед тобой душу, но...

Он вдруг покраснел так, что шея пошла пятнами и лоб влажно и нездорово заблестел, будто у него вмиг поднялась температура. Он вытащил из подставки салфетку, зацепил ее, подставка упала, загрохотала...

— Дэн, — продолжала Глафира, когда подставка кое-как совместными усилиями была возвращена на место, — я просто хочу тебе сказать, чтоб ты особенно не расстраивался... Мне поначалу казалось, что Разлогов и есть мужчина моей жизни, понимаешь? И однажды я ему даже об этом сказала! Дура была, вот и сказала. Он пришел в ужас. Нет, правда! Он даже в лице изменился. Он сказал мне, что это невозможно. Вот просто невозможно, и все! Он сказал, что никогда не поверит никакой женщине, и я не исключение. Он сказал, что мы можем прекрасно ладить и все у нас может быть хорошо, только чтобы я не лезла к нему со своей любовью. Он сказал — ты все придумала. И ты ошибаешься. *Ты* не можешь меня любить, а я не могу любить *тебя*. Он заявил — мне предназначалась одна-единственная женщина, но ее в моей жизни никогда больше не будет. Я так понимаю, говорил он о бывшей жене, о Марине.

Глафира попила воды из стакана и зачем-то поставила его на блюдце, а кофейную чашку аккуратно пристроила рядом. И посмотрела в окно.

— Я потом часто об этом думала. И вот что придумала. Он тогда и по девицам побежал со страху, понимаешь? Чтобы как-то мне... наглядно продемонстрировать, что он герой не моего романа. Чтобы я ни на что не надеялась. Это трудно объяснить, но мне кажется, так оно и было. Разлогов вообще-то человек разборчивый и непростой, а выбирал то и дело каких-то шлюх, вроде этой Олеси. Я теперь думаю, что он их и не выбирал, а хватал первое, что под руку попадется. Ну то есть кто, а не что!..

— На хрена так жить, я не понимаю! Ты ему врешь, он тебе врет!..

Она пожала плечами.

— Да мы не особенно и врали, Дэн. Мы сразу... ну после того разговора... договорились, и все! Он не спрашивал, с кем я провела вечер, а я его не спрашивала, с кем он провел ночь. Вот и все.

— Все из-за бабок, — повторил Дэн устало, — и девки эти, из журнала, на бабки кидаются, и ты тоже вот... А на вид... благородная...

— Что ты заладил — благородная, благородная... — вспылила Глафира.

— Да я не заладил!

— А не заладил, вспоминай тогда, откуда взялась фотография! Для меня сейчас самое главное — эта фотография. Слушай, и поешь уже, а?! Ну что ты с чашкой, как дурак, сидишь!

Но Дэну есть расхотелось. Он вдруг так обессилел, что мелкой отвратительной дрожью пошли дрожать руки. Он попытался вытащить из пачки сигарету, но никак не получалось, и он вытряхнул ее досадливым резким движением.

Глафира смотрела на него, и ей было очень грустно, и жалко его. Надо же!.. Он думал, что она благородная, а она так его подвела. И совершенно неважно, что вчера он увидел ее первый раз в жизни. Все равно он на нее надеялся, а она его подвела! Она не любила Разлогова, и Разлогов ее не любил, а эта глупая литературная категория — любовь — значила для журналиста Столетова очень много.

— Дэн, — спросила Глафира, подумав про литературные категории, — ты где учился? На журналистике?

— На филфаке, — буркнул Дэн Столетов, — а какая разница?

— Оно и видно.

— Что тебе видно?! Что я дурак малолетний?! Так я это и без тебя знаю!

— Я тоже на филфаке училась, — Глафира улыбнулась. — На ромгерме.

— Да ну? — вяло удивился Дэн. Его это не интересовало. — Романо-германское отделение — это... хорошо. Это... хорошее образование.

— Дэн, не страдай.

— Я стараюсь.

И они замолчали. Глафира взяла у него из пачки сигарету, закурила и сильно затянулась.

...Затянулась. Мелодрама слишком затянулась. Надолго затянулась. Надо заканчивать.

— Дэн, вся фишка в том, что фотографии этой *не могло быть*. Но она есть. Значит, ее кто-то специально придумал! И если мы узнаем, кто именно, мы узнаем, кто взял мой бриллиант и отдал его Олесе! И, главное, зачем это было проделано.

— Я правда не знаю, — признался Дэн. — Я сдал материал, и все! Но, хочешь, узнаю.

— А как ты узнаешь? У Прохорова спрашивать нельзя.

— Да что я, не понимаю, что ли?! Я у Сапогова спрошу. Он точно скажет. А Прохоров и есть... мужчина твоей жизни?

Глафира решила, что на этот вопрос отвечать уж точно не станет.

— А Олеся могла сама собрать эту фотографию из двух? В фотошопе?

Дэн Столетов вдруг захохотал.

— Да ты видала ее, Олесю эту?

— Нет, — отрезала Глафира.

Он смутился и перестал хохотать.

— Я не это имел в виду. То есть я хочу сказать... Ну сама понимаешь... — Тут он вдруг пришел в раздражение. — Я ж тебе говорил! Она даже по мылу послать ничего не может! И, между прочим, очень этим гордится! Она нам свои фотки так и отдала, пачкой! Она даже архивировать не умеет, а уж в фотошопе точно не шарит!

— Выходит, она кого-то просила, что ли? — задумчиво задала самой себе вопрос Глафира. — Но зачем?.. Понимаешь... — И замолчала.

— Что?

Она молчала.

Кто-то зачем-то *придумал* эту фотографию. Слепил в фотошопе, собрал из нескольких и... ошибся. Глафира точно знала, что это подлог, поняла, как только увидела! Никто не мог знать о том давнем разговоре, когда Глафира рыдала, а Разлогов ходил в отдалении, очень сердитый. Он ходил, время от времени говорил что-то бессмысленное, вроде «Перестань реветь!» — а она все не унималась. Потом она постепенно затихла, он подошел, сел рядом и сказал, что не любит женских истерик.

Он любил за вечерней пение, белых павлинов и стертые карты Америки.

Не любил, когда плачут дети, чая с малиной и женской истерики.

Женской истерики Разлогов уж точно не любил.

Потом он все ей объяснил — умный, взрослый, раздраженный человек, оказавшийся совершенно чужим. Собственно, именно это он и объяснил — что он чужой. Не ее. Принадлежать ей он не хочет и, самое главное, не может. Все у нас будет хорошо, если только ты не станешь сейчас сочинять историю про любовь. Не надо ее сочинять, и придумывать ничего не надо! Я слишком много в жизни придумывал, сказал тогда Разлогов, больше не хочу. И никаких душераздирающих историй! Можно установить простые правила и им следовать. Больше ни от тебя, ни от меня ничего не требуется.

Правила были установлены — а куда деваться-то?! — и Разлогов неукоснительно их соблюдал. А Глафира, как всякая нормальная женщина, конечно же, их нарушала. О правилах никто не знал и не мог знать, вот и появилась фотография, явно подложная. И вторая, с бриллиантовым бегемотом, совершенно необъяснимая.

Как бегемот попал на палец Олеси Светозаровой и как вернулся обратно? И, главное, зачем?! Зачем была проделана такая сложная комбинация?!

Глафира замолчала и ладонями обхватила щеки.

— Ты чего? Зуб заболел?

— Дэн, когда ты сможешь узнать, кто выбрал из всех остальных и поставил в номер фотографию на пляже?

— Да как только Сапогов трубу возьмет! Он спит по субботам часов до трех, раньше ни за что не встанет, хоть из пушки стреляй!

— Позвони мне сразу, ладно?

— О'кей. А чего ты вдруг так всполошилась?

— Я не всполошилась, — с досадой сказала Глафира. — Просто я ничего не могу понять, совсем ничего...

И опять сунула лицо в сложенные ковшиком ладони.

Ты опять врешь, сказал вдруг где-то поблизости Владимир Разлогов отчетливо, настолько отчетливо, что Глафира отняла руки и огляделась. Никакого Разлогова, конечно же, не было поблизости, только Дэн Столетов, ее сегодняшний неожиданный друг, сидел напротив и таращил на нее шоколадные, печальные, как у больной мартышки, глазищи.

— Я не вру, — вслух сказала перепуганная Глафира.

— Да я понял! — ответил Дэн, но он Глафиру не интересовал решительно.

Почему я вру?! Где я вру? И почему... опять!

Потому что ты *не даешь себе труда* понять. Ты трусишь, мечешься, как белка, а на самом деле просто прячешься! Ты прячешься со страху — ты просто не можешь заставить себя понять, и ты сама это прекрасно знаешь. Ты должна разобраться, здесь и сейчас, и пойти дальше, не останавливаясь и не оборачиваясь назад. Если ты не разберешься, никуда ты не пойдешь! Ты так и будешь рассматривать прошлое и убеждать себя, что не понимаешь, что случилось с твоей жизнью. Ты не сможешь идти вперед, потому что тебе нужно будет все время оглядываться. А идти спиной вперед трудно, вернее сказать, невозможно.

...Но мне страшно! Так страшно, как не было никогда в жизни. И я точно знаю, что после того, как я *разрешу себе додумать* до конца, все изменится — опять, и опять окончательно, бесповоротно и необратимо! Никто не придет назад, и я тоже. Я стану другой, и моя прежняя жизнь тоже станет какой-то другой, и сейчас я даже не могу себе представить — какой именно. И мне страшно.

...Брось скулить, сказал Разлогов раздраженно. Какая ты, ей-богу, нервная стала! Брось скулить и думай. Ну!

— Ну, — пробормотала Глафира, — ну-ну...

Взять из коробочки бриллиантового бегемота могли три человека — сама Глафира, ее муж Разлогов и Андрей Прохоров, иногда посещавший Глафиру дома, в нарушение установленных раз и навсегда правил. Не то чтобы Глафира укладывала Прохорова в мужнину постель, просто иногда, когда Разлогов бывал далеко, Прохоров заезжал за ней, и они пили кофе, собирали Глафирин чемодан, чтобы лететь в «романтическое путешествие», и даже целовались — как раз в гардеробной, где точно не было камер. Между прочим, Глафира не испытывала никаких угрызений совести, наоборот, чувствовала себя умницей и немного проказницей — пусть Разлогов не нарушает правил, ей-то они уж точно не писаны! Что-то, конечно, было в этом такое, вроде «на-кася выкуси» и еще что-то вроде «ты первый начал», но Глафира тогда об этом не задумывалась.

Итак, их всего трое.

Сама Глафира кольцо не брала и Олесе не отдавала, это она знает точно. Значит, или Разлогов, или Прохоров.

Зачем это могло быть нужно Разлогову?.. А Прохорову зачем?

Если Разлогов решил подарить любовнице Олесе ее, Глафирино, кольцо, то почему он потом вернул его обратно? И, выходит, Разлогов просто давал его любовнице... поносить, что ли? Чтобы она в нем сфотографировалась, что ли?.. И чтобы потом отдала обратно?..

И в эту абсолютно невероятную схему ну уж никак не укладывается... романтический фотомонтаж с морского побережья! Разлогов-то точно знал, что этого не может быть, потому что не может быть никогда! Или... фотография с кольцом не имеет никакого отношения к фотографии с пляжа?! Тогда, выходит, целый заговор был сплетен вокруг совершенно рядового и никчемного материала про девушку Олесю Светозарову! Заговор почти шпионский, с подложными снимками и калёными бриллиантами!

И зачем?! Зачем? Зачем?..

Выходит, что незачем. Выходит, не Разлогов утащил у нее бриллиант. Но тогда — ввиду того, что его не утаскивала и сама Глафира! — получается, что вся комбинация была задумана именно Прохоровым.

Он утащил бриллиант, он отдал его красотке Олесе, он собрал в фотошопе невозможную пляжную картинку и велел Олесе «подсунуть» ее вместе с остальными фотографиями! В конце концов, именно он притащил журнал к себе в квартиру и выложил на стойку, чтоб Глафира уж точно, с гарантией разглядела все подробности разлоговского свинства!..

Подробности свинства. Да уж... Куда уж хуже — в смысле свинства.

И тут Глафира все поняла. Поняла и подумала совершенно хладнокровно: этого не может быть, потому что не может быть никогда, как про ту самую фотографию. От наступившей холодной ясности у нее вдруг загорелись уши, как от мороза, и она потрогала их руками, словно это были чьи-то чужие уши.

— Дэн!

— А?

— Вот мой телефон, позвони, как только тебе удастся растолкать Сапогова.

Он мельком глянул на визитную карточку — солидную, чуть желтоватую, плотной бумаги, с черными, отчетливо набранными буквами, без всяких кренделей. Глафира Суворина, к.ф.н.

— Что такое кфн? Коэффициент физического натяжения?

— Кандидат филологических наук, болван.

— А почему Суворина? Ты живешь по подложным документам?

— Почему по подложным? — не поняла Глафира.

— Или ты не Разлогова?

— Нет, — призналась она растерянно. Эти самые «подложные документы» вдруг зацепились за что-то у нее в голове, и после холодной ясности все опять закружилось, понеслось, сделалось размытым, как на смазанной фотографии. Следовало остановить карусель и подумать, но ей было некогда. Потом, все потом!..

— Мне удобнее было говорить, что я Разлогова, — объяснила она, пытаясь удержать карусель странных, невероятных мыслей, — да я и привыкла. И все привыкли!.. Глафира Разлогова, по-моему, красиво...

Господи, куда ее несет на этой самой карусели?! И все время по кругу, мимо чего-то очень важного, объясняющего все!

— Красиво, — согласился Дэн Столетов, который ничего не знал про карусель.

— Какая разница, что именно в паспорте написано!

— Никакой, — вновь согласился Дэн.

— И Разлогов всегда меня так представлял — Глафира Разлогова, моя жена. Нам казалось, это логично.

— Логично, — продолжал соглашаться Дэн, не понимавший, к чему такие долгие объяснения.

— А на самом деле, ну в паспорте, я Суворина, и нет никаких подложных документов!.. — Тут она споткнулась и замолчала.

Из динамиков вдруг грянула какая-то совсем не утренняя, тяжелая музыка, и тот самый дядька, что поглядывал на них, сложил свою газету и поднялся.

Глафира прикрыла глаза. Ей казалось, что она мертвой хваткой вцепилась в карусель, и та несет ее, и теперь никак нельзя остановиться, и отпустить тоже никак нельзя!

— Дэн, ты должен мне помочь. Одна я не справлюсь!

— Так я ж сказал, Сапогов как трубу возьмет, так и я сразу! Кандидат филологических наук, надо же...

— Нет. Мне нужно, чтоб ты позвонил еще в одно место. Это очень важно! Подложные документы, черт побери!

Она вдруг засмеялась каким-то странным, горловым смехом, и Дэн посмотрел на нее с удивлением и недоверием — никак рыдает?!

— Какие же они подложные, когда они самые настоящие!

— Вот ты сейчас... о чем говоришь?

— О документах, Дэн! Ты позвонишь?

— Куда звонить-то? Давай телефон, позвоню.

— Нет, — пробормотала Глафира, потянула с соседнего стула свой необыкновенный шарф, и с него вдруг все посыпалось — и куртка, и сумка, и из сумки вывалились какие-то причиндалы.

Глафира нырнула под стол. И Дэн тоже нырнул.

— Я не могу тебе сейчас дать телефон, — продолжала под столом Глафира, запихивая куртку в сумку. — У меня его нет, только дома. Ты сможешь со мной доехать до моего дома и оттуда позвонить? Это неблизко, но я тебя потом отвезу в Москву, куда скажешь!.. Ну хочешь, сюда верну!

Дэн вынул из ее сумки куртку и покидал туда ручки, узенький ежедневник, пакетик с носовыми платками.

— Во-он еще зеркало закатилось, видишь?

Дэн сунул руку под батарею, добыл зеркальце, и

они вылезли из-под стола. И уставились друг на друга.

— А... кому звонить-то?

— Я тебе скажу. Одной бабусе.

— Кому-у?

— Бабусе, — Глафира махнула рукой, — бабусе-ягусе. Какая тебе разница?

Он пожал плечами.

— Поедешь?

— Поеду. И можно меня никуда потом не возить, — тут он сделал независимое лицо. — Сам доберусь, не маленький.

— От нас не доберешься, — Глафира так замахала официантке, как будто пыталась с необитаемого острова сигнализировать проходящему мимо пароходу. — Там кругом лес. А в лесу кабаны и лоси. Что ты сидишь?! Вставай, поедем!

— Мы еще не заплатили.

— Давай-давай! Если мы встанем, они быстрее подойдут!

— Не, а что такое-то?! Что за паника-то?

— Да не паника, — ответила Глафира, наматывая на шею свой необыкновенный шарф. — Все теперь зависит от этого звонка. Если я правильно думаю, значит...

— Что значит?

— Значит, я знаю, кто убил моего мужа. Вставай-вставай, поехали!

— Верочка! Ве-ера!

Никакого ответа.

Марина нервничала, и руки у нее были холодные. Она приложила их к щекам. Щеки горели, и от холодных рук на миг стало приятно.

— Вера Васильна!

На зов явился Костенька — как всегда, когда никто его не ждал, не звал.

— Мариночка, девочка, — заговорил он с порога, — что такое? Ты звала?

Марина помедлила, продлевая прохладное прикосновение ладоней к огненным щекам, потом медленно отняла руки и медленно повернулась.

— Костенька, — сказала она устало, будто не веря себе, — Костенька, голубчик! Я Веру звала! Что такое, где она может быть? Или в этом доме меня уже никто, никто не слышит?

Муж вдвинулся поглубже, глядя поверх половинчатых очков для чтения, которых он стеснялся. Марина посмотрела ему в лицо, до смешного старческое в этих самых половинках, как у пожилой гориллы — впалые щеки с пролезшей седой щетиной, очень неопрятной, с круговыми морщинами вокруг слабовольного бескровного рта, с сенбернаровскими складками на унылом лобике.

Марина взглянула еще раз и отвернулась — несколько быстрее, чем нужно. Нужно было посмотреть подольше и понежнее, а у нее... не получилось из-за этих проклятых половинчатых очочков и горильих складок морщинистого личика! Костенька, как всякий тонкий мужчина и гаремный персонаж, моментально заподозрил неладное.

— Ты плохо себя чувствуешь? Вон и щечки горят! Может, температура?! — Он обернулся в сторону коридора и прокричал туда, в глубину, нарочно встревоженным голосом: — Вера! Вера, чтоб вас! Градусник подайте.

— Костенька, ничего не нужно, — сказала Марина, мельком подумав, что температура была бы прекрасной придумкой. — Мне ничего, ничего не нужно!

— Как же, Мариночка, не нужно! Щеки-то горят, я вижу!..

В коридоре завозилось и затопало, как будто по нему прошел конь, оттуда завздыхало, засопело и донеслось:

— Кому подать-то?..

— Что?! — взорвался Костенька, срывая свои немыслимые очочки. — Что вы там такое бормочете?!

— Градусник кому? — громко спросила старуха, появляясь на пороге. В руке у нее что-то ртутно взблескивало.

Марина улыбнулась затаенной улыбкой.

— Так Мариночке же! Что это вас не дозовешься, право слово!

— Тута я, — объявила Вера, — чего меня зватьто! А у Мариночки никакой температуры нету, я знаю. А если вам градусник, так возьмите, вот он.

И протянула то, что ртутно блестело у нее в руке.

— Да мне не нужно, а вот Марина...

— Нету у нее температуры, — отрезала Вера, — а щечки, это у нее от роли! Роль, чай, не простая, из рыцарских времен.

Бедная пожилая горилла — Костенька совсем растерялся. Так, что даже заморгал редкими ресничками.

— Вера, послушайте!.. Вера... Нет, а откуда вы знаете, что у Марины нет температуры?!

Вера вошла в комнату и с суровым видом поправила кружевную салфетку под бронзовым бюстиком. У салфетки якобы завернулся край.

— Мариночка утром спали до первого часу, — мрачно доложила старуха, не отрываясь от салфеточки, — а потом скушали четыре сырничка и выпили соку. Потом учили роль из рыцарской жизни.

Марина и впрямь все утро восклицала: «Чертовы тамплиеры!» — просто так, шалила. А старухато не промах!..

— Так что никакой температуры у них нету нынче. А вам, Константин Николаевич, пожалуйте градусник, и клюквы хотите, сей момент накипячу!..

— Не надо мне никакой клюквы, боже мой!

— А не надо, так, может, кофею подать?

273

— Вера, — вмешалась Марина, — я вас звала.

— Да я не сию минуту поднялась, — виновато сказала старуха, — чегой-то в ушах у меня будто гудет тихонечко. Не слыхать ничего, один гудеж!..

— Если б вы по ночам не путешествовали, — с сердцем выговорила Марина, — ничего бы у вас нигде не гудело!

Ей было ужасно жаль старуху, так, что она чуть не заплакала. Господи, вот досталось ей, Марине, такое нежное и мягкое сердце, всех ей жаль! Но ведь уже ничего, ничего не изменить! И Марине ли этого не знать?!

— Вера, нужно принять еще таблетку.

— Да я уж...

— Нужно еще принять, Вера! Я сегодня должна уехать, а вы позволяете себе расклеиваться! Что за старушечьи причуды?!

— Да где уж...

— Смысл лекарства, — строго продолжала Марина тем самым голосом, что повторяла все утро: «Чертовы тамплиеры!» — в регулярном приеме! У вас в ушах гудит от давления. Что я буду делать, если вы сляжете!

— Да уж я ни за что...

— О господи! — Сердитыми шагами Марина вышла за дверь, потеснив старуху, и вскоре вернулась с таблеткой и стаканом. — Вы мне надоели! Пейте.

Вера покорно, как послушная собака, торопясь выполнить хозяйский приказ, с усилием проглотила большую белую таблетку и запила водой. Морщинистая шея у нее дрогнула.

Марина отвела глаза. Нет, это невыносимо! Ей нужно уехать. Срочно, прямо сейчас. И все сделается само собой.

Еще немного потерпеть неудобство, и все, все! Впрочем, как только за ней, Мариной, закроется дверь, второе действие закончится. Можно будет передохнуть немного и сыграть третье, последнее, самое великолепное! Марина много раз представляла себе, *как* она его сыграет — легко, красиво, ослепительно!

Она легко подула на хрустальные подвески старинного подсвечника, послушала, как они звенят, и улыбнулась. Давным-давно, в детстве она слышала песенку, где пелось как раз про Марину.

Мы назовем ее Мариной, пелось в песенке, ведь это имя в нас обоих. В нем отголосок журавлиный и звон подсвечников старинных. Назовем ее Мариной!..

Эта песенка очень нравилась юному Разлогову. Он все повторял про журавлей и подсвечники, и глаза у него делались темными и страшными. У него вообще были страшные глаза!..

Марина рассердилась и оглянулась на своих. Костенька рассматривал картину — что там рассматривать-то, все уж сто раз видено! Бабка топталась возле дверей, сопела, не решалась уйти. Выглядела она действительно неважно.

— Вера, идите и лягте, — велела Марина ласково-приказывающим тоном.

— Я сумочку там приготовила, как обычно, — пробубнила Вера, — ватрушечка там с самого верха, теплая еще...

— Хорошо, хорошо! Идите!

Вера еще помялась.

— Ну что такое?

— Вас провожу, а потом лягу, — виновато сказала старуха, — как же не проводить-то! Всю жизнь провожаю, а тута...

— Тута! — передразнила Марина. Ей было ужасно жалко бабку и хотелось, чтобы та поскорее ушла с глаз долой! — Здеся!.. Идите уже!

Бабка посмотрела на нее все теми же собачьими глазами, пожевала губами и поплелась вон. В дверях остановилась и быстро, украдкой, Марину перекрестила.

Когда стихло старушечье шарканье, Марина пробормотала:

— Чертовы тамплиеры! — и повернулась к мужу.

— Бедная девочка, — немедленно сказал Костенька, — за всех ты переживаешь, обо всех беспокоишься!..

Сейчас подойдет приложиться к ручке, поняла Марина. Костенька приблизился, нашарил холодную Маринину руку и поцеловал, как всегда, в ладонь. Вот ведь странность какая! Костеньку все тянет «к ручке», а Разлогов никогда, ни разу в жизни не целовал ей рук! Интересно, почему?..

Марина задумчиво подула на подвески, и они опять прозвенели тихонечко.

— Милый, — начала она, — я сейчас уеду, ты знаешь куда.

Милый сочувственно покивал, привлек ее к себе и обнял за голову. Марина пристроила щеку ему на плечо. От его жилета уютно пахло свежим табачным дымом.

— Ты проследи за Верой, сделай милость, — продолжала Марина, нюхая жилет, — таблетки я оставила, четыре штуки. Пусть она непременно примет, непременно!

— Непременно прослежу, — согласился Костенька. Марина знала, что так оно и будет. В этих вопросах Костенька до смешного педантичен! Он всегда очень любил лечиться и не пускал это дело на самотек. За Верой — в смысле таблеток, — он присмотрит, можно не волноваться.

— Вот и хорошо, — Марина отстранилась, запах Костенькиного табака ей надоел. — Я приеду вечером во вторник, у нас как раз в среду с утра читка.

— Господи, — всплеснул руками Костенька, — а отдохнуть? А прийти в себя? Марина, ты себя совершенно не жалеешь.

— Мне достаточно, что ты меня жалеешь, — голосом чеховской героини произнесла Марина и покосилась на подвески. Как дивно они звенели, даже песенка вспомнилась давняя, из прошлого!

И тут же подумала: как хорошо, что Разлогов — это прошлое! Как быстро настоящее становится ненастоящим! То есть прошлым. Вот и сейчас так. Она уедет. А вернется в уже другое настоящее, и то, будущее настоящее, станет самым настоящим!

Тут она заторопилась. Даже при всей ее выдержке ей было... трудновато. Она быстро оделась — свитер, стеганая теплая куртка, образец британского стиля, Костенькин подарок, меховые сапожки и платок. Куда там Грейс Келли до Марины Нескоровой! Что *там* эта Грейс могла сыграть?! А вот поди ж ты, считается великой до сих пор, и это просто несправедливо.

Костенька, спустившийся ее проводить, основательно установил сумку в багажник, чтоб не опрокинулась и не каталась, потом так же основательно поцеловал обе Маринины ручки.

— Иди домой, милый, — продолжая привычную игру и точно зная, что из всех окон смотрят соседи, попросила Марина, — простынешь!.. Иди-иди!

Но он мужественно мерз все время, пока она садилась в машину, запускала двигатель и давала задний ход. В окно она покивала и поулыбалась ему, до такой пошлости, как воздушные поцелуи, она никогда не опускалась, и в зеркале заднего вида до самого выезда со двора видела его сутулую фигуру в пиджаке с поднятым воротником.

Потом она выехала на пустую набережную, залитую холодным осенним солнцем, зажмурилась и нацепила темные очки. В Москве было чисто, ярко и пусто, как в Париже.

— Хочу в Париж, — громко сказала Марина. — Поеду в Париж жить. У меня будет квартира на авеню Фош, и я буду гулять по осенним бульварам!

Дорога предстояла неблизкая, и Марина включила радио — по субботам диджеи, уставшие от «ротации» всякого непотребного мусора, иногда ставили хорошую музыку. Кроме того, у нее были диски! Разумеется, классика — Чайковский, конечно же, Первый концерт, и Рахманинов, конечно же, Второй, и, как обязательное дополнение, «Фантазия-экспромт» Шопена и «Времена года» Вивальди. Все как положено. Еще, разумеется, легкий джаз — Костенька привез из Алабамы, классические прокуренные негритянские блюзы. И конечно же, Высоцкий. Но это то, что она слушала, так сказать, «на сцене». Вот если б кто-нибудь заглянул в машину великой актрисы, то услышал бы или бархатные голоса, или симфонический оркестр — на выбор. «Для себя» в потайном отделении барлачка Марина держала сборничек, где были «Белые розы», «День рожденья грустный праздник» и «Дельфин и русалка».

Под песнопения разнообразных русалок и дельфинов Марина незаметно проехала километров триста. Дорога от Москвы была, разумеется, плоховата, пустынна, и Марина ехала себе, не торопясь, в деревнях дисциплинированно снижала скорость, посматривала по сторонам. Возле какой-то бабки, напомнившей ей Веру, остановилась купить картошки. Здесь ее никто не узнавал, ее слава была слишком велика и высока, чтоб в придорожной деревне ее кто-нибудь мог узнать и как-то... соотнести с великой русской актрисой! Кроме того, она придумала отличную маскировку! В три приема она заплела волосы в косу и колбаской уложила на темечко, на манер украинской политической дамы. Такая прическа не идет решительно никому, а уж красавицу Марину она портила необыкновенно, поразительно! И портила, и старила, и Марину это очень забавляло. С колбаской на голове, да в стеганой куртке, больше напоминавшей телогрейку — Костенькин любимый «британский стиль», — Марина делалась похожей на председательницу сельсовета какой-нибудь деревни Бобры Дальние, и картошку покупала, как председательша, долго и громогласно торговалась, норовила недодать десятку, называла старуху «мать» и все время повторяла: «В ваш пакет, своего у меня нету!»

Наигравшись вволю, она швырнула картошку в багажник — рассыплется, и черт с ней, водитель потом все подчистит! — и вновь поехала на запад, на красное солнце, холодное и почти невероятное в это время года.

Она ехала и думала — я как то солнце. Холодное и невероятное.

Когда-то Разлогов, глупый, влюбленный мальчишка, мечтал, как у него будет машина и он станет на ней катать ее, Марину. Почему-то ему очень хотелось поехать с ней в Питер, и он рассказывал ей про дорогу — через Тверь, Торжок, Вышний Волочек, минуя Выдропужск, до Великого Новгорода, а там рукой подать. Про Выдропужск он говорил, что там, по всей видимости, «пужают выдру». Марина слушала, хохотала, представляла себе, как именно «пужают» эту самую выдру, мечтала о машине и о крохотном магазинчике в Клину, где продают свежий хлеб и самую вкусную в мире докторскую колбасу!.. Она подыгрывала ему, и он верил. Тогда еще во все верил.

Это потом он уже ни во что не верил. И ей никогда не удавалось сыграть так, чтоб он поверил.

На самом деле это даже обидно!.. Ради него она иногда делала отчаянные глупости, стремясь зачем-то убедить его в том, что ее игра — никакая не игра, а самая настоящая правда, и у нее не получалось!

Хорошо, что он умер, и вместе с ним умерло все то прошлое, которое *не настоящее*. И она сама придумала себе настоящее прошлое, и никто не смеет сомневаться в том, что оно самое настоящее!

В сумерках — осенью темнеет рано — она свер-

279

нула с Минской трассы, немножко попрыгала по ухабам, остановилась возле белого домика с красной черепичной крышей и печной трубой с флюгером. Этим флюгером она особенно гордилась!

Сухонький старичок-сосед вышел на свет фар и шум двигателя, увидел Марину и закивал приветливо.

— Вера Васильевна! — закричал он, когда Марина опустила стекло. — С приездом благополученьким вас! Ключики сейчас поднесу!

Уверяя Марину, что дом присмотрел «наилучшим образом», старичок отомкнул ворота, распахнул створки и, повторяя, чтоб «Вера Васильевна» ни о чем не беспокоилась, кое-как взобрался на крылечко, открыл дверь и зажег свет.

Марина глубоко и с удовольствием вдохнула. Воздух здесь был холодный и крепкий, настоянный на смоленских яблоках, жухлой траве и речной воде.

В доме было тепло и хорошо пахло чистотой и деревом. Марина втащила свою сумку и пакет с проклятой картошкой, которая, ясное дело, раскатилась по всему багажнику, и она не стала собирать, взяла, что осталось, да и дело с концом!..

Выдав соседу «на угощение», она заперла за ним дверь, первым делом растрепала ненавистную колбаску на голове и пошла из комнаты в комнату, везде зажигая свет.

Ну вот и все. Теперь она «в домике». Здесь ее никто не достанет.

Полы поскрипывали, и дом оживал, узнавая хозяйку. Это было ее убежище, ее потайной замок, и для всех здесь она была никакой не Мариной Нескоровой, а Верой Васильевной Савушкиной. Именно по старухиному паспорту Марина когда-то покупала здесь участок, и местным бобрам и бобрикам даже в голову не пришло, что Марина, даже с колбаской на голове, не может быть тридцать пятого года рождения!.. А уж фотографию-то вообще никто не смотрел никогда!

Подумав про Веру, Марина судорожно вздохнула, сжала и отпустила руки... И нечего вздыхать! Ты не на сцене. Ты прекрасно понимаешь, что по-другому было нельзя! Никак нельзя.

Тут ее затрясло так сильно, что отчетливо клацнули друг о друга зубы.

— Нет, — громко сказала Марина, — нет! Прекрати сейчас же! Ты, проклятая тварь!

Но проклятая трясущаяся тварь уже выползла наружу, вся в липкой вонючей зеленой слизи, от которой Марину затрясло еще больше. Тварь нагло скалила неровные зубы и сучила бородавчатыми лапами, вызывая у нее новые приступы неудержимой тошноты.

— Я знаю, что надо делать! — сказала Марина твари. — Я знаю, чего ты боишься!

И она кинулась к сумке, трясущимися от ненависти и страха руками кое-как расстегнула «молнию» — там в вещах у нее была зарыта бутылка виски, единственное спасение, — и накинулась на плоский сверток. Старухин пирог, поняла Марина. Ватрушечка.

Сверху он уже остыл, но снизу был еще теплый, заботливо укутанный в чистую белую салфетку с вышитым краем.

Марина тоненько, по-заячьи закричала, выхватила сверток и изо всех сил швырнула его в стену.

— Отстань от меня!

— Да не дело ты задумала, говорю тебе! Поедем отсюда, а, Варь? Ну Ва-арь! Ну поедем отсюда!

Он шел за Варей, скулил и лишал ее последних остатков так называемого мужества.

Господи, какое там у нее мужество! Прав отец, мерехлюндии сплошные!

Огромный серый старый московский дом нависал над ней, как великан над букашкой. Еще одно движение, она войдет в его тень — и великан заметит ее и раздавит. Стараясь не слушать бухтения Вадима, Варя задрала голову и посмотрела. Говорят, когда-то башни строили заключенные, и все эти кирпичи — до неба! — все шпили, статуи, портики положены и поставлены невольничьими руками. Руками рабов.

Может, поэтому — из-за рабов, — а может, потому, что в доме жил Волошин, все эти кирпичи — до неба! — ее пугали.

Раньше ее никогда не пугали... дома.

Кажется, Вадим до последней секунды не верил, что она на *самом деле* потащится к разлоговскому заместителю, потому что отстал только у подъезда.

— Я тебя тут жду, — буркнул он недовольно, и она на него оглянулась.

Сделав оскорбленное лицо, он стоял на тротуаре, и даже его коричневая кожаная куртка выражала возмущение.

— Я... сейчас, — зачем-то шепотом пообещала ему Варя, так, что услышать ее он никак не мог. Или это она себе сказала — я сейчас?

— К кому? — проскрипел домофон, когда она нажала блестящую кнопочку.

— В тридцать третью квартиру.

— Ждут? — осведомился домофон.

Варя точно знала, что нет.

— Ждут.

В домофоне зашуршало, потом раздался пронзительный писк, и дверь чуть подалась. Варя налегла и отворила ее.

В громадном и пустом холле, похожем на вестибюль метро в два часа ночи, было сумеречно, шаги гулко отдавались от стен. Варя несколько раз здесь бывала, привозила бумаги и всегда поражалась холоду и простору!..

...С Тухачевского когда-то все виделось иначе — шикарней, уютней, аристократичней. С Тухачевского казалось — где деньги, там и счастье, радость, веселье, море беззаботного света и тепла. Про холодные, гулкие своды как-то и не думалось никогда. И про то, что жить здесь, пожалуй, нелегко, тоже не думалось.

Впрочем, одернула себя Варя, тебе здесь жить вряд ли придется! И приспосабливать себя к сводам тоже едва ли понадобится. Холодные они или не холодные, нам это неважно. Нам на метро до «Сокола», а там до Тухачевского рукой подать, вот и все дела!

Волошин открыл дверь моментально, как будто стоял и ждал, когда кто-нибудь позвонит.

— Здрасти, Марк Анатольевич.

Ей-богу, он даже в лице переменился. Он переменился в лице, помедлил и спросил, что случилось.

— Ничего, — зачастила Варя, всерьез опасаясь, что он выставит ее вон, — правда, ничего, Марк Анатольевич! Я хотела вас предупредить, но у меня телефон разрядился...

Это было вранье чистой воды.

Звонить она не стала, потому что была уверена — он ее не примет. «По субботам я не принимаю, дождитесь понедельника!»

Но Варя решительно не могла ждать до понедельника!..

— Что у вас... разрядилось? — уточнил Волошин.

— Телефон, — упавшим голосом повторила несчастная Варя и вперила глаза в пол. — И я не смогла вам позвонить.

— Отлично, — оценил Волошин.

Он не приглашал ее войти и вообще не делал ни одного движения, и Варе вдруг стало страшно и стыдно. Так стыдно, что даже слезы навернулись на глаза. Зачем она приехала?! Да еще без предупреждения?! Спасать человека, который явно не нуждается в том, чтоб она его спасала?!

— Марк Анатольевич, — заспешила Варя и несколько подалась назад, к громоздкому старинному лифту, который только что ее привез, — я все поняла... Извините меня. То есть прошу прощения. Я тогда лучше в понедельник...

Он слушал, молчал и не двигался.

Варя поняла, что нужно спасаться сию же минуту, сейчас. Промедление смерти подобно.

— Я просто поняла, где могут быть вторые ключи... Ну у нас сейф не открывался... До свидания, Марк Анатольевич!

— Хватит дурака валять, — вдруг сказал Волошин негромко. — Я... м-м-м... не ждал гостей, но проходите!

И он посторонился, пропуская ее внутрь. Варя еще потопталась немного — он терпеливо ждал, — потом шмыгнула мимо него в прихожую.

— Проходите. Можете не разуваться.

Варя моментально разулась — как это, идти в дом в башмаках?! На Тухачевского гости всегда смиренно снимали в прихожей ботинки!

Волошин поморщился, словно она при нем сделала что-то неприличное, и пошел по длиннющему, уставленному книжными полками коридору куда-то вдаль. Варя поплелась за ним, разутая, но в куртке.

Он привел ее в кабинет — огромную комнату с эркером, темную от книжных шкафов и дубовых панелей. Такие шкафы и панели Варя видела в кино. Кино называлось «Джен Эйр».

— Присаживайтесь.

Варя быстро оглянулась и пристроилась на край кожаного дивана. Край оказался холодным и скользким.

— Что случилось?

Варя вздохнула. В куртке ей было жарко, и сидеть очень неудобно. Проклятый диван!

— Марк Анатольевич, — начала она, — я вдруг подумала, что ключ, который не подходит к нашему сейфу, может быть от того сейфа, который ставили Разлогову на даче. Было же два сейфа! А ключи очень похожи, желтые с буквами «Крупп»! Вот я и подумала, что их запросто могли поменять! Ну случайно! — Тут она взглянула на Волошина и потянула с шеи шарф.

Он смотрел на нее пристально, как сова, и моргал так же редко. В этом совином выражении было что-то на самом деле страшное.

— Марк Анатольевич, я, ей-богу, просто так подумала... — Варя поднялась с дивана и взялась рукой за его холодную скользкую спинку. — И тот телефон, который, помните, не отвечал, так он и не мог ответить, потому что это не тот телефон... Что вы на меня так смотрите?

— Что вам нужно?

— Ни... ничего, — глотнув сухим горлом, выговорила Варя. — Мне ничего не нужно, Марк Анатольевич.

— Зачем вы пришли?!

Устав бояться, Варя вся подалась к нему, чтобы объяснить, убедить, заставить понять, и сдернула наконец с шеи проклятый жаркий шарф.

— Из-за ключа! Я подумала, что их просто могли случайно поменять! Ну... после всего, что случилось! Вот теперь наш ключ и не подходит.

Волошин кивнул.

— А мы ищем-ищем, но ведь такое может быть, Марк Анатольевич! И нужно просто поехать к Глафире Сергеевне и поменять обратно, понимаете?

Волошин снова кивнул.

— И наш сейф откроется! И вся эта ерунда объяснится.

— Какая ерунда?

— Ну из-за которой мы нервничаем.

— Мы?! — поразился Волошин и вдруг перестал быть похожим на сову.

— Да, да, — затараторила Варя, — с этим дурацким ключом!

— Что вы искали у Разлогова в столе?

Она не дрогнула и не отвела глаз. Волошин удивился ее мужеству.

— Ключ от нашего сейфа, — сказала она. — Я думала, что просто так пропасть он не мог, а про второй сейф, дачный, вспомнила только сегодня утром.

— Зачем вам ключ от сейфа?

Она посмотрела на него с печальным удивлением.

— А как же, Марк Анатольевич?! Если он пропал у меня из-под носа, значит, я плохо работаю! Куда он мог деться?! И вы из-за этого ключа... беспокоитесь сильно.

— С чего вы взяли, что я беспокоюсь?

— Я видела вас тогда ночью. Когда вы вдруг вернулись на работу.

— Вот как?

— Я просто допоздна сидела, — вновь, как будто оправдываясь, заговорила она.

В чем-то она пыталась его убедить, и он никак не мог понять, в чем именно! В собственной искренности? Он не верил в ее искренность! В служебном рвении? Наплевать ему на ее служебное рвение! В желании помочь? На черта ему сдалась ее помощь!

— Я просто допоздна работала, — продолжала она, а он все рассматривал ее, — потом у меня ключ не подошел, потом я вам позвонила! Потом еще кто-то позвонил и сказал, что Разлогова... что он не сам умер, в общем. И... я вас видела той ночью.

— И что из этого?

— Я думала, что раз вы так заволновались, значит, ключ — это очень серьезно! И я стала его искать. И не могла найти. А про второй...

— Да-да, — перебил Волошин, — про второй вы вспомнили только сегодня утром. Я одного не понимаю. Вам-то что за дело?!

Варя так растерялась, что у нее подкосились ноги, как будто вдруг перестали держать. Она неловко приткнулась на холодный диванный валик и тут же поднялась.

— Марк Анатольевич, вы не подумайте, что я...

— Что вы?

— Я просто хотела найти ключ! — очень громко от страха выговорила Варя. — И мне казалось, что это важно!

— Для кого важно?

— Для вас! — крикнула она. — Да что это такое, а?! Почему вы меня... допрашиваете?! Что я вам сделала?!

— Вы лезете куда не следует!

— Я никуда не лезу! Я просто делаю свою работу! И если вы боитесь, что я...

— Я ничего не боюсь!

— ...Что я узнаю то, что мне знать не положено, значит!..

— Значит?..

— Значит, вы не тот, кем прикидываетесь!

— А кем я прикидываюсь?

— Порядочным человеком! — тут она вдруг топнула ногой и сжала кулачки. — И, значит, папа прав, вы не люди, а... волки!

— Римский?

Она тяжело дышала, стараясь не зарыдать, и ей это удавалось. Пожалуй, за мужество ее можно уважать, мельком подумал Волошин. Держится она хорошо. Достойно.

— Что римский?

— Папа римский сказал вам, что я не человек, а волк?

— Я поеду, Марк Анатольевич, — твердо и громко сказала Варя. — Извините. Можете в понедельник меня уволить.

— Уволю, — пообещал Волошин, — так что до понедельника давайте без мелодрам, образных сравнений и папы римского! Значит, вы решили, что ключи просто перепутали. Кто мог их перепутать? Разлогов?

— Разлогов не мог, — все так же отчетливо-громко выговорила Варя.

...Господи, во что она ввязалась?! Кого решила спасать?! И зачем?! Невозможно спасти того, кто не хочет спасаться или убежден в том, что спаситель — враг, который пришел, чтобы его добить!

Разлогов уже умер, а сейф мы после этого открывали, я точно знаю. Так что, скорее всего, их перепутала Глафира Сергеевна или вы сами. — Тут она остановилась и добавила потише: — Просто случайно.

— Глафира Сергеевна у нас на работе после смерти мужа не была ни разу, — холодно сказал Волошин. — И вам об этом отлично известно! Ключи мог перепутать только я. И, вы правы, я их перепутал.

Варя вытаращила глаза. Сверкнули ее очки. Кого-то она все время напоминала Волошину, и это было... неприятное напоминание. Только он никак не мог вспомнить, кого именно.

— Ну да, — морщась, продолжал Волошин, — ключи я перепутал. Но вся штука в том, что тот, который у меня, не подходит тоже!

— Как?! — поразилась Варя. — Вы пробовали?!

— Примерно раз тридцать. И ни разу он не подошел, представьте.

— Марк Анатольевич, можно мне куртку снять? — вдруг спросила она школьным голосом. — Ужасно жарко.

— Извините меня, — помолчав, сказал он, и благодарная Варя моментально стянула куртку.

От ее благодарного личика и еще от того, что куртку у нее он так и не принял, ему стало неловко. Мать говорила, что в последнее время он стал похож на шпица Дона Карлоса. Дон Карлос лаял на всех без разбору хриплым от старости лаем, а когда не лаял, все равно бывал всем недоволен, сопел и смотрел на людей презрительно.

Один в один он, Марк Волошин!..

— Но если второй тоже не подходит, — забормотала Варя, — значит, должно быть какое-то объяснение...

— Никакого нет.

— Должно быть, Марк Анатольевич!

Сейчас ты додумаешься до того, что ключи я мог перепутать, только если лазил в домашний разлоговский сейф, подумал мизантроп Дон Карлос. И задашься вопросом, зачем меня туда понесло и что именно я мог там искать. Ты ведь... умная девочка!.. Ты ведь и ко мне прилетела... неспроста! Какая-то цель у тебя есть, правда, девочка? Должна быть какая-то очень простая и ясная цель, и это явно не желание найти ключ от сейфа!

...Правда, девочка?..

Так с ним бывало в последнее время — он расслаблялся на секунду, а потом снова весь подбирался, жесткий, неприступный и ощетиненный, как кусок колючей проволоки.

— Стойте! — вдруг вскрикнула Варя и схватила его за рукав. — Стойте, Марк Анатольевич!

— Я... стою.

Он не успел еще как следует принять вид куска колючей проволоки, и Варя окончательно сбила его своим хватаньем за рукав. Он смотрел на нее с любопытством, обычным искренним любопытством, как нормальный человек.

— Был еще один ключ! — выпалила Варя радо-

10-2768

стно. — Ну конечно! Вспомните! Мы заказывали два сейфа фирмы «Крупп».

— Два, но не три же!

— И один дверной замок! Той же фирмы. То есть где-то есть еще один желтый ключ с буквами «Крупп»! И я даже знаю, где он есть!

— Черт побери, — сказал Волошин весело. — Точно!

— Замок ставили у Разлогова в кабинете, на даче! Значит, ключ этот на даче!

Волошин быстро соображал. Как он мог забыть про кабинетный ключ?! Ведь он действительно был, и той же фирмы, а они все, эти ключи, похожи как две капли воды?! И Разлогов действительно держал дверь в кабинет запертой на ключ, потому что его собака повадилась заходить и валяться на бумагах, которые хозяин вечно расшвыривал где ни попадя! Однажды таким макаром разлоговская собака прочитала научный труд по химии, переданный в «Эксимер» на рецензию. Научный труд в министерство направил самородок из Саратова, а из министерства переслали Разлогову, чтоб тот дал компетентное заключение, ну и чтоб самим с самородком не связываться. Суть труда по химии заключалась в том, что вода имеет молекулярную и атомную память, теория подкреплялась примерами из русских народных сказок о «живой» воде, способной поднять на ноги мертвеца, и «мертвой», способной свалить с ног хоть кого, даже Змея Горыныча. Предлагалось выделить бюджетное финансирование — на научное исследование и создание установки, генерирующей, с одной стороны, «живую», а с другой — «мертвую» воду. По создании установки предполагалось установить полное мировое господство, более ни рубля не тратить на военные нужды, а все высвободившиеся деньги пустить на построение на Земле полного и окончательного коммунизма.

Разлогов прочитал труд самородка, написал на первой странице заключение — «Наукообразный бред и мракобесие» — и швырнул труд в угол. Разлоговская собака довела заключение до логического конца. Она явилась в кабинет, обнаружила в углу труд, перелистала его и не нашла ничего лучшего, чем часть изорвать в клочки, а часть изжевать до неузнаваемости.

Все бы ничего, но труд был «на контроле» в министерстве, и, матерясь, хохоча и угрожая мастифу установкой с «мертвой» водой, Разлогов полночи клеил труд скотчем, а потом копировал на ксероксе, чтоб повреждения были не так заметны. Разлоговская собака сидела рядом, смотрела с интересом и вроде бы даже сочувствовала, но с тех пор из доверия вышла. Кабинет Разлогов стал запирать. Он был заперт всегда — Разлогов выходил и поворачивал ключ, который из замка никогда не вынимался.

Выходит, Волошин перепутал все ключи?! Выходит, он открыл запертую дверь в разлоговский кабинет, машинально сунул ключ от двери в карман, где уже был ключ от офисного сейфа, потом открыл и закрыл кабинетный сейф, не найдя там того, за чем он, собственно, приезжал на дачу. Он сильно нервничал, все время прислушивался, трясся, как заяц, и ненавидел себя — эту ненависть он помнил отлично, от нее даже во рту был дрянной вкус, как от дешевых сигарет! Значит, он вышел, вставил ключ в замочную скважину двери — это он тоже помнил отлично, — а потом... потом...

— Марк Анатольевич, что с вами? Вам плохо?

— Хорошо.

— Марк Анатольевич, может, воды принести?

— Ничего не нужно.

— Марк Анатольевич, может...

Волошин повернулся и размашистыми шагами ушел от нее куда-то, Варя не поняла куда, как не поняла и того, что с ним могло приключиться на ее глазах такого страшного, отчего он сначала побледнел, потом позеленел, глаза у него как будто провалились, и нос вытянулся. Она постояла-постояла возле громадного дивана, косясь на кожаную прямую спинку, на которой лежал отсвет тусклого осеннего дня. И этот кожаный блеск раздражал и пугал ее, словно рядом лежала огромная рептилия, Варя отошла от дивана, пожала плечами и выглянула в коридор.

Никого.

— Марк Анатольевич! — Она прислушалась. — Я еще хотела рассказать про телефон!

Некоторое время ничего не происходило, а потом Волошин появился с другой стороны, не с той, куда она смотрела.

— Идите сюда.

— А?!

— Идите сюда.

И пропал из глаз. Варя кинулась на зов, споткнулась о какую-то скамеечку, ушибла ногу, заскакала, шипя от боли, и очнулась еще в одном сумеречном помещении, заставленном дубовыми шкафами. Только здесь в шкафах были не книги, а тарелки, стоявшие как-то не по-людски. Нормальные тарелки стоят нормально, стопочками, друг на друге, а тут они были выставлены... лицом, как книги на выставочном стенде!

В помещении было очень холодно, и немудрено — окно распахнуто, обе створки! Резко пахло каким-то лекарством. Волошин сидел за столом, перед его носом стоял стакан и были рассыпаны крошечные белые таблеточки.

— Извините, — буркнул Волошин. — Я не хотел вас пугать.

Варя посмотрела на него и перевела взгляд на таблеточки.

— Я не испугалась, — сказала она медленно. И еще посмотрела. — У вас есть аппарат для измерения давления?

— Зачем?

— Я бы померила вам давление.

— Вы с ума сошли? — осведомился Волошин.

— У вас есть аппарат?

— Нет.

— Я сбегаю в аптеку, — решительно объявила Варя, — и куплю! А вам бы лучше лечь, Марк Анатольевич!

— Послушайте, — начал Волошин, — что происходит? Какая аптека?! Сядьте и расскажите мне, что вы там еще хотели?

— Нужно померить давление.

— Не нужно.

— Вы принимаете нитроглицерин, — сказала Варя обвиняющим тоном и потыкала пальцем в крохотные таблеточки на столе, — зеленеете и чуть не падаете в обморок, а давление померить нечем!

— Я не падаю в обморок!

— Я сейчас сбегаю, и все! Давайте я вас провожу на диван, и вы полежите до моего прихода. Только вам придется дать мне денег. У меня всего пятьсот рублей, а они дорогие, эти аппараты!..

— Я понял, — сказал Волошин почти весело. — Вы ненормальная.

— Да я-то как раз нормальная! Это вы ненормальный! У вас с сердцем плохо, а вы сидите себе! И давление померить нечем!

— Это я уже слышал.

— Может, «Скорую» давно пора вызывать!

— Варя, угомонитесь. Вы мне надоели.

— Дайте денег. Я сбегаю в аптеку.

— Не дам!

Она подумала секунду, и он вдруг с изумлением понял, что она... огорчена. Огорчена, и переживает, и на самом деле готова бежать в аптеку за аппаратом, и всерьез собирается его спасать!

Это было неожиданно. Он не привык к тому, чтобы его... спасали. Он был недостоин спасения, только об этом никто не мог знать, кроме него самого. Вот и девочка Варя не знала!

— Хорошо, не давайте, — решила она, — тогда я сейчас попрошу Вадима. Он там, внизу стоит. Он купит аппарат и принесет, а вы пока лежите...

— Какого Вадима?!

— Водителя Разлогова. Он меня сюда привез.

Волошин ничего не понял. Водитель-то откуда взялся?! Он, Волошин, никакого водителя не вызывал, тем более разлоговского! У него был свой водитель, но и его он не вызывал!..

Никто никого не вызывал, объяснила Варя. Просто Вадим приехал на свидание, а вместо свидания привез ее, Варю, сюда, к Волошину. Потому что она догадалась про ключи и про телефон!

Это было очень глупо и не к месту, и вообще его не касалось, но он спросил офисным голосом:

— У вас свидание с водителем Разлогова?

Она посмотрела на него, а он на нее. У нее было огорченное и очень молодое лицо, на щеках горели два красных пятна, а очки, съехавшие на середину переносицы, очень ей шли. Кажется, раньше Волошин ее никогда не видел, а тут вдруг увидел.

— Никакого свидания нет! — объявила Варя. — Но Вадим есть. Он стоит внизу, и я сейчас пошлю его за аппаратом для измерения давления.

— Не смейте. Только водителя мне не хватает!

— Хорошо, тогда я пойду сама.

— У вас денег нет. А я вам не дам.

У него вдруг стало отличное настроение, просто превосходное! И шпиц Дон Карлос не появлялся. Волошин и не помнил, что у него может быть такое отличное настроение! Последние несколько лет он жил, словно в сумерках, как будто сидел в глубине посудного шкафа и забыл, как бывает... снаружи. Оказывается, снаружи еще остались красивые девушки с огорченными, встревоженными лицами!

— Заварите чаю, — предложил Волошин, — ну хотите, валерьянки мне накапайте! И будем считать вопрос закрытым.

— Марк Анатольевич, с сердцем шутки плохи. Нитроглицерин — не выход из положения. И потом, это серьезный, тяжелый препарат. Вы уверены, что именно он вам нужен? И валерьянка тут ни при чем! Вам надо к врачу на обследование...

— Стоп, — приказал Волошин. — Чай на полке во-он там. Чайник на столе. Про обследование мы с вами потом поговорим. И я не понял, что там с телефоном и с каким именно телефоном!

Он говорил, а она проворно доставала чашки, как будто делала это тысячу раз, и именно у него на кухне.

— С телефоном, — объяснила Варя и нажала кнопку электрического чайника, который тут же зашумел очень уютно, — на который не могла дозвониться Елена Степанова. Ну которая привезла собаку, помните?

— Конечно.

— Она говорила, что ей звонила Глафира Сергеевна и просила приехать за собакой. А потом... после смерти Разлогова она никак не могла Глафире Сергеевне дозвониться!

— Ну и дальше-то что?!

— А то, что номер телефона у нее *не тот*, — заключила Варя торжествующе. — А чай где?

— Справа. Как не тот?

— А вот так! А валерьянка где?

— Варя! — прикрикнул Волошин. — Что значит не тот?

— Номер, что записан в памяти телефона этой Степановой и по которому она пыталась дозвониться Глафире Сергеевне, вовсе не тот номер, который сейчас у Глафиры Сергеевны! Но в компьютере, в базе данных, где у нас телефоны, он есть!

— Что вы несете?!

— Марк Анатольевич, это ее старый номер! — Варя даже засмеялась, так гордилась собой. — Я сразу поняла, что там что-то не так! Ну такого быть не может, чтобы Глафира Сергеевна собаку отдала и не забирает! Они с Разлоговым так ее любят, эту собаку! И трубку она всегда берет! Я потому у этой Лены и спросила, по какому номеру она звонит! И она мне его продиктовала! Я полезла в компьютер и увидела, что такой номер есть, и это действительно номер Глафиры Сергеевны, но старый! Она телефон тогда потеряла, и Разлогов посылал Вадима за новым! Помните!

— Нет.

— Ну конечно, вы не помните! Но я-то помню! Вот я и подумала... Если, допустим, телефон Глафира Сергеевна не потеряла, а его у нее украли, значит...

— Значит?..

— Значит, кинологу звонил кто-то, кто хотел, чтоб собаки на участке не было! И чтоб все думали, что звонила Глафира Сергеевна!

— Кто все, Варя?!

Она шумно отхлебнула чай, по-детски вытянув губы дудочкой.

— Ну вот хотя бы кинолог, — объяснила она, скосила глаза и подула на чай. И улыбнулась Волошину. — Горячо.

Сердце у него опять зашевелилось и сдвинулось куда-то вверх. Он чувствовал его движения и шевеления, и ему опять стало страшно. С некоторых пор он боялся... внезапной смерти. С некоторых пор он думал о том, как это будет, и представлял себе довольно часто. И он перестал доверять не только окружающим, но и себе, и своему сердцу тоже.

Оно подведет, думал он и чувствовал, что прав. Оно подводило, то билось, то не билось, то вдруг, будто спохватившись, пускалось вскачь, и тогда приходилось придерживать его рукой, чужой и холодной, словно приставленной к нему от какого-то другого человека.

Очень нелегко далась ему смерть Разлогова и все, что ей предшествовало!..

— Вот и вы подумали, что это Глафира Сергеевна отдала собаку! Я же видела, какое у вас тогда стало лицо, помните, когда она за собакой приехала!

Волошин знал, что спрашивать не стоит, но все-таки спросил:

— А какое у меня стало лицо?

— Страшное, — уверенно объявила Варя. — И, мне кажется, Глафира Сергеевна заметила, что вы ей не поверили!

— Наплевать!

Варя от неожиданности чуть не выронила чашку, но ухватила, поддержала ее под донышко и аккуратно пристроила на стол.

— Как же... наплевать, Марк Анатольевич?! Ведь получается, что она не обманывала. Вы ошиблись, получается! И получается, что тот, кто украл у Глафиры Сергеевны телефон, все правильно придумал! То есть он хотел, чтобы...

— Она, — поправил Волошин, прислушиваясь к своему сердцу, которое кувыркалось и бултыхалось уж совсем не там, где ему положено.

— Что... она?

— Кинологу могла звонить только женщина, понимаете? Если все это... инсценировка, значит, ее осуществила женщина. Ну подумайте сами! Вот у нее, у этой Лены Степановой, звонит телефон. Номер определяется, и это номер разлоговской жены. Потом телефон женским голосом говорит, что нужно забрать собаку. Если бы говорил мужчина, это все не сработало бы! Разлогов позвонил бы со своего телефона, да и его голос, я думаю, Лена знает, она общалась-то в основном с ним!

— Точно, — просияла Варя, — точно! Вот и получается, что Глафира Сергеевна не...

— Ничего не получается, Варя, — с досадой сказал Волошин и поднялся. — Не знаю, что вы там себе нафантазировали, Варя, но смерть Разлогова была выгодна единственному человеку. Его жене.

— Марк Анатольевич...

— Вот вам и Марк Анатольевич!

— Но у нее правда украли телефон! Я отлично помню, как Разлогов ругался! — Она вдруг улыбнулась печально. — Он всегда так смешно ее ругал! Как будто она... маленькая, а он взрослый. Он тогда говорил — я тебе в следующий раз ключи от дома на шею повешу, чтоб ты еще их не потеряла! И называл ее растрепой. А когда Вадима за новым телефоном посылал, велел ему купить еще брелок покрупнее, чтоб можно было к телефону прицепить.

— Все-то вы помните.

— Все, — грустно призналась Варя. — Это для вас... ничего не значит, Марк Анатольевич. А для меня вы и Разлогов, ну как боги... что ли, — тут она перепугалась и уставилась на него. — То есть я совсем не то хотела сказать!

— Боги? — переспросил Волошин, стараясь быть ироничным и отстраненным, по привычке. Но ирония и отстраненность никак не получались, должно быть, потому, что сердце у него болело. — Какие мы боги, Варя?! Мы в земных делах так запутались, что Разлогов погиб! И я без него не знаю, как разобраться...

— Вот я и хочу помочь. Я как вспомнила про ключ и про телефон, так сразу к вам и помчалась! А вам бы в больницу съездить, — неожиданно закончила она, — вон вы какой... зеленый.

Волошин кивнул, как бы подтверждая, что он зеленый, подошел к окну и подышал немного сыростью, автомобильной гарью и туманом.

— Что мы будем делать, Марк Анатольевич? — тихонько спросила у него за плечом Варя, и он обернулся.

Она стояла очень близко, так что он почти ткнулся носом ей в ухо.

Она отпрыгнула, и он вдруг рассердился. Что происходит?! То она вдруг приезжает к нему домой, потом изъявляет немедленную готовность его спасать посредством аппарата для измерения давления, потом объявляет ему, что он бог, а теперь шарахается от его случайного движения!

— Мне нужно поговорить с Глафирой, — объявил Волошин. — Видит бог, я этого не хотел, но придется.

Он немного подумал. На фоне распахнутого в осень окна он выглядел совсем больным.

— Спасибо вам, Варя. Я не знаю, как объяснить украденный телефон, но это важно.

— Конечно, важно, — согласилась Варя. — Это все меняет, по крайней мере, в смысле Глафиры Сергеевны!

— Да бросьте. Она могла все заранее спланировать! И телефон заранее потерять!

— Зачем? Если она сама звонила кинологу, то зачем ей было городить такой огород? Не-ет, Марк

Анатольевич, звонила не она! Тот, кто звонил, как раз хотел, чтобы думали на Глафиру Сергеевну! И мы подумали.

Она второй раз сказала это самое «мы», и Волошин усмехнулся.

«Мы» — это кто? Ты и я?..

Но «нас» нет. «Мы» — это из другой жизни, девочка. Когда-то были «мы» — я и Дашка. И еще Настя с нами!

Еще были «мы» — я и Разлогов. Теперь «нас» нет и больше никогда не будет. Теперь я один. И я ни с чем не могу справиться!..

Волошин вдруг скривился от отвращения к себе и с шумом захлопнул оконные створки.

— Марк Анатольевич, вы что, хотите прямо сейчас поехать к Глафире Сергеевне?!

— А что такое?

— Да вам нельзя никуда ехать! Вам же плохо!

— Мне отлично.

— Нет, с этим не шутят! Как вы поедете?!

— На машине.

— Один?!

— Варя, спасибо вам за заботу, дальше я сам разберусь.

— Я поеду с вами. Сейчас вызову вашего водителя, и мы все вместе поедем! Я вас провожу и подожду в машине.

— Варя!

— Что хотите делайте, — твердо сказала она, и он вдруг подумал, что у нее, пожалуй, есть характер, — а одного вас я не отпущу.

— Не валяйте дурака. И с водителем я не поеду. Кроме того, у нас уже есть один. Ваш кавалер. Вы собирались послать его в аптеку.

— Если вам удобнее с Вадимом...

— Варя, я поеду без всякого водителя!

Вдруг, как в молодости, он понял, что играет в

300

игру, и наслаждается этой игрой, и отдыхает, и радуется, что еще способен играть. А он и забыл о том, что способен. Или не знал об этом. Тем более в последнее время он был шпиц Дон Карлос! Одышливый шпиц — мизантроп!

Ему хотелось, чтобы игра продолжалась, она бы настаивала, а он бы ломался, чувствуя, что все это неспроста, что зачем-то он ей действительно нужен, и пока еще неясно зачем, но это так упоительно и ново — чувствовать себя нужным девушке в очках с румяными щеками и короткими волосами!

Кого она мне напоминает? И почему эта похожесть меня пугает?

— Не хотите водителя, не надо, — утешающей скороговоркой, словно разговаривала с малышом, сказала Варя, — вы, главное, не нервничайте, Марк Анатольевич! Но я все равно с вами поеду. Как хотите, а поеду!

— Я не хочу, — уверил ее Волошин почти весело, и это была неправда.

Она бесстрашно посмотрела ему в лицо.

— А как вы станете объяснять Глафире Сергеевне, что залезли в домашний сейф Разлогова?

Волошин замер, и страх, и ненависть, и отчаяние, и брезгливость вновь со всех сторон напали на него, безоружного.

— Я все понимаю, — продолжала между тем его секретарша. — Вы вернулись тогда среди ночи в офис, потому что испугались. Сильно. Я вам сказала, что ключ не подходит, и вы поняли, что вы их перепутали, эти ключи! И я потом много думала, Марк Анатольевич!

— Неужели? — холодно переспросил прежний, всегдашний Волошин, не тот, который пять минут назад играл с ней в игру.

Варя сосредоточенно кивнула.

— Зачем вы поехали ночью на работу?! Только из-за того, что какой-то там ключ не подходит?! Ну и бог бы с ним! Но вы ведь чего-то испугались! Чего?

— И чего же?

— Вам нужно было осмотреть домашний сейф Разлогова и взять оттуда что-то страшно важное. И сделать это так, чтобы не знала Глафира Сергеевна, да? То есть никто не должен был знать, что вы были в его доме и открывали его сейф. Но вы перепутали ключи! Все три! И теперь нам нужно как-то вернуть все обратно. То есть поменять их опять и сделать это так, чтобы никто не заметил. Чтобы Глафира Сергеевна не заметила.

Варя облизнула губы и глотнула из кружки остывшего чаю. А может, это была валерьянка?

— В одиночку вы этого сделать никак не сможете, — заключила она и еще глотнула. — Глафира Сергеевна моментально обо всем догадается. А я могу вам помочь.

— Вы?!

— Конечно, — убежденно сказала Варя. — Во-первых, мне не надо ничего объяснять, я уже обо всем догадалась. Во-вторых, я могу ее отвлечь, а вы опять поменяете все ключи. Вы не сможете одновременно и менять, и отвлекать! Вам нужен... помощник.

Она чуть было не сказала «сообщник».

— Хорошо, — выговорил Волошин, рассматривая ее, — ну допустим. Но зачем это **вам**, Варя? **К вашей** жизни это не имеет никакого отношения!

— Ошибаетесь. — Она подошла к окну, зачем-то распахнула его, а потом закрыла, с усилием повернув ручку. — Я давно живу одной жизнью с вами, Марк Анатольевич. Ну и с Разлоговым, конечно. У меня своей-то и нет никакой! Вам, конечно, неважно, но для меня это главное.

— Я для вас главное?!

Она кивнула. Он подождал, пока она добавит: «Ну и Разлогов», но она не добавила.

— Хорошо, — глупо повторил он, — хорошо! И вам наплевать, что именно я пытался утащить у Разлогова из сейфа?!

— Нет, мне любопытно, конечно, но...

— А если это я его убил? Вам же звонил кто-то и сказал, что Разлогова убили!

— Вы не могли его убить.

— Почему вы так... уверены? Или вы считаете меня благородным?

Он ожидал какой-нибудь сентиментальной девичьей чепухи, вроде того, что друг не может убить друга, что он, Волошин, по мнению Вари, на преступление в принципе не способен, и она, Варя, отлично разбирается в психологии злодеев, и Волошин уж точно не злодей! Он даже скривился презрительно, заранее отметая всю эту чепуху, и тут она сказала:

— В **тот** день Разлогов уехал первый. Вы всегда уезжаете по очереди! То есть уезжали. И у меня в расписании, ну в компьютере, все отмечено, Марк Анатольевич! Вы, конечно, об этом тоже не знаете, но у нас так заведено. Например, первого Разлогов уехал в девятнадцать ноль-ноль, а Волошин в двадцать один тридцать. А второго все наоборот. В день, когда Разлогова... когда Разлогов... умер, именно вы задержались в офисе. Вы уехали уже после десяти. У меня отмечено.

— Позвольте, — пробормотал Волошин, — вы что? Проводили расследование?!

— Немножко, — сморщив нос, подтвердила Варя, — после того как стала вас подозревать. А подозревать я вас стала после того звонка. А я... никак... Короче говоря, я не могла это так оставить! Мне важно было знать! У меня никого нет, кроме родителей и вас, Марк Анатольевич. И еще Разлогова. Должно быть, это очень смешно, но...

— Не смешно, — перебил Волошин, — совсем не смешно! — Он немного подумал и спросил осторожно: — А вы всегда сидите на работе, когда мы задерживаемся?..

— Всегда.

— Каждый день?!

— Да.

— Зачем?! — гавкнул шпиц Дон Карлос, мизантроп.

— Как зачем?! — искренне удивилась девушка Варя, пугаясь гавканья шпица. — А вдруг вам что-нибудь понадобится?! Кофе, сигареты, в Пермь позвонить?! А меня нет. Я могу быть вам полезной.

— То есть вы каждый день сидите на работе до позднего вечера?!

Она вдруг насупилась.

— А что вас так удивляет? Я хочу работать и работаю хорошо, Марк Анатольевич!

— А почему я вас... — он хотел сказать, что никогда не замечал ее по вечерам на работе, и осекся, но она поняла.

— Да вы меня вообще никогда не замечали, — махнула она рукой, — я для вас... мебель. Ну просто удобство, но не человек, это точно. И потом, когда мы по вечерам сидим, я всегда верхний свет выключаю, оставляю только настольную лампу. И вы просто мимо проходите. Мало ли, кто там сидит! Может, охранник или сторож. А это не сторож и не охранник, это я сижу! — Она взяла со стола чашку и стала осторожно мыть под краном. — И в **тот** вечер вы ушли очень поздно, Марк Анатольевич. Я это точно знаю.

— А может, я уехал и вернулся! — неизвестно зачем сказал Волошин. — Обеспечивал себе алиби.

Вы же не сидите на стуле как привязанная! Вы могли и не заметить.

— У меня кресло, а не стул, — тоже неизвестно зачем поправила его она, — и вы никуда не уезжали. Вам звонила из Америки ваша жена, и я вас соединяла. — Варя мельком глянула на него. — Она всегда звонит на рабочий телефон и всегда по вечерам. Ну с тех пор как... уехала. И вы разговаривали очень долго, минут сорок, а может, и больше. Даже если после этого вы сразу кинулись убивать Разлогова, то все равно не успели бы. Никак.

— Мы обсуждали условия развода, — сказал Волошин и встал, — мы теперь все время обсуждаем условия развода и условия содержания нашей общей дочери! Как вы думаете, может, стоит обратиться в программу «Пусть говорят» и рассказать всем, что моя жена тайно вывезла мою дочь за границу? А моего друга убили во время нашего разговора? А документы в то же время пропали?

— Какие документы, Марк Анатольевич?

— Я вам не скажу. Где ваша куртка? Надевайте, поехали!

Глафира проворно чистила картошку, нож мелькал, и шкурки падали в раковину тоненькими полосочками. На грязном, мокром и красном пальце сиял бриллиантовый мяч в пасти веселого бегемота. Дэн Столетов не мог оторвать от бегемота глаз. Или от пальцев?..

— А?..

— Ба! Картошку какую хочешь?

— А... это... давай жареную.

— Даю! — объявила Глафира и вытерла руки. — Сейчас еще грибов нажарю. Разлогов собирал, а я заморозила. Он любил за грибами ходить...

Он натягивал нелепейшие коричневые штаны с карманами на всех местах, даже под коленками, надевал козырьком назад древнюю брезентовую бейсболку, купленную когда-то в Лондоне, хлопал себя по бокам с крайне озабоченным видом, проверял пакет и нож. С корзиной Разлогов никогда по грибы не ходил, почему-то считал, что с корзинами ходят «только бабки». И на полдня исчезал в лесу. Возвращался всегда «с добычей», усталый, жаркий, как будто занимался невесть каким тяжелым трудом, валился на качалку, стоявшую на веранде, закуривал и призывал Глафиру рассматривать «добычу». Глафира являлась на зов, и вдвоем они разбирали крепенькие, холодные, увесистые, пахнущие лесом, землей и травой грибочки. Чистить грибы Глафира ему не разрешала. Он жадничал, не давал выбрасывать червивые, как будто никак не мог с ними расстаться, словно они были из золота! Он все повторял, что «и так сойдет», а Глафира отвечала, что есть с червяками не согласна. И весело им было, и славно, и общее пустячное дело — эти самые грибы — объединяло их и казалось обоим очень важным и интересным.

...И почему ей никогда не приходило в голову, что именно это **настоящее**? А все ее печали, высокая грусть, «ты первый начал», разочарование в нем, в себе и в жизни, поиски «другого», «более подходящего», — чепуха и выдумки?! Зачем они оба так долго и так бездарно выдумывали какую-то другую жизнь, вместо того чтобы жить **этой, настоящей**?

И как теперь вернуть прошлое, оказавшееся **настоящим**?

— Какая у нас с тобой сейчас жареха будет, — сказала Глафира громко, — самая вкусная еда на свете!

Дэн пожал плечами. Он был равнодушен к картошке с грибами. Подумаешь, деликатес!..

— Кому я должен позвонить?

Она вздохнула, решительными шагами ушла куда-то и вернулась с потрепанной записной книжкой. Уселась на диван перед камином и стала ее листать.

— Здесь разные телефоны, — объяснила она Дэну, остановившись на секунду. — Я всегда на бумажке записываю. В электронных книжках путаюсь. У меня... идиотизм, как у этой твоей Олеси.

— Никакая она не моя.

— Вот! Вот по этому телефону! Спросить нужно Веру Васильевну.

— Это кто?

— Это одна страшная бабка, ты ее не знаешь. Я сама позвонить не могу, вдруг там кто-нибудь меня узнает!

— Узнает, и что?

— И бабку не позовут, что, что! Или она сама не станет разговаривать. Она мне в прошлый раз сказала, чтобы я не смела не только приближаться к ее драгоценной Мариночке, но даже дышать в ее сторону! А тут вдруг я звоню!

— Ничего не понял, — признался Дэн.

— Эта бабка мне нужна, — сказала Глафира серьезно. — Она была здесь у меня и...

Сердце застучало в висках, взмокли ладони, и словно жаром из камина полыхнуло в лицо.

Да. Очень страшно. Так страшно, что нечем дышать, будто воздух тоже сворачивается, как кровь. И тем не менее придется выяснить все, до конца. Иначе и прошлое, и настоящее окажутся ненастоящими, рассыплются, как пластмассовый дом на морозе!

— Ты должен выяснить, как она сюда попала, — перебивая свои мысли, заговорила Глафира. Щеки у нее горели лихорадочным румянцем. — Придумай что-нибудь! Ну что ты садовник или электрик!

— Зачем? — не понял Дэн.

— Нет-нет! — не слушая, продолжала Глафира. — Ты позовешь Веру Васильевну и скажешь, что ты охранник Разлогова, вот как! И что ты в записи видеонаблюдения увидел ее на участке, и теперь тебя уволят, если она не скажет, как попала на участок! Кто ее пустил, понимаешь?

— Ничего я не понимаю! Ты можешь говорить по-человечески, а не нести какой-то невропунический бред?

— Какой... бред? — не поняла Глафира.

— Невропунический.

Глафира секунду подумала.

— Это что означает?

— Это модное слово. Может означать что угодно. Объясни мне толком, в чем дело.

Глафира вскочила, забежала за стойку и принялась быстро мешать на сковороде картошку. В сковороде шкворчало, и Глафира хмурилась.

— Значит, так. Вера Васильевна...

— Бабка?

— Бабка. Бабушка. Вера Васильевна работает у Марины Нескоровой, знаменитой актрисы.

— Знаю, — Дэн подошел и посмотрел в сковороду с картошкой, — Нескорову тетя Оля очень обожает.

— Ее все обожают! И она первая жена Разлогова.

— Бабка?!

— Да не бабка, Дэн! Марина Нескорова.

Дэн присвистнул.

— Так она ведь тоже мастодонт вроде этого, Красавина, у которого мы интервью брали! Сколько же ей лет?!

— Не так много, как ты думаешь. Они с Разлоговым ровесники, даже учились в одном институте.

— А Разлогов тоже... артист, что ли?!

— Да нет, конечно! Они учились в химико-технологическом, а Марина потом оттуда ушла и поступила в театральный! А Вера Васильевна у нее ну что-то вроде домработницы, дуэньи и ангела-хранителя! Живет с ней давно, в курсе всех тайн и, как я понимаю, очень ее любит, Марину, — Глафира помрачнела. — В обиду никому не дает. Бабка дня два назад приезжала ко мне, сюда. Рассказывала совершенно страшные вещи. И я сначала ей поверила, каждому слову. А потом стала думать. Я чуть с ума не сошла и ничего не придумала, но должно быть какое-то объяснение, Дэн! Не то, которое подсунула мне старуха!

— Объяснение чему?

— Всему! — крикнула Глафира. — Тому, что Разлогов платил своей бывшей жене бешеные деньги! Тому, что никогда и никому не верил! Тому, что послал меня к черту, когда я однажды сказала, что его люблю! Тому, что никогда...

— А он послал тебя к черту? — мрачно переспросил двадцатидвухлетний журналист Дэн Столетов.

Глафира оглянулась на него через плечо, вид у нее был странный.

— И он никогда ничего мне не рассказывал, — договорила она с некоторым усилием. — Никогда и ничего. И я не могла понять — почему? Все женились, разводились, ссорились, мирились, и в этом нет ничего страшного! Почему он никогда ни словом не обмолвился о том, как жил до меня? Почему меня ненавидит Волошин? Что такое Разлогов мог ему обо мне рассказать? Или, наоборот, о своей бывшей жене, что он стал меня ненавидеть?

— Вот это все тебе бабка наговорила? Всю эту ересь?!

— Бабка сказала, что у Разлогова с Мариной был ребенок, — отчеканила Глафира, — и этот ребенок родился неполноценным, потому что Разлогов Марину избил. Потом они расстались, и Разлогов никогда не видел своего сына. Бабка сказала, что малыша содержат в интернате и на его содержание Марина Нескорова работает всю жизнь. А я знаю, что Разлогов каждый месяц платил ей бешеные деньги! Значит, откупался, да?

Дэн Столетов сочувственно пожал плечами. Ему жалко было Глафиру.

— На первый взгляд похоже. Но ведь это еще не факт...

— Вот чтобы установить все факты, мне нужно узнать, как старуха попала на участок, — неожиданно заключила Глафира. — Что ты смотришь? Как она сюда попала?! Ну допустим, она знает, где дом. Возможно, Разлогов когда-то давно сказал об этом Марине, а бабка могла подслушать. Она все время подслушивает! Ну допустим, она приехала на электричке, а потом шла со станции пешком. Хотя это неблизко. Но ее поддерживала ненависть ко мне и к Разлогову. В основном к Разлогову. А на участок-то она как вошла? У нас такой забор, через него перелезть нельзя!

— Это точно!

— И еще! Надо узнать, видела она в той машине Разлогова или нет?! — Глафира запустила пальцы в короткие растрепанные волосы и с силой дернула. У нее на глазах показались слезы — то ли от переживаний, то ли оттого, что она таскала себя за волосы.

Дэн никогда не видел, как люди — на самом деле! — рвут волосы на голове.

Глафира теперь рассматривала свои руки с каким-то болезненным выражением, словно не понимала, что это такое.

— И откуда у нее мог взяться ключ, Дэн? Кто его ей дал? Разлогов? Зачем?

— Разлогов мог дать ключ Марине, — предположил Дэн.

— И об этом я думала! Но зачем, зачем?! И потом, если у нее был ключ, значит...

— Что значит?

— Нам нужно это выяснить, вот что. Или я ничего не пойму! А мне надо понять! Давай. Звони. Говори, что ты охранник, и спрашивай, как она попала на участок. Ври что хочешь, а потом дай трубку мне. Понял?

— Я попробую.

— Только ты со своего мобильного звони, Дэн! У них на домашнем наверняка определитель — Марина-то звезда. Поклонники небось одолевают!

— Да не дурак я, Глафира. Все я понимаю

— Тогда звони! — и она насилу удержалась, чтобы не перекрестить его. — А я на улицу выйду. Я не могу, мне страшно.

— Картошку выключить?

— Что?

— Картошка, говорю, сгорит.

Глафира, не сразу сообразив, покивала, выключила плиту, сунула ноги в разлоговские тяжелые башмаки, стоявшие у высоких двустворчатых дверей, и вышла на террасу.

День разгорался потихоньку, неяркий, осенний, голодный, и было понятно, что он так и не разгорится как следует, погаснет, не занявшись. Глафира подышала запахом близкого леса и наступающей зимы и пошла по дорожке, загребая тяжелыми ботинками листья.

Как хорошо!..

Как было славно еще довольно недавно, а если вспомнится, как давно, — становится все равно, написал Димка Горин, и был прав. Димка вообще понимал жизнь лучше Глафиры и с какой-то другой стороны смотрел, не с той, откуда смотрят все остальные, не такие талантливые, как он!..

Глафира подошла к вольеру, за сеткой которого страдал мастиф Димка, откинула щеколду, потянула на себя калитку и вошла.

Димка на нее даже не глянул. Он сидел в отдалении, сгорбившись и свесив почти до земли шелковые блестящие уши.

Раз я здесь никому не нужен, говорила его спина, раз вы меня заперли в клетку, так и мне наплевать на вас, вот я вам точно говорю! И хозяина нет!

Он оглянулся на Глафиру и посмотрел укоряюще, совсем как человек.

...Где хозяин? Говори сейчас же! Почему все запахи на месте, и дом на месте, и даже миска на месте, а единственного, самого главного, важного и нужного запаха так и нет? Куда ты его дела? Ты — это, конечно, хорошо, все лучше, чем кинолог Лена, но хозяин-то где? Подай мне его сюда!

— Потерпи, Димочка, миленький, — сказала Глафира тихонько и погладила лобастую башку. Пес отодвинулся. — У нас сегодня, видишь, гость. А ты же его загрызешь, недорого возьмешь!..

Мастиф посмотрел так, что сразу стало понятно — и загрызу, и что? А зачем ты всяких-разных на участок приводишь?! Да еще хозяина нету! И вообще никакого порядка нету!

— Бедный ты мой, — неизвестно зачем сказала Глафира мастифу и опять погладила, как какого-то сироту, а не приличного пса при хозяевах, — сейчас Дэн уедет, и я тебя выпущу!

И вышла из загона, не забыв тем не менее накинуть щеколду — с Димкой, как и с Разлоговым, шутки были плохи.

Что-то сейчас ей расскажет Дэн Столетов, ее сегодняшний друг и попутчик? Узнает ли он нечто такое, что внесет ясность во всю эту бесконечную, изматывающую чехарду событий? А если бабка просто скажет, что видела в машине Разлогова?! Что будет дальше делать она, Глафира, которой нужно разобраться во всем здесь и сейчас?!

Впрочем, есть еще один вариант. Потайная кнопка на той стороне участка, придуманная Разлоговым, который вечно забывал ключи! Об этой кнопке не знал никто, кроме него, Глафиры и...

Стоп. Был еще один человек, совершенно точно знавший, как попасть на участок, если нет ключей! И этот человек...

Глафира неловко и тяжело побежала обратно к дому, чуть не падая в здоровенных разлоговских башмаках. Тяжело дыша, держась за скользкие мраморные перила, она взобралась по широким ступеням и ввалилась в дом, чуть не уткнувшись носом в Дэна Столетова, топтавшегося при входе.

— Ну что? Позвонил?

Он кивнул. У него было растерянное лицо, словно он на экзамене по литературе вытянул билет с вопросом из курса физики твердого тела.

— Я позвонил, но там...

— Что?

— Я хотел за тобой пойти, куртку уже надел, а тут ты...

Глафира, сообразив, что дело плохо, взяла его за отвороты этой самой куртки и встряхнула. Дэн покачнулся, Глафира была девушкой не маленькой.

— Дэн, — она поймала его взгляд и теперь пристально, как кошка, смотрела ему в лицо, — говори быстро, ну!

— Ну я позвонил.

— И что?

— Спросил Веру Васильевну.

— Так. Дальше.

— Там мужик какой-то подошел. И он... — Дэн

все-таки отвернулся и стал стягивать куртку, — он сказал...

— Что?!

— Он сказал, что Вера Васильевна час назад умерла.

...— Боже мо-ой, — протянула Варя, сильно наклонилась вперед, подняла голову и уставилась в лобовое стекло, — красота какая!

— Где красота? — не понял Волошин.

Варя неопределенно повела рукой.

— Кругом.

— Вам нравятся заборы?!

Она моментально струсила и притихла. Волошин злился и на нее, и на себя, и на всю эту затею. Главным образом на затею, конечно. Что он сейчас скажет Глафире Разлоговой?! Как именно станет менять все ключи обратно, пока Варя будет ее «отвлекать»?! И как именно «отвлекать»? Все это глупо и гадко.

Глупо, гадко и мелко.

Он, Марк Волошин, мелкий жулик. И станет крупным жуликом, если ему удастся найти то, что он ищет! Напрасно он согласился на уговоры девчонки и поехал с ней! Теперь, после всего, ему придется ее уволить, а она недавно сообщила ему, что в работе у нее вся жизнь!

По правде сказать, она немного не так сообщила. Она уверяла, что вся ее жизнь в нем, Марке Волошине. Ну и в Разлогове, конечно!..

И все равно придется ее уволить, ибо оставлять на работе сотрудника, который видел шефа слабым, больным, виноватым, который знает о том, что шеф насовершал каких-то диких поступков, вроде ночного визита в офис и круговерти с ключами, нельзя. Нельзя, и все тут.

Волошин покосился на Варю. Она-то не знает, что ее судьбу он уже решил. Она не знает, и ей нравится деревня, средневековые заросли бузины и рябины, средневековый забор, сооруженный полоумным архитектором Даниловым, и совместное с начальником «приключение» ей тоже очень нравится!

Вот и хорошо, брюзгливо подумал шпиц Дон Карлос. Просто прекрасно. Сейчас ей все нравится, а в понедельник я ее уволю.

— А как мы попадем на участок, Марк Анатольевич?

Не отвечая, Дон Карлос полез в карман куртки, выудил мобильный телефон и нажал кнопку.

— Глафира, это Волошин. Я стою у ваших ворот. Можно мне заехать?

Через секунду он нажал «отбой» и, сопя, затолкал телефон в карман.

— Вот что, — вдруг сказала уволенная с понедельника Варя, — я скажу Глафире Сергеевне, что потеряла документы. И что мы должны посмотреть в сейфе у Разлогова. То есть вы должны посмотреть. Вряд ли она мне откажет.

— Варя, — Волошин поморщился, глядя на медленно отъезжающие ворота, за которыми открылся просторный осенний парк, — не нужно ничего выдумывать. — Он тронул машину. — Я сам во всем разберусь. Вам не стоило ввязываться в это дело, но...

— Но я уже ввязалась, — перебила Варя, — а у вас сердце болит, я же вижу. Ей-богу, я не сделаю хуже, Марк Анатольевич! Правда.

Он пожал плечами.

Уже ничего не изменишь. Уже ничего не поправишь.

Разлогова не вернуть из той дали, в которой он оказался. И Дашу не вернешь, хотя она, слава господу, гораздо ближе. И жизнь, в которой он был кому-то нужен, не вернешь тоже. Да что там! Даже сегодняшнее утро, когда он открыл дверь и обнаружил за ней секретаршу Варю, уже не удастся прожить по-другому, более правильно и более... разумно.

— Очень красиво, — тихонько проговорила рядом Варя, из-за которой этим утром разум изменил ему. — Правда красиво, Марк Анатольевич!

Она как будто оправдывалась! Впрочем, наверное, так оно и было, он же не разрешил восхищаться забором, старый, одышливый шпиц-мизантроп с седеющей мордой и хриплым лаем!

Было и вправду красиво, хотя одышливый шпиц не желал себе в этом признаваться. Себе, что уж говорить о секретарше Варе! Тяжелая немецкая машина, не торопясь, ползла по дорожке, засыпанной розовым гравием, среди облетевших кустов, лишь кое-где стояли яркие, как язычки пламени, еще сохранившие листву деревца, неправдоподобные на фоне хмурых сосен. Дом все не открывался, и казалось, что и нет тут никакого дома, только лес, темные кроны до самого неба, отчетливые, как будто нарисованные тушью на сером унылом фоне.

— Неужели можно так жить? А, Марк Анатольевич?..

Он даже не взглянул, смотрел на розовый гравий дорожки, как будто у Разлогова на участке было бог знает какое движение.

Деревья расступились, и наконец из чащи выступил дом — огромный, серый, устремленный шпилями вверх, в духе «пламенеющей готики», недаром полоумный архитектор Данилов так любил Средневековье!..

Варя ахнула, заулыбалась и посмотрела на Волошина, как будто ища в нем подкрепления своему восторгу. Опавшие листья шуршали под колесами тяжелой машины. Варя нашарила кнопку, и стекло, тихо скрипнув, поехало вниз. Плотный холодный осенний воздух потоком полился в салон, и от удовольствия Варя даже зажмурилась. Она-то не знала, что участь ее решена!

Волошин остановил машину и отстегнул ремень.

— Вылезайте, — сказал хмуро, — приехали. Что это у вас физиономия такая бессмысленная!

— Да? — растерянно спросила Варя и потрогала щеки. — Правда?

— Правда, — подтвердил шпиц Дон Карлос и вылез из машины. Сердце опять застучало как-то странно, неровно, и он нащупал в кармане крохотную трубочку с таблетками нитроглицерина.

Как она сказала, эта самая Варя?.. Это тяжелый препарат. Вы уверены, что он вам показан?..

Нет, не уверен, я нынче ни в чем не уверен.

За высокими стрельчатыми окнами угадывался теплый свет, и ожидание уюта было все ощутимей, и вдруг приоткрылась тяжелая дверь, и на крыльце показалась Глафира Сергеевна — босиком и в наброшенной на плечи странной зимней куртке.

— А-а, Марк, — сказала она совершенно безразлично и прищурилась за очками. — Здравствуйте. Проходите. А кто это с вами?

Варя выдвинулась вперед, открыла было рот, но Глафира вдруг продолжила все той же безразличной скороговоркой:

— Вы Варя, я вас помню. Вы работали с Разлоговым, да? Я видела вас в офисе. Вы теперь работаете с Марком? Ну проходите, проходите! На улице сегодня холодно.

— Глафира Сергеевна, — начала Варя с нижней ступеньки мраморной пологой лестницы, ведущей на балюстраду, — мы с Марком Анатольевичем...

Глафира вдруг исчезла за высокой дверью, как и не было ее. Волошин и Варя переглянулись.

— Что это с ней?

Волошин пожал плечами, взбежал на крыльцо и придержал перед Варей тяжелую створку. Варя вошла и огляделась.

Огромный зал в духе готических романов простирался перед ней. Посередине зала в каменном очаге с железным колпаком пылали дрова, а перед очагом стоял огромный ковровый диван, на который была брошена какая-то замысловатая шкура. Рассеянный свет потихоньку лился из окон, отражался в полированной крышке рояля и мраморной плитке, уложенной вокруг очага. На уровне второго этажа шла галерея, и за каменными колоннами, поддерживающими перила широкой лестницы, угадывались еще какие-то помещения, огромные и бесконечные, как в фантастическом фильме. Кованая железная люстра со множеством лампочек, похожих на свечи, низко нависала над дубовым столом. Варя вдруг подумала — может, там и впрямь свечи?..

— Проходите, — издалека пригласила Глафира. — Можете не разуваться!

Да что они, сговорились, что ли?! Как это так, не разуваться?! И Варя моментально скинула ботинки — по всем правилам хорошего тона, принятым на улице Тухачевского. Повесить куртку было некуда, и Варя скомкала ее и сунула на какой-то обитый кожей сундук, стоявший у дверей.

— Здрасти, — громко сказал высокий лохматый парень, появившийся из-за угла.

— Здравствуйте! — тоже громко отозвалась Варя и оглянулась на Волошина.

Тот смотрел вопросительно и ничего не говорил. Ну это уже невежливо!..

— Меня зовут Варя, я работаю... работала секретаршей у... — говорила Варя Столетову.

— Это Денис Столетов, — откуда-то издалека

сказала Глафира, — он журналист, работает в журнале «День сегодняшний», у Андрея Прохорова.

— Понятно. — Это Волошин сказал.

— Что именно вам понятно, Марк? — Глафира подошла и уставилась на него. Тут он вдруг сообразил, кого ему все время напоминала Варя — Глафиру, вот кого! Такие же очки, короткие волосы, не к месту румяные щеки и жизнерадостный вид деревенской матрешки.

Волошину стало неприятно.

— Мне нужно поговорить с вами, Глафира.

— Будем говорить прямо здесь? Или вы пройдете?

— Мне все равно.

— Тогда проходите.

— На самом деле это мне нужно с вами поговорить, — встряла Варя. — Вы меня извините, Глафира Сергеевна, но это я уговорила Марка Анатольевича поехать к вам!

— Что вы несете, Варя?! — не выдержал Волошин. — Что за бред?!

— Никакой не бред, это правда, подождите, Марк Анатольевич, дайте мне сказать! Глафира Сергеевна, дело в том, что я потеряла документы, — Варя говорила и косилась на лохматого парня, который стоял возле камина и смотрел только на Глафиру. — А они очень важные! И я попросила Марка Анатольевича привезти меня сюда. Глафира Сергеевна, можно посмотреть у Разлогова в сейфе?.. Если я не найду документы...

— Это те самые важные документы, что вы искали в моем доме, Марк? — перебила ее Глафира. — Вы что, не нашли их тогда? Ну когда стукнули меня по голове?..

Варя в ужасе уставилась на Волошина, а тот вдруг усмехнулся.

Усмехнулся, пошел, сел на диван и сильно потер лицо ладонями.

— Как вы узнали?.. Что именно я дал вам по голове?..

— Нет ничего проще, — любезно ответила Глафира. — В доме никого не было, кроме меня, и вы об этом знали. Пока я была в Иркутске, попасть сюда вы никак не могли, дом был заперт на все замки. Кроме Разлогова и меня, никто не знал о том, как открывается калитка со стороны леса. Если бы вы лезли через забор на другой стороне, вас бы заметили соседские камеры, а соседи мне ничего не говорили о том, что кто-то пытался проникнуть к нам на участок. А они бдительные!.. Теоретически через забор можно перелезть только там, где ворота, а вы там не лезли. Значит, заходили с другой стороны. Значит, знали, как открывается калитка.

Варя судорожно вздохнула и взяла Волошина за руку. Ее пальцы были холодными и влажными, неприятными, и он освободил руку.

— И камеры, Марк! Вы выключили наши камеры! Я понятия не имею, как их выключать. Это знали только Разлогов, его охранники и вы. Разлогова нет, охранников я разогнала, остаетесь вы. Больше некому.

— Вот камеры я точно не выключал! Они уже были выключены.

Глафира помедлила и посмотрела на него. Волошин был мрачен, и она поверила ему. Если бы он возмущался и орал, что ничего такого не делал вообще, она бы не поверила и про камеры. А тут поверила.

— Хотите картошки с грибами? У вас такой вид, будто вы собираетесь упасть в обморок. Хотите?

— Я не понял, что вы догадались.

— Догадалась. Не сразу, но догадалась. Зачем вы

меня ударили, Марк? Вам так нужны были какие-то там бумаги?..

— Не «какие-то там», а очень важные бумаги! — заорал Волошин. — У меня не было другого выхода, потому я вас и ударил! Хотите, извинюсь?

— Нет, не хочу. А вы картошку хотите?

— Не хочу!

— Марк Анатольевич, — начала Варя, переводя перепуганные глаза с одного на другую, — Глафира Сергеевна, наверное, чего-то не поняла...

И Волошин, и Глафира разом повернулись и уставились на нее. Варя попятилась и плюхнулась на ковровый диван, оказавшийся очень жестким.

Папа был прав, пронеслось у нее в голове. Это волки, и сейчас они меня сожрут.

— Вы забрали эти чертовы документы из сейфа, Глафира?! — спросил Волошин.

— Нет.

— А Разлогов? Его вы убили?!

Тут словно гром грянул за окнами замка, но оказалось, что не гром. Скаля зубы, как будто он на самом деле зверь, а не человек, Волошин оглянулся. Дэн Столетов неспешно поднимал упавший набок деревянный стул с высокой спинкой.

Глафира засмеялась. Лучше бы она не смеялась!..

— Вы ведь все время врете! — скалясь, продолжал Волошин. — Вы всю жизнь врали Разлогову. Врали и изменяли ему у всех на глазах. Только раньше вы выбирали начальников, а теперь перешли на подчиненных. — Он кивнул в сторону Дэна. — Мельчаете, Глафира Сергеевна!

Но она услышала только то, что ей было важно. Со всем остальным они как-нибудь на досуге разберутся, а сейчас нужно договорить до конца. Договорить, разобраться, заставить себя понять, даже если нет сил понимать...

321

11-2768

— Я врала? — спросила Глафира и подошла поближе. — Я не врала! Что такое вы говорите?!

— Правду. Вот сейчас говорю правду! Вы женили его на себе, хотя отлично знали, что он любит Марину и всегда будет любить! Что вам от него было нужно? Деньги? Маленькие радости, вроде этого дома? Заскучали на своей кафедре? Надоело зарплату получать восемь тысяч двести тридцать рублей?! И тут Разлогов, у которого случилось какое-то... непонимание с женой! С его настоящей женой! Вы вцепились в него мертвой хваткой, да, Глафира Сергеевна?! Он и опомниться не успел, как вы уже стали законной супругой со всеми вытекающими последствиями! И вы зажили весело. Да, Глафира Сергеевна?!

— Марк, — перебила его Глафира, — вот черт возьми!.. Вы же ничего не знаете! Вы же всю эту историю... душещипательную... придумали! Или это Разлогов вам так рассказал?

— Ничего он мне не рассказывал! Только у меня есть глаза, Глафира Сергеевна! Я знаю его сто лет. И знаю, что вы замучили его!

— Это он меня замучил!

— Потом вы нашли какого-то светского хлыща и пустились во все тяжкие...

— Разлогов первый начал! — Выговорив это вслух, ну что Разлогов первый начал, Глафира с ужасом поняла, что сейчас зарыдает, а рыдать было никак нельзя. Нельзя! — Он даже старательно объяснил мне, что каждый сам по себе. Я сама по себе, а он сам по себе! И тогда у нас с ним все получится, а если я буду приставать к нему со своей любовью, все моментально закончится! Это он мне так сказал, Марк!

— Все вы врете! Вам нужны только его деньги и больше ничего!

Почти то же самое несколько часов назад ей говорил Дэн Столетов. Вот ведь странность какая! Он говорил, что жить за «бабки» унизительно, и упрекал ее в том, что на вид она «благородная», а на самом деле такая, как все! То есть худшая из обманщиц, ибо врет не только своей сутью, но и, так сказать, внешним видом. У обманщицы на лице должно быть написано, что она обманщица, а у Глафиры на лице написано, что она «благородная».

— Вы убили Разлогова, Глафира?

— Она не могла, Марк Анатольевич, — вдруг сказала Варя. — Я же вам говорила! Помните про телефон?!

— Телефон? Какой телефон? — не поняла Глафира, и Варя стала объяснять про кинолога Лену Степанову, мастифа, отданного на передержку, про перепутанные номера, старый и новый.

— Кто-то позвонил ей с вашей старой трубки, представился вами и попросил забрать собаку, — говорила Варя, а все слушали очень внимательно. — Этот кто-то знал, что вы уезжать собрались, что на участке никого не будет. Ну ни вас, ни Разлогова, когда Лена приедет за собакой. Лена собаку забрала, и путь оказался открыт. Ну в смысле собаки можно было не опасаться.

Варя мельком взглянула на Волошина, а потом опять уставилась на Глафиру.

— Вряд ли Глафира Сергеевна стала бы звонить со своего старого телефона! Если бы ей нужно было скрыть свой звонок, она бы уж точно с собственного телефона не звонила! Ни с нового, ни со старого...

— Подождите, — Глафира обошла стол и плюхнулась на ковровый диван, — сейчас, сейчас... Телефон у меня украли, и это было дня за два до смерти Разлогова. И он ругался очень, — она взялась рукой за лоб. — Говорил, шут с ним, с телефоном, но ты без связи осталась, и я не могу тебе позвонить. А ты, говорил Разлогов, пока сообрази-и-ишь, что у тебя телефона нет, я от беспокойства с ума сойду.

Волошин усмехнулся:

— Вы опять врете, Глафира Сергеевна!

Но Глафире было не до него.

— А я Разлогову сказала, что никогда в жизни не теряла телефонов, и этот не могла потерять, и, значит, у меня его утащили, и значит...

— Да какая разница, утащили или вы сами потеряли?!

— Большая, Марк! Огромная! — Тут она на секунду замолчала и спросила его деловым тоном: — А, собственно, зачем вы приехали? Еще раз дать мне по голове?

Волошин вспыхнул так, что даже его бледный лоб порозовел.

— Мы приехали поменять ключи от сейфов, — объяснила Варя. — По секрету от вас, Глафира Сергеевна. Чтобы вы не догадались.

— Ключи? — удивилась Глафира. Она думала совсем о другом. — Какие ключи?

— Марк Анатольевич перепутал ключи, когда искал в сейфе документы... — начала Варя бодро, осеклась и тоже покраснела.

Уволю к свиньям, подумал Волошин. Если в понедельник все еще буду жив.

— Документы, — повторила Глафира, — документы в сейфе... Фотографии... Подлог... Бабка умерла сегодня... Дэн, ты звонил Сапогову?

— Нет еще.

— Звони, прямо сейчас звони!

Дэн пожал плечами. Он совсем ничего не понимал, но знал совершенно точно, что должен защищать Глафиру от этого бледного сумасшедшего мужика, похожего на средневекового инквизитора.

— Марк, какие документы вы искали?

— Важные, — буркнул Волошин. — Очень.

— Нашли?

Это был странный вопрос, и Волошин быстро на нее посмотрел.

— Нет. Не нашел. Их нигде нет, ни здесь, ни на работе. А это не просто листочек бумаги, а довольно увесистая папка. Вы их забрали, Глафира?

— Если речь идет о собственности на землю под Иркутском, то нет. Я не забирала.

— Вы... знали об этих документах?

— Конечно. Мне Разлогов говорил.

Волошин взялся холодной рукой за свое холодное сердце.

— Разлогов?! Разлогов вам рассказал?!

— Все дело в этой проклятой собственности, — продолжала Глафира, — и в том, кто ее унаследует, да, Марк?

— Вы все знаете?!

— Господи, да в чем дело-то? — спросила перепуганная Варя. — Глафира Сергеевна, у вас есть валокордин или капли Вотчала?

— Вам плохо?

— Марку плохо, — тихо сказала Варя. — Ему с утра плохо.

— Мне давно плохо, — неожиданно весело объявил Волошин. — Позвольте я сяду.

— Сапогов говорит, Прохоров фотку в номер поставил, — доложил Дэн Столетов издалека, — лично сам.

— Лично сам, — повторила Глафира. — Все ясно.

— Что ясно? — осведомился Дэн. — И что это за бумаги, я не понял!

— Ясно, зачем была нужна та фотография, — Глафира лихорадочно копалась в ящике, вытаскивала и кидала обратно какие-то таблетки в блестящих облатках. — Вот. Нитроглицерин сойдет?

— Мне ничего не нужно.

— Лучше бы валокордин, — тихо попросила Варя. — Давайте я сама поищу.

— Вы же секретарь, да?

— А вы тоже меня... не помните?

— Помню, — копаясь в ящиках, ответила Глафира, — я все помню, только ничего не понимаю. Или понимаю слишком поздно! Вы знаете Дремова?

— Нашего юриста? Конечно, знаю.

— Позвоните вашему юристу и спросите, какие сделки Разлогов совершал в последнее время. Только не от имени «Эксимера», а от своего собственного. Ну что-нибудь покупал или продавал! Сделаете?

— Ну... Конечно.

— Вот. Валокордин. Сколько вам налить, Марк? Полстакана?

— Валяйте полстакана.

Варя решительно забрала у Глафиры пузырек и стала капать в стаканчик. Она капала и шевелила губами — считала.

Глафира подошла к Волошину и присела рядом с ним на диван.

— Я так замучилась, — вдруг пожаловалась она. — И вы меня чуть не доконали совсем.

— У меня есть все шансы умереть от сердечного приступа. И мы будем квиты.

И они посмотрели друг на друга.

— Где документы, Глафира?

— Сейчас, — сказала она. — Сейчас я вам все расскажу про ваши драгоценные документы. Только ответьте мне, семь лет назад у Разлогова была черная машина с водителем? Водитель такой... мордатый?

Волошин на нее уставился.

— Что вы опять выдумали, Глафира Сергеевна?

— Отвечайте, Марк!

— Мне, ей-богу, надоело перед вами оправдываться!

— Глафира Сергеевна, — встряла Варя, которая точно так же, как Дэн Столетов, знала, что она должна защищать — только не Глафиру, а, наоборот, Волошина, — что вы кричите?! Ему и так, видите, нехорошо...

— Марк, у Разлогова была машина с водителем?

— Ну конечно нет! Семь лет назад мы только пришли в «Эксимер», и не было у нас никаких водителей. И быть не могло!

— Вот именно, — сама себе сказала Глафира. — Так я и думала! Бедная Вера Васильевна! Умерла просто так. Впрочем, наверное, это даже лучше — умереть, не зная...

— Кто... еще умер?!

— Вера Васильевна, нянька вашей драгоценной Марины Нескоровой. Ее убили, а я все равно догадалась. И получается, что убили ее из-за меня. Вряд ли она просто так умерла, вот ни с того ни с сего да еще после визита сюда... И все из-за денег. Из-за огромной кучи денег. Нет, даже не кучи, а горы! Из-за горы денег! Ведь это месторождение в горах, Марк?!

Волошин залпом опрокинул лекарство, сморщился, как от водки, и подышал открытым ртом.

— Здорово! — похвалил он Глафиру. — Отличная работа. Впрочем, вы же и есть... законная наследница! Все верно. Вот только наследовать нечего. Документов нет.

— Что происходит? — подал голос Дэн. Он в отдалении потихоньку таскал со сковородки ломтики картошки. Он нервничал и от этого страшно хотел есть. — Какие кучи и горы? Какие месторождения? Алмазов?

— Почти, — объяснила Глафира, — кварцитов. Это редкий природный минерал. У него какие-то там уникальные свойства, и его используют в промышленности, и в оптике, кажется. Так, Марк?

Волошин молчал.

— Когда-то два предприимчивых парня, Разлогов и Волошин, купили этот участок на Байкале. Конечно, про месторождение тогда никто не думал, но геолого-разведочные работы они все же провели. На всякий случай. Работы эти проводились долго, да и неудивительно — далеко и неудобно, и парни эти никуда не спешили! Они и разведку начали просто так, потому что кто-то им сказал, что на схеме Дальстроя, датированной пятьдесят шестым годом, вроде бы в этом самом месте, что они купили, обозначено какое-то месторождние! А потом выяснилось, что там... кварциты. — Глафира улыбнулась. — А я ведь даже видела эту гору, Марк. Разлогов мне ее показывал, когда мы летом на Байкал летали. Горка себе и горка. Там таких много!

У нее даже фотографии были, самые настоящие, не какие-то там поддельные! Солнце светило, небо сияло, Байкал лежал внизу, обманчиво-ласковый, пригретый, совсем не грозный, каким был на самом деле. Впрочем, за несколько миллионов лет он отлично научился притворяться! В зарослях стланика было даже жарко, и Глафирину куртку нес Разлогов, и она тогда так обгорела, что на носу осталась белая полоска от очков, а щеки, наоборот, были красные, жаркие!

— И вы поняли, что месторождения кварцитов — это не разлоговская зарплата в «Эксимере», да? — Волошин снова взялся за сердце. — И организовали его смерть, чтобы получить миллионы и, так сказать, освободить себя.

— Получить миллионы могут только законные наследники, Марк, — печально сказала Глафира. — Ужасно, что вы меня так ненавидите!

— Что вам за дело до моей ненависти?..

— Потому что все это ложь! Все, что вы придумали! — крикнула Глафира, и Варя опять взяла Волошина за руку. — Вы ведь даже не слушаете меня! Я никогда не была *законной женой* Разлогова! Он не женился на мне, потому что никогда не разводился с Мариной Нескоровой! А мне было все равно — какая разница, есть штамп в паспорте или нет. Я ведь на самом деле его любила, пока он не объяснил мне, что любить его нельзя.

Волошин встал с дивана, зачем-то обошел его — Варя следила за ним встревоженными глазами, сел с другой стороны и взялся за голову. Дэн подумал было, что он тоже сейчас начнет рвать на голове волосы, но он не стал. Только заговорил очень тихо и как будто из последних сил.

— Вы... Что вы такое говорите... Разлогов не женился... на тебе?!

— Нет, Марк. Хочешь, паспорт покажу? Он как был, так и остался женат на Марине. Так что нет у меня мотивов, как видишь. Мотив есть только у тебя и у нее.

— Я не убивал!

— Я знаю.

Волошин мельком глянул на Варю, которая тоже сегодня говорила, что «знает».

— Откуда? И что ты знаешь?..

— Если бы ты собирался его убить, то знал бы, где документы. Иначе зачем его убивать, без документов-то? И комбинацию с собакой провернула именно женщина, а ты вряд ли взял бы в сообщники... бабу! Ты же женоненавистник!

— Ничего подобного, — возразил Волошин, как будто это имело значение.

— И с ключами ты запутался, именно потому, что не знал, где документы! Нигде не мог найти, а тебе обязательно надо было их получить! — Глафира перевела дыхание. — Еще бы! Там же миллионы. Целая гора, набитая деньгами!

— Я был уверен, что документы украл убийца. То есть ты! И плевать я хотел на деньги! Я хотел... поймать тебя, понимаешь! Чтобы как-то отомстить за Разлогова! А документов нигде не было, и я ума не приложу, куда они делись! Я даже у Марины спрашивал...

— Молодец, — похвалила Глафира. — Господи, разве можно так... не понимать?! Так все перепутать?! Ты же умный мужик, Марк! Варя! — Она оглянулась по сторонам, словно Варя могла прятаться за стулом или за диваном. — Где вы? Звоните Дремову сейчас же!

— Дремов-то тут при чем?

— Дремов ни при чем. Это совсем другая комбинация, Марк. Ее придумал Андрей Прохоров, с которым я изменяла Разлогову, как ты... изящно выразился. Он украл мое кольцо, вот это, — и она помахала у Волошина перед носом растопыренными пальцами, — всучил его Олесе Светозаровой, очередной разлоговской подружке, и прислал к ней журналиста с фотографом. Все это должно было выглядеть так. Выходит материал об Олесе. Прохоров делает все, чтобы я его *увидела*. Увидела и поняла, какая сволочь Разлогов. Он отдал *мое кольцо* любовнице. Для верности он еще слепил в фотошопе пляжную идиллию — он и она на морском курорте! Дальше все ясно и понятно. Я немедленно развожусь с Разлоговым, у меня с ним и так отношения плохие, и Прохоров это знает. Тут я обнаруживаю фотографии, и все рушится окончательно. Кольца нет, оно у любовницы. Я становлюсь свободной женщиной, Прохоров немедленно на мне женится и получает в приданое... Что он получает, Варя?!

— Журнал «День сегодняшний», — доложила

330

Варя, и Дэн Столетов чуть не упал вместе со сковородой. — Разлогов купил у Радченко месяц назад. Через неделю можно вступать в права собственности, и Дремов сильно нервничает.

— Вот и все дела, — Глафира улыбнулась Варе. — Разлогов еще до того, как оформил все документы по покупке журнала, попросил Радченко поставить в номер материал о его очередной барышне. Радченко позвонил Прохорову, и тот моментально сообразил, как этим можно воспользоваться. Он вообще сообразительный, Прохоров-то!..

— Елкин корень, — сказал Дэн Столетов и почесал в затылке, отчего сделался еще более лохмат. — Корень елкин! А у нас какие-то слухи ходили-бродили о смене собственника, но точно никто, конечно... То есть Андрей Ильич решил воспользоваться случаем, да? Чтоб тебе продемонстрировать амуры твоего мужа, что ли?!

Глафира кивнула. Про амуры Разлогова слушать ей было тошно.

— Хорошо, — Дэн подумал немного. Вид у него был дикий. — Хорошо, ну допустим... Ну увидела бы ты свое кольцо у этой кошелки Олеси, ну оскорбилась бы до последней степени, ну поняла бы, что муж твой подлец...

— Не просто подлец, а законченный подлец, — вставила Глафира. — Я бы все это увидела и немедленно от него ушла. Я ведь и так собиралась, и Андрей... Прохоров об этом знал. Мы это даже обсуждали. Ну что я так больше жить не могу! Это не жизнь, а какая-то ежедневная пытка.

— Скажите, пожалуйста, — пробормотал Волошин. — Ежедневная пытка!.. Можно подумать, что вам было дело до того, как живется Разлогову!

— Перестаньте, Марк! — вдруг очень громким и твердым голосом сказала Варя. — Вы ничего не понимаете! Я бы тоже так не смогла! Особенно если бы я любила своего мужа!

Все посмотрели на нее, но она выдержала.

Глафира ей даже кивнула, как будто поблагодарила за поддержку.

— Когда-то мы это обсуждали тоже, — продолжала она. — Разлогов любил ясность. Он любил ясность и чтобы все было по правилам! — Она глубоко вздохнула. — Он сказал мне, чтобы я не лезла к нему со своей любовью, и я перестала к нему... лезть. Я собиралась уйти от него сразу же, после первой же истории, когда я поняла, что у него... какая-то посторонняя девица, а он сказал мне, чтобы я этого не делала. Он сказал — уйдешь, когда встретишь «мужчину своей жизни».

Волошин закрыл глаза.

Он не хотел верить и... верил. Правила, ясность, определенность и «только вперед» — все это было даже не просто похоже на Разлогова, это был как будто сам Разлогов, говоривший сейчас Глафириным голосом. И Глафиру он вполне мог не отпустить, потому что ему не хотелось... все начинать сначала, а с ней ему было, должно быть, удобно! И «мужчина жизни» — как раз разлоговское выражение, которое Волошин вдруг узнал.

— И я осталась, — Глафира взяла со стола стакан, из которого он только что пил, и глотнула. — Не ушла. Не смогла. Конечно, я не верила, что все может как-то наладиться... — Она замотала головой. — Нет-нет, верила, верила!.. Я думала убедить его, что лучше меня нет никого на свете, понимаешь, Марк? Что только со мной ему будет хорошо, что я могу быть отличной женой! Очень глупо, да?

— Очень, — подтвердил Волошин растерянно.

— И еще он сказал, что, когда я решу уйти, он даст мне все, чего бы я у него ни попросила. Дом, значит, дом. Квартиру, значит, квартиру. Он же был... честный, черт бы его взял! Таким образом он как бы давал мне понять, что ценит мои усилия на посту его жены. И заплатит мне за работу. Он привык платить. Марине он тоже всю жизнь платил за... молчание.

— За какое молчание? — осторожно поинтересовался Дэн.

Глафира махнула рукой.

— И Прохорову я, конечно, рассказала о том, какой Разлогов... благородный! Готов не только меня отпустить, но и дать за мной приданое. Так что Андрею нужно было только подтолкнуть меня уйти от него. Он и подталкивал как мог! Только Прохоров не знал, конечно, что в курортную идиллию на фотографии я ни за что не поверю, потому что Разлогов не ездил на курорты с девицами. Никогда. Не поверю и сразу заподозрю, что это вранье, подлог!

Она немного подумала.

— Вот только, как кольцо попало обратно в нашу спальню?! Я думаю, что Разлогов увидел его у этой Олеси, отобрал и вернул...

— Так, значит, остается только его жена, да? — спросил Дэн. — Ну раз она законная?

— Да, — твердо сказала Глафира, — и у нее наверняка припрятано свидетельство о браке! Пройдет полгода, и она заявит права на наследство. И Веры Васильевны больше нет, а она могла выболтать какие-нибудь тайны! Хотя самое главное она успела мне сказать. Самое главное — это машина с шофером, которой у Разлогова не было и быть не могло!

— Хорошо, — сказал Волошин с трудом. — Хорошо. Пусть так. Но кто тогда звонил и говорил, что Разлогова убили? И кто забрал документы на землю?! И с кем ты разговаривала тогда на лестнице, после того, как я тебя... ударил? И почему ты так перепугалась, когда я спросил тебя про Иркутск?!

— А ты так и не догадался?

— Нет, черт возьми!

Глафира помолчала.

— Разлогов жив, — тихо сказала она и взяла Волошина за руку, как давеча Варя. — Я должна была разобраться во всей этой чертовщине, и я почти разобралась, Марк. Мне немножко осталось! Только я теперь не знаю, нужно ли было разбираться, понимаешь? Или лучше было оставить все как есть. Потому что получилось... как-то очень страшно.

И она улыбнулась Волошину.

— Я должна была вернуться домой поздно вечером, но я вернулась рано. — Глафира ходила вдоль дивана, как-то на редкость неудобно, все время задевала стол, на котором стоял одинокий стакан. Стакан подпрыгивал и звенел, и Варя в конце концов его приняла. — Я вернулась и нашла его. Конечно, я не поняла, что собаки нет и нет никого из охраны! Это я все уже потом сообразила. Он был без сознания, но жив, не помню, как я это определила. Кажется, я долго пыталась понять, где у него пульс, и, в общем... в общем, это было страшно. Я позвонила Долгову, это хирург такой, наш друг.

— Я знаю, — сказал Волошин. Он тяжело дышал и сидел, сильно выпрямив спину.

Глафира кивнула, споткнулась о стол и чуть не упала. Варя сунула стакан Дэну, подбежала и отодвинула стол. На нее никто не обратил внимания.

— Я думала, у него с сердцем плохо стало. У него вид такой был. То есть я точно не знаю, как именно должны выглядеть люди, у которых что-то с сердцем, но мне показалось, что... так. Он был весь белый, а виски даже какие-то темные, и веки тоже.

Долгов приехал очень быстро, у него больница здесь недалеко, на Ленинградке. Вдвоем мы затащили Разлогова в машину, и в реанимации Долгов его откачал. Кажется, это уже утром было. Или, наоборот, вечером, я не помню.

Зато она помнила, как Долгов настойчиво и сердито выпроваживал ее из больницы, и вид у него был такой, что Глафира понимала — Разлогов точно умрет. Ничего не поделаешь. И еще она помнила, как все время думала одно и то же — опоздала, опоздала!.. Вот теперь опоздала совсем.

Навсегда. Окончательно и бесповоротно.

И уже неважно, «кто первый начал», кто любил, а кто не любил, кто и какие говорил слова, кто совершал дурацкие поступки, кто был более благороден и кто от кого собирался уходить. Сейчас за этой дверью с красной страшной надписью «Реанимация», выведенной большими и какими-то бесповоротными буквами, Разлогов умрет, и все. Больше никогда и ничего не будет. Некому будет доказывать, что она, Глафира, может быть хорошей женой. Не с кем будет разбирать грибы и смотреть лосенка. Некому подавать аспирин после попойки, не на кого сердиться, некого жалеть, любить и ненавидеть.

Просто потому, что все кончилось. Слово «вечность» сложилось.

— Долгов сказал, что его отравили. Самым банальным способом, что-то подмешали то ли в еду, то ли в питье. Как в детективе Агаты Кристи. Там все время всех травят!..

Глафира вспомнила, как Долгов говорил и прятал глаза, словно сообщал нечто не слишком приличное или очень уж сомнительное. Глафира смотрела на его руки — большие, сильные, с очень короткими ногтями, — и ей казалось, что эти руки единственное, что осталось в мире простого и понятного. Все остальное перевернулось, перемешалось, встало на дыбы, и ничего этого не может быть, ни реанимации, ни Разлогова в палате, с трубками, идущими в вену, ни его запавших век и черных губ.

— Долгов сообщил, что точно сказать, когда ему дали яд, нельзя. Какой-то препарат со сложным названием, то ли фентоксил, то ли феносилин. И еще какие-то дополнительные слова, я сейчас не вспомню. Применяется при сложных кардиологических операциях, когда нужно то ли замедлить, то ли совсем остановить работу сердца. Но это лучше у Долгова спросить!.. В больших дозах, конечно, он вызывает остановку сердца и... все. Долгов сказал, что Володя мог выпить его за три часа до того, как ему стало плохо, или за пять минут. Разлогов мужик здоровый, и, как быстро препарат подействует, с точностью сказать нельзя. То есть его мог дать кто угодно и когда угодно! На работе, например.

— Господи, — пробормотала Варя, — это что же такое?..

— И Разлогов все придумал. Как только очнулся. Он сказал, что должен выяснить, кто пытался его убить и зачем. Но для этого ему нужно прийти в себя. Он на самом деле был плох. Он сказал, что уедет, а я должна сделать вид, что он на самом деле умер. Долгов сказал, что мы ненормальные.

— Правильно сказал, — негромко выговорил Волошин.

— Долгов сначала говорил, что помогать нам ни за что не будет. А потом все-таки стал помогать. Мы взяли билеты на самолет в Иркутск. Разлогова привезли на санитарной машине... или как она называется?

— «Скорая», — буркнул Дэн. Ему было очень

жалко Глафиру и при этом очень интересно, как будто он смотрел захватывающее кино.

— Мы его кое-как дотащили до какого-то там специального зала, где бывают только пассажиры первого класса и вообще важные люди. Там никого не было, рейс очень ранний, вообще в это время мало людей летит. Долгов оставил миллион распоряжений и кучу всяких лекарств и уехал. Он сказал, что теперь Разлогов умереть не должен и самое главное — избавиться от последствий интоксикации, и все, но что мы все равно ненормальные. — Глафира улыбнулась. — Орал страшно. Он же врач! А тут спасенный так себя ведет. Но Разлогов сказал, что не желает, чтобы тот, кто предпринял одну попытку, вторую довел до логического конца. Разлогов сказал, что ему хочется пока пожить, не нанимая специального человека, который будет пробовать его еду, кофе и водку! И мы улетели.

Она еще походила, села на диван, встала и снова начала ходить.

— Легенду мы придумали по дороге. Разлогов как будто умер, я его нашла, никого не поставила в известность, кроме, может, каких-то иркутских родственников, хотя у него там и нет никого! И гроб с телом увезла на родину. Здесь, в Москве, вряд ли кто-то станет спрашивать у меня документы, подтверждающие его смерть. Их имеет смысл спрашивать, если только в смерти есть какие-то сомнения, а Разлогов сказал, что сомнений ни у кого никаких не будет. И позвонил Косте Хорсту.

Волошин вдруг усмехнулся.

— Да-да, — сказала Глафира, — вот именно.

— Генеральному директору Первого канала, что ли? — изумился Дэн.

— Ну да. Они в одном институте учились, Костя тоже химик. Только он немножко раньше закончил. Они разговаривали довольно долго, и Разлогов его убедил. В «Новостях» должны были сказать о смерти Разлогова, и сказали. Через некоторое время должно было выясниться, что это сообщение... не подтвердилось.

— Здорово, — оценил Волошин. — Просто прекрасно. То есть предполагалось, что убить его мог каждый из нас. И я мог. И Варя. И Марина Нескорова. И... я не знаю... водитель. Или, например, твой Прохоров. Так?

— Да, Марк.

— Здорово, — повторил Волошин.

— Он пробыл в Иркутске всего два дня, позвонил мне оттуда, а потом уехал на Заворотный.

— Куда он уехал?!

— Так называется место на Байкале. Мыс Заворотный. До него на корабле идти дня два. Добраться можно только по воде, а зимой по льду, но тогда лед еще не встал. Там лесником дядя Володя, брат его отца. Отец давно погиб, он геологом был, их всех сель накрыл, а дядя жив-здоров, живет на Заворотном. Вокруг только горы и Байкал. До ближайшего жилья километров двести в одну сторону и в другую... столько же. Мобильная связь там, конечно, отсутствует. Разлогов сказал, что должен побыть один. Что подумать должен.

— И все это время он... думает на Заворотном?!

— Да, — отрезала Глафира. — А я думаю здесь. И много чего надумала.

— Подождите, — вдруг тоненьким голоском попросила Варя, — подождите, пожалуйста! То есть Разлогов жив?! Он на самом деле не умер?

— Нет. Не умер. Он на самом деле жив.

Варя обвела всех глазами.

— Но это значит, что все... хорошо, да?! Господи, как я переживала, когда он умер! То есть когда я думала, что умер! Я думала, что...

— Варя, — перебил Волошин угрожающе, — прекратите.

Но она уже всхлипывала, слезы потекли по щекам, попадали на очки, и она сняла их сердитым, решительным движением.

— Вы не понимаете, — говорила она и вытирала мокрые щеки, — вы не понимаете, Марк! Я так любила вас... обоих, и так гордилась вами, и мне так хотелось быть вам полезной, и чтобы у вас все получалось в этой вашей невозможной работе, и когда Разлогов умер, то есть он не умер... Господи, как хорошо, что он не умер!..

Глафира вытащила из коробки, стоявшей на стойке, бумажные салфетки и сунула Варе. Та прижала их все к лицу. Плечи у нее вздрагивали.

— А документы на землю куда делись? — Это Волошин спросил.

— А никуда они не девались. Разлогов забрал их с собой. Он сказал, что они вполне могут быть мотивом. Он не понимал, из-за чего его хотят убить! А тебе они зачем понадобились, Марк? Зачем ты кинулся их искать?

— Да затем, что они пропали! — злобно сказал Волошин. — В сейфе на работе их не оказалось, а они всегда там были. Тогда я решил, что Разлогов вполне мог забрать их домой, сюда. Я должен был посмотреть их *до того*, как начнется вся эта канитель с наследством. Я же не знал, что вы с ним... что ты никогда не была его законной женой! Я хотел показать их какому-нибудь юристу, вроде Астахова, который понимает немножко больше, чем наш Дремов! — Он помолчал и добавил ожесточенно: — Я не хотел, чтобы ты получила эти миллионы. Ей-богу, не хотел. Мне казалось, что это несправедливо. Ты его обманывала, у тебя все время был этот... Прохоров, и я был уверен, что Разлогов умер из-за тебя. А он из-за тебя остался жив, оказывается.

— Так не говорят, — машинально поправила Глафира. — Он мог умереть *из-за* меня. А жив он остался *благодаря* мне.

Дэн Столетов тихонько улыбнулся. Филфак — это правда хорошее образование!..

— То есть ты хотел, чтобы грамотный адвокат объяснил тебе, что нужно сделать, чтобы я ничего не получила, да?

— Да. Может, есть какие-то лазейки в законе!.. Ты бы осталась с носом, а там судись сколько хочешь!.. — Он вздохнул. Сердце успокаивалось понемногу, и он стал оживать, как оттаивать. — Да, в общем, дальше уже наплевать, отсудишь так отсудишь, но все равно я бы заставил тебя беситься и страдать из-за денег, которые могут от тебя уплыть. Ты же алчная, расчетливая дрянь. Ты довела Разлогова до сердечного приступа.

Глафира кивнула.

Варя все плакала. По одной вытаскивала из коробки салфетки, утирала глаза, комкала и складывала на стойку. Перед ней теперь лежала дюжина маленьких бумажных снежков.

— После того как Дашка ушла, я просто не мог...

— Не надо мне ничего объяснять, — перебила Глафира. — Я все понимаю.

Как хорошо, вдруг подумал Волошин. Как хорошо, когда ничего не надо объяснять! Когда можно сидеть перед камином, слушать собственное успокаивающееся сердце, чувствовать, как уходит страх, животный, отвратительный, неконтролируемый — вот сейчас, сию секунду все и кончится, придет смерть, и больше никогда и ничего не будет! Когда можно... отпустить всю боль и ненависть последнего времени, проводить их глазами и пожить какое-то время без боли и ненависти. Когда можно говорить даже самые трудные слова и вдруг вспоминать самое важное — Разлогов жив! — и улыбаться глупой улыбкой.

— Да и вообще я не понимал, куда они могли деться, эти документы! О них никто не знал, кроме меня и Володи, но он умер! Значит, я должен был их найти. И никак не мог.

Какое-то время все молчали, даже Варя перестала всхлипывать. Трещали в камине дрова, и ветер ломился в окна так, что дрожали подвески на люстре. Откуда он взялся, этот ветер, когда весь день был тихонький, серенький, не предвещавший никаких штормов?.. Не иначе прилетел с мыса Заворотного!..

— Кто хочет картошки? — громко спросила Глафира и поднялась с дивана.

— Нет там никакой картошки, — сказал Дэн. — Я ее съел.

— Всю?!

Дэн кивнул.

— Молодец. Можно еще нажарить. Кто хочет?

— Давайте я нажарю, — предложила Варя. — Где картошка, Глафира Сергеевна? И... я не поняла. Кто тогда мог звонить мне? Ну ночью! Когда сказали, что Разлогов не просто умер, а его убили?

— Слушайте, а ведь Андрею Ильичу, ну в смысле Прохорову, тоже звонили. Он громкую связь в кабинете включил, и я все слышал. Мужской голос произнес, что это Прохоров убил Разлогова!

Глафира пожала плечами.

— Я думаю, что это сам Разлогов и звонил. Он... мучился очень, понимаете? Он думал, что подозревать можно кого угодно. И вас, Варя, и Марка, и Марину!.. Вполне возможно, что он хотел таким странным образом вывести убийцу на чистую воду. Спровоцировать, или как это называется в детективах? Ну, вывести из равновесия и заставить совершать необдуманные поступки! А Прохорову, я думаю, он позвонил, чтобы заставить его нервничать. Он же знал, что у меня с ним роман...

— Как он мог звонить, если там, на этом мысе Поворотном...

— На Заворотном, — поправила Глафира.

— Там же нет связи, вы сами сказали, Глафира Сергеевна!

— У всех, живущих в таких местах, обязательно есть спутниковые телефоны, на случай непредвиденных ситуаций. И у дяди Володи есть! Только это такой... односторонний вид связи, оттуда можно звонить, а туда никак. Разлогов, находясь там, выяснить ничего не мог, естественно, а как-то действовать ему хотелось! Вот он и стал звонить.

— Я бы его голос узнала, — задумчиво проговорила Варя. — Если бы он звонил, я бы точно узнала!

— Скорее всего, он дядю Володю попросил позвонить. Разлогов просто так ждать, когда все объяснится, не может. Ему непременно нужно действовать, понимаете, Варя?!

— Нет, — покачала головой Варя. — Не понимаю, Глафира Сергеевна. Хотя, если он жив, мы у него потом спросим.

— Вы можете называть меня просто по имени, — сказала Глафира. — Марк, ты знал, что у Разлогова есть ребенок?..

Волошин открыл глаза и перестал глупо улыбаться.

— Нет.

— Нет — не знал?

— У него нет ребенка.

— Есть.

— Кто тебе сказал?!

— Вера Васильевна. Которая сегодня умерла. И не она одна знала! Еще журналистка Ольга Красильченко.

342

— Тетя Оля?! — изумился Дэн.

Глафира кивнула.

— Она делает материал о Марине и звонила мне, чтобы поговорить про Разлогова. То есть собственно Разлогов ее не слишком интересовал, но он когда-то был мужем звезды. Ну то есть Марининым мужем. Она знает о Марине все. Она тоже говорила, что ребенок был.

— Да нет! — закричал Волошин. — Ребенок был, вернее, должен был быть, но он... умер. И Разлогов окончательно от Марины ушел. А я говорил ему...

— Я знаю, что ты ему говорил. Чтобы он остался и что все это просто недопонимание двух взрослых любящих людей, то есть Разлогова и Марины. Вот и журналистка Ольга Красильченко сказала мне, что ребенок умер. А Вера Васильевна сказала, что жив. И что он... ненормальный.

— Кто... ненормальный?

— Ребенок жив. Только он родился больным, потому что Разлогов... — Глафира никак не могла это выговорить, ну, вот не могла, и все тут!

Волошин встал, взял со стойки все тот же стакан, налил воды из-под крана и подал ей. Они только и делали, что подавали друг другу воду, как в спектакле про истеричных барышень!

Глафира подержала стакан и сунула ему обратно. Волошин выпил.

Я должна довести дело до конца. Я не смогу жить дальше, если не разберусь во всем здесь и сейчас. Мне еще многое предстоит пережить и передумать, но я справлюсь. Теперь я уже точно знаю, что справлюсь, но сейчас... только вперед.

— Вера Васильевна сказала, что мальчик родился неполноценным, потому что Разлогов избил Марину. А она была беременная.

Волошин вытаращил глаза.

— Разлогов не хотел ребенка, категорически. И он от нее ушел. Это было семь лет назад. Ребенок живет в интернате для... таких детей, в Смоленске. Марина его там навещает.

Глафиру затошнило, и она, как тогда, в лесу, решила, что лучше бы ей утопиться. Но сейчас уже поздно, поздно топиться!..

— Глаша, — начал Волошин. Он никогда не называл ее так. — Я точно знаю, что Разлогов хотел ребенка! И он любил Марину! Он не мог ее бить! Глафира Сергеевна, ты понимаешь, что это... что этого просто не могло быть?

— Почему?

— Почему? — растерянно переспросил Волошин. — Потому что не могло быть, и точка!..

«И точка», так всегда говорил Разлогов.

Ты не можешь так поступить, и точка. Я не стану этим заниматься, и точка. Меня это не интересует, и точка!..

Я не могу тебя любить, и...

— Да не мог он ее бить, я тебе точно говорю! И я знаю, что ребенок умер и все разладилось! Я помню, как это было ужасно! Я никогда не думал, что здоровый, нормальный, умный и трезвый мужик может умереть от любви, а Разлогов чуть не умер!

— От любви? — тихонько спросила Глафира.

— От того, что Марина ему изменила! — Волошин вдруг заметался по комнате, как давеча Глафира. Только он бегал в отдалении, забегал за камин, пропадал и появлялся снова. — О господи, что за чепуха!.. Я и тогда ему говорил, чтобы он не спешил, что все еще как-нибудь образуется, а он отвечал, что так быть не может. Что он верит — или не верит. Любит — или не любит. По-другому он не умеет.

— Не умеет, — подтвердила Глафира тихонько.

— А где розетка для Интернета? — вдруг громко спросил Дэн Столетов. — Мне очень нужно.

— В кабинете.

— А кабинет где?

Глафира кивнула на дверь в углу зала.

— У нее какой-то роман случился, — продолжал Волошин, не обращая внимания на Дэна с его розеткой. — Ну она актриса, и тогда уже было понятно, что будет великой!.. Она играла в театре, ее в кино стали приглашать, и роман у нее случился с кем-то из великих. С каким-то режиссером, что ли!..

— Красавиным?

— Кажется, да. С Красавиным. А ты откуда знаешь?! Тоже тетя Оля рассказала?! — спросил Дэн.

— Я была у него дома. Случайно. И увидела фотографию. На ней Разлогов, Марина и этот самый Красавин, — Глафира помолчала. — По той фотографии все понятно. И про Марину, и про Красавина...

Варя чистила картошку и время от времени поглядывала на Волошина.

— У них все разладилось, и Разлогов тогда сказал, что больше никогда не поверит ни одной женщине на свете. А потом они разошлись, и все! И ребенок умер, но вовсе не от того, что он ее бил. Это просто невозможно, Глаша! Ну я не знаю! Разлогов, конечно, тяжелый мужик, но он не способен бить женщин. Ты что?! Не понимаешь?!

— Я понимаю, — сказала Глафира, чувствуя себя намного сильнее его, — но я должна разобраться! Разлогов все время давал ей деньги, очень большие. Зачем, на что?! За что? Если ребенок умер при рождении, от чего тогда он откупался?!

— А ты думаешь, он откупался?!

— Марк, если ребенок был и если он действительно родился неполноценным, значит, Разлогов мог давать деньги только в одном случае. Если он чувствовал себя виноватым. В чем он мог быть виноват?.. А Вера Васильевна, которая прожила с Мариной всю жизнь, говорила, что Нескорова занята зарабатыванием денег именно для того, чтобы содержать ущербного ребенка, понимаешь? И что Разлогов никогда ей не помогал. А он помогал, я точно знаю! На что он мог давать ей такие деньги?!

— Я не знаю, — растерянно сказал Волошин.

— И зачем она постоянно ездит в Смоленск? А бабка сказала, что ездит она именно в Смоленск! Зачем?..

— Я знаю, зачем, — громко сказал Дэн Столетов, и Глафира на него оглянулась. Он стоял в дверях разлоговского кабинета, и волосы у него торчали в разные стороны, — но точно не затем, чтобы посещать там какой-то интернат для умалишенных.

— Откуда ты знаешь?

— Оттуда, — сказал Дэн уверенно и показал большим пальцем себе за плечо, — из мировой сети. Ты что, думаешь, я в аське сидел? Или в игрушки играл? Никакого интерната для умственно отсталых детей в Смоленске нет.

— Подожди, — сказала Глафира то ли Дэну, то ли себе самой, — подожди!

И опять схватилась за волосы. Среди светлых прядей сверкнул огромный бриллиант. Все смотрели на нее. Варя все стругала картошку, потом бросила нож и вытерла руки.

— Если интерната нет, значит, может, и ребенка нет? То есть, может, он на самом деле умер? А? Может такое быть? — Глафира подумала немного. — Нет, не может. Марина, конечно, способна сочинить все, что угодно, но бабку вряд ли удалось бы обмануть. И зачем? Зачем?! И машина с водителем! Если у Разлогова не было тогда ни машины, ни водителя, значит, он не мог приехать, когда бабка была на рынке!

— На каком рынке, Глаша?

— А раз он не мог приехать, значит, он не мог ее избить!

— Да не избивал он ее! — заорал Волошин. — Это просто какая-то чушь собачья! Он ее любил! Я думал, он ее до сих пор любит! Я думал, он документы на месторождение ей отдал, потому что тебе не доверял! Он дышать без нее не мог, как же ты не понимаешь?!

— Я понимаю, — сказала Глафира. — Я все понимаю. Но это значит только одно...

— Что?

— Дэн, мне надо повидаться с твоей тетей Олей, вот что, — заключила Глафира. — И все встанет на свои места. Как ты думаешь, она это переживет?..

Странное дело, но он почему-то пригласил ее «на кофе», и она почему-то согласилась. Время было решительно не «кофейное», двенадцатый час ночи, но она все равно согласилась, и в лифте они ехали настороженно-враждебные, как будто разом рассердились друг на друга. Она на него за то, что он пригласил, а он на нее за то, что согласилась!..

И что теперь делать?..

Вот что теперь делать?

Этот кофе в двенадцатом часу ночи мог означать только одно, и, собственно, это «одно» он и означал!..

Я не хочу сейчас оставаться один. Ты была со мной весь этот длинный, странный и сложный день. И не то что со мной, но где-то рядом, и я все время помнил о твоем присутствии! И я прошу тебя остаться. Если ты соглашаешься, значит, все ясно. Кто не спрятался, я не виноват.

Я не могу сейчас оставить тебя одного. Я пока не знаю, кто ты, но ты всегда был мне... интересен и важен. Я не отводила от тебя глаз весь этот длинный, странный и сложный день. Я жалела тебя, сердилась на тебя и даже пыталась тебя защитить. Если ты попросишь меня остаться, я останусь, но не потому, что хочу подловить тебя в момент, когда ты слаб и растерян. Я просто *не могу* сейчас поехать на улицу Тухачевского и пить там чай с папой и слушать мамины причитания по поводу испорченного линолеума! Я хочу быть с тобой.

И все бы ничего, если бы не схема «начальник и секретарша», о которой он вспомнил в проклятом лифте, и если бы она нравилась ему хоть чуть-чуть, если бы она не была так похожа на Глафиру Разлогову, — или как там ее фамилия на самом деле? — если бы она не была свидетельницей всех его сегодняшних поражений!

— Варя, — сказал Волошин, как только они вошли в квартиру и он закрыл за собой дверь. — Я прошу прощения. Я позвал вас затем, чтобы сказать...

Чтобы сказать о том, что в понедельник он ее уволит. Ну он не может держать на работе сотрудника, который в курсе всех начальничьих тайн, бед и горестей!.. Который знает, как начальник вдруг превращается в шпица Дона Карлоса, ненавидящего все человечество, и тогда лает хриплым, старческим, измученным лаем! Который подавал начальнику успокоительные капли, а потом слушал историю о том, как этот самый начальник дал по голове ни в чем не повинной женщине только потому, что ему что-то там такое показалось!..

— А кофе вам на ночь не надо бы, — перебила храбрая Варя. — Вон у вас с сердцем что делается!.. Давайте я вам чаю заварю, с мятой. У вас есть мята?

— Черт ее знает. Скорее всего, нет. Но мята тут совсем ни при чем! Я хотел вам сказать...

Она сняла куртку и сунула ему в руки. Волошин принял куртку.

— Это ведь старая квартира, да?

И она пошла по коридору, высокая, тоненькая, в обтягивающих джинсах. Волошин с курткой шел за ней и неотрывно смотрел на эти самые джинсы. Двенадцатый час все-таки! Самое «кофейное» время!..

— Марк?

— А? Это квартира моего дедушки. Бабушка умерла еще до моего рождения, и он жил здесь один.

— А книги? Его?

— Книги? — переспросил Волошин. — Да при чем тут книги?!

— Просто очень много книг.

— Да. Порядочно. Варя, я хотел поблагодарить вас за помощь. Извините, если утром вел себя с вами по-хамски. — Куртка наконец надоела ему, и он ее куда-то сунул. — Но я правда чувствовал себя неважно.

— Я заметила. А почему здесь так темно?

— Где?

— Везде. У вас в доме почти нет света.

— Не знаю, — сказал Волошин неуверенно. — Никогда не замечал.

— А правда здорово, что Разлогов не умер? — Она как-то даже поежилась, будто не умея выразить чувства, и улыбнулась счастливой улыбкой. — Я все время об этом думаю. И еще представляю себе, как я его увижу. А вы представляете, Марк?

— Представляю, — буркнул Волошин.

Он был уверен, что, увидев Разлогова, первым делом съездит ему по физиономии, а потом уже станет выражать восторг.

— Я думала, что больше никогда, понимаете? Кружка разбилась, которую он мне подарил. И я плакала даже! Я думала, что у меня больше ничего от него не осталось, а оказалось, что он сам остался! Так не бывает, нам повезло. Если бы Глафира не успела...

Волошин все смотрел на нее, тяжело и мрачно. Какая кружка?.. Почему разбилась?..

— И я думала, как это все несправедливо! Разлогов не мог умереть просто так, а он взял и умер. То есть я думала, что он умер.

— Мы все так думали.

— И теперь я представляю себе, как он приедет на работу. И все встанет на свои места.

Ничего и никогда не встанет на свои места, подумал Волошин. По крайней мере, на те, привычные места, на которых все стояло раньше. Он всегда будет помнить, что Разлогов подозревал его и не доверял ему, а Глафире почему-то доверял. И свои метания с ключами от сейфов тоже никогда не забудет, и маету последних дней тоже.

Как она сказала — у вас везде темно?..

У него на самом деле везде темно. Самое главное — внутри. И там, в темноте, кое-как трепыхается его сердце, которое нужно лечить. Но для того, чтобы лечить, нужно понимать зачем, а Волошин не понимал решительно. Кому какое дело до его сердца? Кто в случае чего будет спасать его, как Глафира спасала Разлогова?..

— Варя, — сказал Волошин, глядя, как она достает чашки, словно делала это всегда. — Давайте сейчас выпьем чаю, и я отвезу вас домой. Вы же понимаете, что все это невозможно?

— Я вам не навязываюсь, Марк Анатольевич.

— Да не в этом же дело!..

— А в чем?

Он и сам не знал, в чем именно. Просто его тянуло все усложнять. Впрочем, никогда в жизни у него ничего не получалось легко!..

— Варя. — Он забрал у нее чайник и с грохотом поставил на стол. — Мой друг умер, по крайней мере, я так думал. У меня украли очень важные бумаги, я был в этом уверен. Еще меня бросила жена, и я...

— Почему она вас бросила?

— Не ваше дело.

Она пожала плечами, включила плиту и опять взялась за чайник. Волошин все смотрел на нее.

— Да не переживайте вы так, — вдруг сказала она с обидным сочувствием. — Я сейчас заварю чай и уеду. Что вы так переполошились, не понимаю?

И он понял, что она так и сделает, и эта мысль доставила ему облегчение. Она уедет и... освободит его. Ничего не нужно, не из-за чего мучиться, не нужно придумывать никаких оправданий, и схема «начальник — секретарша» ни при чем. Он опять проиграл. Опять оказался... несостоятельным. Отказаться гораздо легче, чем принять. Легче и безопаснее, безопаснее и удобнее, удобнее и спокойнее.

Спокойнее?..

— Варя, — он взял ее за локти и заставил себя смотреть ей в глаза. Теперь между ними был только чайник, который она прижимала к себе. — Вы же понимаете, что у нас с вами ничего не выйдет?

Секунда, и она отвела взгляд.

— Может, у вас и не выйдет, Марк Анатольевич, а обо мне не говорите! Я сама решу.

— Варя!..

— Что вы заладили «Варя, Варя»!.. Оказывается, вы просто трус. А трусость — худший из человеческих пороков. Это не я придумала, это Булгаков написал...

Вот такого он совсем не мог перенести. Она сказал *правду*, и это было очень обидно. Девчонка не могла знать всей правды о нем, но, выходит, все-таки знала?..

Он поцеловал ее просто, чтобы она больше не говорила, что он трус. Чайник, который она продолжала прижимать к себе, очень мешал. Он врезался Волошину в грудь, в то самое место, где должно быть сердце, и словно придавил его, вжал в ребра. Оно снова застучало как-то странно, сильно, болезненно.

Он очень хотел ее наказать, и было за что, хотя бы за самоуверенность и за то, что она обозвала его трусом, и за то, что согласилась на проклятый кофе, и, кажется, у него даже получалось, потому что она пискнула протестующе и попыталась освободиться, отпихивая его чайником.

Но Волошин не дал себя оттолкнуть. Он подхватил ее затылок, так чтобы она уж точно не смогла увернуться, и прижал, насколько позволял чайник. Ничего не было в этом поцелуе, кроме досады и злости, и еще какой-то вынужденности — раз она обозвала его трусом, значит, он не должен отступать!

Она все-таки вывернулась, отпрыгнула и теперь тяжело дышала, держа чайник наперевес, как щит.

— Что это такое? — прошипела она. — Что вы себе позволяете?!

Волошин растерялся. А что такое он себе позволяет? Сейчас он доказывает себе — и ей! — что никакой он не трус.

— Если вы думаете, что я только из-за того, что провела сегодня с вами целый день, и еще из-за того, что вы мне нравитесь...

Он правда ничего не понимал. А разве не этого она от него ждала?.. В смысле решительных действий? И если нет, то зачем тогда соглашалась «на кофе» среди ночи?! И почему упрекала и говорила, что у него ничего «не выйдет»?!

— Я думала, что вам нужна, — проговорила Варя, и злые слезы выступили на ее глазах. — Я думала, что вы человек, а не волк! А на самом деле вы гораздо хуже, чем волк!

Она поправила очки, съехавшие на кончик носа во время поцелуя, поставила чайник на плиту и пошла к двери.

— Пропустите меня.

— Я не хотел вас обидеть.

— Да, конечно!.. Где моя куртка?

Он пожал плечами. Он понятия не имел, где ее куртка.

— Вы что? Сейчас уйдете?

— Немедленно! — крикнула Варя. — Сию же секунду! И если вы не найдете мою куртку, я так пойду!

Но он не хотел оставаться один!.. Он даже представить себе не мог, что вот сейчас, через минуту, опять останется в одиночестве, в своей квартире, которую она назвала «темной», и станет пить чай, смотреть телевизор, а потом поплетется спать в кабинет. С тех пор как Даша ушла, он ни разу не спал в спальне. У него были матрас, подушка и одеяло, и каждый вечер он стелил себе на диване и каждое утро скатывал постель в огромный ком и запихивал в бельевой ящик — как в общежитии. Пока она была здесь, эта самая Варя, о которой он еще утром ничего толком не знал, он был жив. Он дышал, двигался, злился, не понимал, потому что был не один. Пожалуй, ей он мог бы сказать, что, пока его не было дома, вдруг затопили батареи и теперь везде тепло, и она поняла бы и разделила его простую радость.

Один он умрет.

Не так, как Разлогов, а по-настоящему. Впрочем, Разлогов, наверное, тоже умер бы по-настоящему, если бы не Глафира, вернувшаяся домой раньше времени!

12-2768

— Варя, подождите.
— Где моя куртка?
— Варя, я прошу вас.
— Куда вы ее дели?
— Варя, послушайте меня!..
И он взял ее за руку.
— Не трогайте меня!
У нее были горячие тонкие пальцы, и Волошин сильно сжал их, притянул ее к себе и опять поцеловал растерянным поцелуем, потому что совсем не знал, как еще можно ее удержать.

Она вывернулась и вырвала руку.
— Не уходите.
— Да что за наказание такое!.. Где же куртка?
И посмотрела на него несчастными, перепуганными, понимающими глазами.

— Варя, что мы делаем?
— Я не знаю, — она вдруг шмыгнула носом. — Вы все неправильно поняли, Марк Анатольевич!

Он обнял ее, прижал к себе, и чайника между ними не было, и она была легкая и теплая, славно пахнущая и как будто давно узнанная им, вся, от макушки до пяток. Некоторое время она еще сопротивлялась, щетинилась, противилась, хотя стояла совершенно неподвижно, а потом переступила ногами и обняла его за шею жаркими крепкими руками. И положила голову ему на плечо.

— Ну какая разница, — произнесла она и потерлась об него носом, — ну какая разница, что потом будет. Сейчас-то мы здесь...

— Здесь, — повторил Волошин, думая только о том, что она так близко.

— Ты потом все себе придумаешь, — продолжала она быстро, — и найдешь какие-нибудь объяснения. А сейчас уже поздно, Марк.

— Все мои объяснения оказываются чепухой и враньем.

— Ты придумаешь какие-нибудь другие объяснения.

— Не хочу никаких объяснений.

— Но тебе же надо из-за чего-нибудь страдать.

— Мне надоело страдать.

— Тогда не страдай.

Он собирался наказать ее и уж почти начал, но из наказания ничего не вышло. Сердце билось легко и свободно, рукам было горячо, и везде было горячо, как будто он весь наполнился огненной лавой, распиравшей его изнутри. Все перестало иметь значение, даже то, что в последнее время он был не человеком, а шпицем-мизантропом Доном Карлосом! Вдруг он перестал быть шпицем и сделался мужчиной, совершенно нормальным и полноценным, не боящимся ежесекундно умереть от сердечного приступа.

Он больше вообще ничего не боялся.

Он прижимал ее к себе, целовал, отпускал, чтобы перевести дух, и снова прижимал, и она целовала его, и их шатало из стороны в сторону, и в конце концов что-то откуда-то свалилось им на головы, и оказалось, что свалилась Варина куртка.

Варя отпихнула ее.

Потом тоненько засвистело, и Волошин подумал, что у него звенит в ушах, но свист все не прекращался, только усиливался, словно где-то недалеко дули в свисток. Они оторвались друг от друга и посмотрели по сторонам — он налево, она направо. Никаких свистков. Только дубовые полки с книгами. Ему жалко было терять время на какой-то дурацкий свист, и он взял ее за голову и притянул к себе, но Варя сказала:

— Подожди.

— Да наплевать.

— Нет, это где-то у нас.

— Где... у нас?

— В твоей квартире.

Они опять прислушались и опять посмотрели — она налево, он направо.

— Чайник, Марк! — вдруг вскрикнула Варя. — Мы забыли чайник! Он же у тебя со свистком!

— У меня электрический чайник, а они не бывают со свистком!

— Разве? Не бывают?

И они бросились на кухню, и выключили чайник, стоявший на плите, вовсе не электрический! Пар из него валил так, что окна запотели.

— Где ты его взяла? Я сто лет его не видел!

— Вот тут. На полочке. А что такое?..

Тут им стало очень весело, и они обнялись и хохотали — это же очень смешно, что они забыли про чайник!.. А потом опять начали целоваться, и Волошину это тоже почему-то было очень весело.

Вот никогда в жизни он так весело не целовался, как нынче вечером на собственной кухне с собственной секретаршей!..

И вообще он редко целовался. Даша ничего этого не любила. А может, любила, но как-то так, что он этого не понял. А может, просто его не любила.

Она говорила всегда, что он слишком «правильный» и потому скучный человек, только она говорила не скучный, а «пыльный».

Ты такой же пыльный человек, как твой дедушка с его книжными шкафами!..

Она никогда не видела его деда, но почему-то обожала сравнивать его с Волошиным, как будто Волошин тоже был дед. Или он на самом деле сразу, с самой молодости стал стариком, и она всегда видела в нем только шпица Дона Карлоса?..

Но Варя ничего не знала про шпица и про то, что Волошин «пыльный»!..

— Я о тебе мечтала, — вдруг тихонько сказала она ему на ухо, когда он оторвался от нее, чтобы перевести дыхание. — Правда, Марк. Я сначала мечтала о Разлогове, а потом о тебе. Я знаю, что

356

это неправильно и что все секретарши всегда влюблены в своих начальников, но я... мечтала.

— Не придумывай.

Она вдруг засмеялась и посмотрела ему в глаза. Странное дело, но до этой секунды она понятия не имела, какие у него глаза. Оказалось, карие, очень темные.

— А можно немножко?

— Что?

— Немножко попридумывать?

— Нет, — отрезал Волошин. — Ты что-нибудь не то напридумываешь!

Но пока все было «то», и даже холодный кожаный диван, с которого она так неловко съезжала сегодня утром — а кажется, что в прошлой жизни! — не отпугнул и не остудил ее.

На одну секунду Волошин устыдился этого дивана с его рептильным блеском и подумал даже, что нужно вытащить из бельевого ящика скатанный матрас с одеялком и подушкой и как-то улучшить положение или все-таки пойти в спальню, где было царское ложе, выписанное когда-то из Италии, а может, из Англии, а потом забыл. Варя стянула с него свитер, прижалась щекой к тому месту, где у него сегодня целый день болело сердце, и он обо всем забыл. Даже о том, что оно болело.

И на диване им было весело, вот ей-богу!.. Все-таки они с него съезжали, и держали друг друга, и прижимались, и возились как-то неловко, и прежний, нормальный Волошин непременно умер бы со стыда, если бы возился голый на диване с малознакомой девицей, а шпиц Дон Карлос еще и облаял бы ее, но новый ненормальный Волошин чувствовал только радость. И новым казалось все — прикосновение ее пальцев к его коже, протяжный вздох, как всхлип, ее вдруг ставшие серьезными глаза, смотревшие близко-близко.

Он забыл уже, как это бывает, когда у женщины

от удовольствия и радости начинают гореть щеки. И это удовольствие — он сам, Марк Волошин! Его жена получала удовольствие от дорогих одежд, мехов, бриллиантов и отелей и была благодарна ему за то, что он умел все это добыть, но он сам никогда не вызывал у нее восторга. Нет, она была безусловно согласна проделывать с ним в постели некую обязательную программу, в общем, довольно скучную и уж точно давно привычную, но восхищаться им ей даже в голову не приходило!

А Варя восхищалась.

— Ты такой красивый, — вдруг сказала она, и куснула его за плечо, и провела рукой по спине, по самому позвоночнику, все ниже, и ниже, и ниже, — у тебя такая красивая длинная спина!

И она не смеялась над ним, он видел это совершенно точно, потому что еще раз успел посмотреть ей в лицо, очень серьезное и ласковое, он никогда не видел таких ласковых женских лиц.

И ему так хотелось, чтобы она еще раз сказала, что у него красивая спина, или рука, или нос, просто для того, чтобы это услышать, и потом жить, зная это и упиваясь, потому что вдруг оказалось, что это очень важно, так важно, как ничто на свете!

Оказалось, что просто жить — дышать, двигаться, заниматься любовью на холодном кабинетном диване, смотреть в глаза, чувствовать жар и страх — это очень важно. Еще утром он думал с ожесточением, что умрет, и наплевать, и ладно, Разлогов уже умер. Хорошо ему, Разлогову, у него все позади. А потом оказалось, что Разлогов не умер, и он, Волошин, не умер тоже, а, наоборот, воскрес, как будто хлебнул «живой воды» из той самой установки, схему которой порвала в клочки разлоговская собака Димка!..

Потом они долго лежали молча, словно привыкая друг к другу и к странному состоянию близости — диван был узкий, и «отдалиться» у них все равно не получилось бы.

Варя приподнялась и прижалась ухом к его виску. Кожей Волошин чувствовал ее сережку.

— Ты что?

— Вот как мне подслушать, о чем ты думаешь?

— Зачем?

— Мне хочется.

— Слышно?

Она заглянула ему в лицо.

— Нет.

Он усмехнулся, чувствуя себя очень взрослым и умным.

— Ты же так близко! И все, что у тебя в голове, тоже очень близко, и мы только что занимались любовью, и ты был совсем... близко...

— Это точно.

— А я ничего не слышу. Как это может быть?

— Я думал, что в понедельник должен тебя уволить, — признался Волошин неизвестно зачем. Он думал об этом давным-давно.

Она зевнула.

— Увольняй.

— Как?! Тебе все равно?

— Ничего мне не все равно, Марк. Но если ты решил меня уволить, то ведь все равно уволишь.

— Это неправильный ответ, — вдруг вспылил Волошин, — ты должна меня уговаривать! Умолять и все в таком роде. Ты что, хочешь уйти?

— Нет. Но ты все равно можешь меня уволить, а я, конечно, могу тебя умолять, если тебе хочется! — Тут она как-то подвинулась, так что ее губы оказались возле самого его уха. — Я могу начать умолять тебя прямо сейчас. Или тебе нужен перерыв?

— Никакой перерыв мне не нужен, — с трудом сообразив, о чем она спрашивает, выговорил Волошин. — Можешь начинать.

Утро понедельника наступило, и пошел снег густой-густой, словно пенное море колыхалось над капотом разлоговского джипа. «Дворники» мотались у Глафиры перед носом, но все равно было почти ничего не видно.

Все воскресенье Глафира боялась, что это утро наступит, боялась и... ждала его. Она чувствовала, что именно в это утро изменится вся ее жизнь.

— Как ты считаешь, сюда?..

Дэн Столетов, который выражал самое горячее желание поехать с ней, теперь притих и сгорбился, предстоящее дело его как будто пугало.

— Я не знаю.

— Наверное, сюда, а куда еще?..

— Может, спросим?

Глафира выкрутила руль и стала осторожно спускаться по длинной и узкой улочке вниз.

— Я не хочу спрашивать, Дэн. Представляешь, какой мы сейчас с тобой тут переполох наделаем! Городок маленький, а мы еще на такой машине приперлись! Как это я не догадалась...

— Чего?

— Взять чего-нибудь поменьше.

— А что у тебя есть поменьше?

Глафира глянула в его сторону и вдруг улыбнулась.

— Разлоговский представительский «Мерседес». К нему прилагается водитель.

Дэн фыркнул:

— Вот был бы номер.

— Я боюсь, — призналась Глафира. — Ужасно.

— Смотри, вот, наверное! Чего там написано, на вывеске?

— Я не вижу, Дэн.

Перегнувшись, они смотрели через стекло и синхронно шевелили губами. Снег все валил.

— Ну все правильно. Муниципальный детский дом, город Углич. Приехали.

Глафира приткнула джип к тротуару и принялась старательно застегивать куртку. Застегнув куртку, она намотала на шею свой знаменитый шарф, посмотрелась в зеркало, достала сумку и стала в ней рыться.

Дэн Столетов стоял на улице и смотрел на нее. Потом обошел машину, распахнул водительскую дверь. Глафира чуть не вывалилась.

— Вылезай, — сказал он и за рукав потянул ее из машины. — Тебе осталось совсем чуть-чуть. Не трусь.

— Я боюсь, Дэн.

— Я знаю.

— А что мы будем делать, если нас выгонят?

— Нас не выгонят. Ты звонила и разговаривала с директрисой! При мне. У нее какое-то странное имя.

— Наталина, — сказала Глафира, и зубы у нее стукнули. — Ничего не странное, просто польское имя. Должно быть, она... «полячка младая»!

— Значит, нас не выгонят, — резонно заключил Дэн. — Вылезай, а?..

Она кое-как выбралась из джипа, поскользнулась, чуть не упала. Дэн ее поддержал.

Снег все валил.

«Разлогов, — подумала Глафира, — что ты со мной сделал? Я больше не могу. Я больше не хочу. Я хочу в свою прежнюю жизнь, которая казалась мне ужасной, с собакой Димкой, пледом и сочинениями А.Н. Островского!..

Или все-таки не хочу?.. Или все-таки «только вперед»!»

Дом был довольно большой, устойчивый, с широким крыльцом под двускатным козырьком. Возле крыльца стоял снегокат на веревочке и еще почему-то велосипед с заржавленным звонком на погнутом руле. В окнах второго этажа мирно цвели герани, и откуда-то изнутри вдруг грянуло расстроенное пианино и нестройный хор затянул «В лесу родилась елочка».

— Ну? Так и будем стоять?

Глафира в этот момент почти ненавидела Дэна Столетова, который самозабвенно и деятельно помогал ей в последнее время. Если бы не он и не его тетя Оля, никого бы она не нашла!

Дверь в дом вдруг распахнулась, выскочила девчонка в джинсах и шубейке. На голове у нее была шапка с помпоном, а в руках болтался огромный черный кот.

— Здрасти!

— Привет.

Девчонка скатилась с крыльца, перебежала через двор и вывалила кота в снег.

— Татьяна Павловна сказала, — издалека объяснила она. — А то он уж больно пыльный! А вы к нам?

Кот выбрался на чисто выметенную дорожку, недовольно потряс хвостом и пошел обратно на крыльцо.

— Мы к вам. К Наталине Теодоровне.

— А вы откуда? Из Москвы, что ли? Она сказала, что из журнала едут! Это вы из журнала?

— Мы, — признался Дэн Столетов.

— Ой, а у нас в прошлом году Маша Галкина была! — сообщила девчонка с таким восторгом, как будто сообщала о том, что в прошлом году в угличском детском доме давала концерт Мадонна.

Глафира и Дэн переглянулись.

— А кто такая Маша Галкина? — осторожно поинтересовался Дэн, поднимаясь следом за девчонкой на крыльцо.

— Ой, а вы не знаете?! Маша Галкина, наша выпускница! Она тоже теперь в журнале работает! Она раньше в университете училась, я вам сейчас ее фотографию покажу, она у нас там, где «Наши лучшие выпускники»! — Девчонка придержала перед Дэном дверь, но галантный Дэн дверь перехватил и пропустил ее вперед. Девчонка вошла с царственным достоинством.

В холодных сенях были наставлены лыжи и навалены палки, пахло скипидаром и лыжной мазью.

— Мы сегодня все зимнее достаем, — объяснила девчонка, — Наталина сказала, раз снег пошел, значит, пришла коренная зима! Вот мы и достаем лыжи, там, санки. У нас снегокатов целых четыре! И в окна теперь не дует, нам летом все окна поменяли. Наталина какого-то дядьку богатого уговорила, и он денег дал на окна. А вы обедать будете?

— Как тебя зовут? — спросила Глафира. Какая-то палка поехала ей под ноги, она подняла и прислонила ее к стене.

— Ой, меня Лена зовут! А вас?

— А ты знаешь такого мальчика, — Глафира вздохнула и продолжила решительно, — Володю Савушкина?

— Вовку? Конечно, знаю! Только он маленький совсем. А зачем он вам?

— Просто так, — быстро сказал Дэн и подтолкнул Глафиру вперед. — Нам в Москве сказали, что у вас есть такой мальчик, вот мы про него и спрашиваем.

Девчонка пожала плечиками.

— Мальчик как мальчик, обыкновенный, хороший. У нас все мальчики хорошие. А которые плохие, тех учат быть хорошими. У кого получается, а у некоторых нет. Макс все время дерется, а Сашка... Наталина Теодоровна! — вдруг закричала она так, что герань вздрогнула на окне. — Наталина Теодоровна, вот эти из Москвы приехали! К нам! Они из журнала, как Маша Галкина!

— Не кричи, Лена! Тебе только в опере петь!

Со второго этажа сбежала высокая молодая женщина в джинсах и свитере. У нее были растрепанные короткие волосы и темные внимательные глаза.

— Здравствуйте.

— Я Глафира Разлогова. Я вам звонила.

— Я уже поняла. Пойдемте ко мне в кабинет или хотите посмотреть дом?

— Наталина Теодоровна, — затараторила Лена, — давайте сначала дом покажем! Я им Машу Галкину обещала! И еще поделки из кожи, которые Татьяна Павловна делает! Ну мы же их всегда показываем! А, Наталина Теодоровна? И потом обедать! Вы же будете обедать!

«Полячка младая» положила худую руку на голову разговорчивой Лены и сказала любовно:

— Вот трещотка. Подожди, мы все покажем. А пока нам поговорить нужно, да?

Глафира кивнула.

— Ой, а они про Вовку Савушкина спрашивали!

Наталина убрала руку и строго взглянула на Глафиру.

— Извините, — пробормотала та. — Просто мне очень надо было знать. Очень.

— Лен, сбегай за Татьяной Павловной, — вдруг попросила «полячка». — Скажи, что мне нужен прошлогодний альбом, который к выпуску оформляли. Я его что-то искала, и не нашла. Поищите вместе, а?

— Хорошо, Наталина Теодоровна. Мы тогда к вам зайдем, да?!

И, перепрыгивая через две ступеньки, она понеслась вверх по лестнице. Лестница охала и стонала. Пианино все играло, а нестройный хор исполнял теперь «Джингл беллз».

— Ну что вы! — сказала Наталина. — Переполох на целый день. Гости из Москвы, такое событие!

— Наталина Теодоровна, — взмолилась Глафира, — можно мне его увидеть? Ну просто на одну секундочку!

Дэн сзади дернул ее за куртку, и она сердито отмахнулась.

— Это очень важно, поверьте! Я ничего не буду делать, я просто посмотрю.

Директриса хотела что-то сказать и даже губы сложила, но, взглянув Глафире в глаза, покачала головой и вздохнула.

— Да, — негромко сказала она. — Я вас понимаю. Но предупреждаю, все это нужно делать очень осторожно. У нас ведь детский дом. Мы очень стараемся, но, понимаете, это ведь... брошенные дети, и они об этом знают. Правда, ваш все-таки еще маленький...

Глаза у Глафиры моментально налились слезами.

— Ну-ну, — строго остановила ее Наталина. — Если вы не сможете держать себя в руках, то я вам лучше фотографию покажу.

— Я смогу! — жарко уверила Глафира.

Директриса еще помедлила, а потом решилась.

— Пойдемте. Они как раз с прогулки пришли.

Она пошла вверх по лестнице, Глафира устремилась за ней, и Дэн поплелся следом.

— Вы просто московские журналисты, — негромко говорила директриса. — Приехали посмотреть наш дом. Я вам его показываю. В детской спальне, кстати сказать, есть что посмотреть. Там стены расписывал один художник из Израиля, очень хороший. Он приехал, увидел наш дом и вот стены расписал и несколько телевизоров купил! А приехал просто как турист, на пароходе, не знаю, кто его сюда привел. Он как-то сам пришел.

Глафира почти ничего не слышала. Сердце заглушало все звуки — бу-бух, бу-бух, бу-бух, — и жарко было невыносимо. Она размотала с шеи шарф и теперь несла его в руке.

— Здесь темновато, у нас лампочки слабенькие, и тут ступенька. Ну вот. — Она остановилась перед дверью, на которой и правда было нарисовано нечто такое и эдакое. Из-за двери неслись детские голоса. — Вы готовы?

Глафира промолчала, а Дэн сказал, что они готовы.

Наталина распахнула дверь.

— А здесь у нас детская! — радостно заговорила она, как заправская актриса на сцене. — Это спальня мальчиков, а девочки у нас в конце коридора. Это называется первая семья. У нас семьи, групп никаких нет. Здравствуйте, Нина Васильевна.

Полная женщина уютными большими руками развешивала на батарее мокрые колготки. Какой-то мальчишка прыгал на одной ноге, двое других шушукались на кровати, почти сталкиваясь лбами. Четвертый сидел на маленьком стульчике очень близко от них и, сосредоточенно сопя, выворачивал наизнанку ватный комбинезон.

— Все мокрые, — пожаловалась Нина Васильевна, — с головы до ног! Снег валит, такая красота!.. Мальчики, поздоровайтесь!

— Здрасти! Здрасти, Наталина Теодоровна! Мы с горки катались, не с нашей, а с большой!

Глафира ничего не видела и не слышала.

Тот самый, который выворачивал комбинезон, вдруг поднял голову и посмотрел на нее. У него были серые глаза в угольно-черных прямых ресницах.

Погибель, а не глаза.

— Ну что ж ты, Володя, — сказала Нина Васильевна, — учу тебя, учу, а ты все никак! Смотри, как надо. — И в два счета вывернула неподатливую штанину. — Учится лучше всех, — продолжала она, — такие картинки рисует, хоть сейчас на выставку посылай, а с вещами обращаться не умеет! Уже семь лет, совсем большой человек, и не научится никак!

Глафира стремительно подумала, что его отец

тоже решительно не умеет обращаться с вещами. Тридцать восемь лет, и все не научится никак!..

— Здравствуйте, — вдруг сказал Глафире мальчишка, и его серые глаза улыбнулись ей.

— Здравствуй, Вовка, — ответила она.

В громадной гостиной, увешанной итальянскими пейзажами, писанными русским живописцем, было полутемно от снега, валившего за окнами. Даже река казалась белой, чистой и какой-то деревенской, широкой и просторной, словно тот берег был далеко-далеко.

В камине трещали дрова, и Марина сидела, забравшись с ногами в кресло.

Держалась она просто превосходно, как будто на читке новой пьесы, где ей предложили новую интересную роль.

Глафира держалась гораздо хуже. По правде сказать, она вообще плохо держалась на ногах, и соображала тоже плохо и медленно. Не так она представляла себе... финал.

Не так, не так, не так, отбивало сердце.

— Вы все спланировали заранее. Когда?

Марина потянулась и почти что зевнула. Нет, держалась она просто превосходно!..

— Когда Разлогов объявил мне, что хочет со мной развестись, — объяснила она охотно. — Он сказал, что время пришло, а это совсем не входило в мои планы, душечка. Ну решительно не входило.

— Вы знали о земельном участке в Иркутске. — Глафира потерла глаза, которые невыносимо саднило.

— Ну конечно, знала! Он же был куплен... не вчера. И о том, что там что-то такое интересное нашли, знала тоже.

— Откуда?

— Ах господи! От Марка, конечно. Надо сказать, Марк всегда был на моей стороне! Он никогда не понимал этих разлоговских... закидонов и вывертов!

— Каких закидонов?

— Ну с этой его ревностью ужасной! Он же ужасный человек, ваш Разлогов. Невыносимый! И я так рада, что освободилась от него. И вы мне еще спасибо скажете, дорогая. Вас-то я тоже освободила, а доказать вы все равно ничего не сможете.

Она поднялась и помешала дрова в камине — очень красивая, уютная, домашняя.

Очень опасная.

— Я получила свою свободу! — Марина вдруг швырнула кочергу. Отсветы пламени плясали на ее лице, и казалось, что она корчится в муках, от спокойствия не осталось и следа. — Я дорого за нее заплатила и не желаю, чтобы вы портили мне жизнь! Да, я вас недооценила, и это ужасно! — она всплеснула руками. — Ужасно! Как я могла так просчитаться?

— Не знаю, — мрачно сказала Глафира. — Но я сразу стала думать, что, если речь идет о наследстве, значит, в дело замешана единственная законная наследница. То есть вы! Но... — тут она вдруг улыбнулась сухими губами, — я не знала, что он собирался с вами разводиться. Ей-богу, не знала!

— Как? — опешила Марина. — А разве... не вы его заставили? Чтобы он женился на вас?

Глафира покачала головой и опять посмотрела на реку за окнами. Должно быть, Ангара сейчас такая же, как Москва-река, широкая, белая, просторная, и там, где-то на Ангаре, Разлогов.

Интересно, замерзает она или нет?.. Глафире это было неизвестно.

— Вы совсем его не знаете, — выговорила она с трудом, — хотя гордитесь тем, что изучили человеческую природу! Разве вы не знаете, что его нельзя... заставить? Нельзя заставить развестись. Нельзя заставить жениться. Ничего нельзя. Он не поддастся. Будет стоять до последнего, даже если он не прав! — И улыбнулась. — Ужасный человек.

— Да, — вскрикнула Марина. — Да, ужасный! И я рада, что...

— Я поняла, — перебила Глафира. — Вы рады, что освободились! Вы поняли, что он вот-вот с вами разведется, а вам нужно было, чтобы он умер вашим законным мужем! И тогда вы станете не просто богатой, а очень богатой женщиной, по-настоящему, всерьез богатой! И все деньги, которые он вам платит, ничто по сравнению с теми деньгами, которые ждут вас в этой байкальской горе!

Марина засмеялась. Вернулась в кресло и опять уютно устроилась. Только щеки у нее горели, и пальцы нервно перебирали бахрому.

— Вы знаете, душечка, я думала именно так. Хозяйка медной горы — это ведь я! И я могу это сыграть просто прекрасно, превосходно и уж точно гораздо лучше, чем вы!.. Впрочем, все вышло так, как я хотела. Он умер моим мужем, так что вам роль хозяйки не достанется.

— Как вы попали к нам домой?

— Приехала, — охотно объяснила Марина. — Он сказал, мы должны обсудить развод, и я сказала, что приеду к нему сама. В моем доме я обсуждать ничего не желаю, а делать это в общественном месте невозможно, я же... звезда!

— Звезда, — согласилась Глафира.

— Еще какая! — подтвердила Марина. — Я все рассчитала по минутам! Он сказал, что вас не будет, у вас там какая-то ерунда на кафедре, семинар или что-то такое же нелепое и скучное, а это всегда до поздней ночи. Он должен был приехать, а я должна была подготовиться. Накануне он сюда заезжал, между прочим, вместе с вами. И я подумала, что ваш телефон может мне пригодиться. Я забрала у вас телефон...

— Украли, — поправила Глафира, и Марина расхохоталась.

— Вы дурочка, — сказала она почти любовно. — Боже, какая вы дурочка! Мне нужен был ваш телефон, и я его забрала, только и всего. Забрала, чтобы убрать собаку. Я же знала, что она меня не выпустит! Эта животная нянька приехала вовремя, я ее видела, как она повела эту гадость, вашу собаку!

— А камеры?

— Я выключила, — с удовольствием сказала Марина. — Я отлично умею ладить с техникой. Я все выключила и диски обнулила! Это очень просто делается, вы не поверите. И я знала, что в этом ужасном доме никого не будет, Разлогов сказал мне накануне, что вы собираетесь на море и всех, всех, всех отпускаете по домам! Впрочем, он любил баловать прислугу. Наверное, при этом он чувствовал себя царем и самодержцем. Мог осчастливить неожиданным выходным, а мог...

— У вас были ключи?

— Ну конечно, были! Ключи я взяла у Разлогова давным-давно, как только он построил этот дом. Просто на всякий случай. До вас я была там пару раз. Знаете, я ведь никогда не верила, что он сможет вот так просто от меня уйти. Я была уверена, что рано или поздно он избавится от вас, а там посмотрим. Уж я-то ему больше подходила, это совершенно точно. И потом, именно меня он любил. А он надумал со мной разводиться!

— Вы ждали его, он приехал. И... что дальше?

Марина пожала плечами.

— Ничего. Я дала ему три таблетки, вымыла за собой все чашки и уехала.

— Почему он не удивился, когда увидел вас... у нас дома?

— Он никогда и ничему не удивлялся. По крайней мере с тех пор, как я... как я полюбила Даню

Красавина. Тогда Разлогов сказал, что от меня можно ждать всего, что угодно! И это правда, душечка. Я правда на многое способна!

— Я знаю, — сказала Глафира.

— Он спросил: «Как ты сюда попала?», а я сказала, что прилетела на метле и опустилась в каминную трубу. Конечно, он понял, что у меня есть ключи, и он, конечно, отобрал бы их у меня, но не успел — ему стало плохо. Я выезжала из ворот и думала, что сейчас поеду домой, совершенно свободная и счастливая, а он на полу будет умирать, потому что у него остановится сердце. И мне было весело. Страшно, конечно, но весело.

— Вы говорите все время разное, — Глафира взялась за висок, в котором невыносимо болело. — То вы хотели, чтобы он к вам вернулся, то вы радовались, что он... умирает.

— Если бы он вернулся, я бы победила, неужели не понятно? — спросила Марина. — Но он не вернулся, и, больше того, он имел глупость сказать мне об этом! О том, что хочет развестись! Значит, мне нужно было победить каким-то другим способом, и я нашла этот способ. Три таблетки в стакане с виски, и все в порядке.

— Виски?! Вы разболтали этот препарат в виски?!

— В виски с колой, — подтвердила Марина с удовольствием. — Нужен был какой-то резкий вкус, и нечто такое, что он выпил бы залпом. И я налила ему эту гадость. И он выпил. Чтобы он не умирал у меня на глазах, я сказала, что мне только что позвонили и я должна срочно уехать. И уехала.

— Понятно, — покивала Глафира.

— Потом еще Марк напугал меня с какими-то документами, которые пропали! А у меня все документы целы. По документам я жена Разлогова.

— А Вера Васильевна?

— Она сама виновата! Потащилась к вам, стала беседовать, да еще потом и мне об этом рассказала!

Я не могла оставить ее в живых. Она слишком много знала.

— О ребенке?

У Марины дрогнуло лицо.

— Об этом никто не должен знать. У меня безупречная репутация, а для меня это самое главное!..

— Зачем вы сдали его в детский дом?

Она пожала плечами.

— Он был мне не нужен. Я только начинала делать карьеру. Кроме того, он же ненормальный! Его сделал таким ваш драгоценный Разлогов, его собственный отец!

— Разлогов никогда вас не бил, Марина, — сказала Глафира. — Все было совсем не так. Вы встретили Красавина и поняли, что как раз он для вас идеальная партия, а не какой-то там бедный Разлогов с его смутной работой и не бог весть какими доходами. Вы поняли, что, если вам удастся женить режиссера на себе, вы будете звездой номер один на все времена! Боже мой, идеальная пара, новые Орлова и Александров! И вы добьетесь всего очень быстро, гораздо быстрее, чем если бы вы просто стали его любовницей. Нет, его любовницей вы, конечно, стали, но в женах вам было бы лучше! Вы тогда уже были беременны от Разлогова, но вашему гениальному и знаменитому любовнику сказали, что беременны от него. Так все было? Или по крайней мере, похоже, да? А он вместо того, чтобы кинуться разводиться с предыдущей женой, стал требовать, чтобы вы сделали аборт. Если роман с начинающей актрисой был ему вполне приятен, то становиться мужем этой актрисы и отцом он решительно не желал! Он настаивал на аборте, вы отказывались и уверяли его, что будете ему прекрасной женой. Он не соглашался и даже поколотил вас пару раз, он же темпераментная натура! Именно его машину с шофером видела Вера возле вашей дачи!

— Этого никто не мог знать, — пробормотала Марина, — откуда ты узнала?!

— У Разлогова тогда не было и не могло быть никакой машины, Марина. А тем более шофера! — Глафира передохнула немного. — Пока вы уговаривали Красавина на вас жениться, время было упущено, и аборт делать стало поздно. Разлогов ушел от вас, когда узнал про любовника. Когда малыш родился, вы сказали Разлогову, что он неполноценный и вы должны поместить его в интернат. Он никогда его не видел! Это малодушие, конечно, но он все же просто мужчина. Он ушел от вас и постоянно давал вам деньги на содержание малыша в специальном заведении. А вы просто написали отказную, и дело с концом. Младенца забрали в дом ребенка, ну уж конечно, не с вашей фамилией и не с фамилией Разлогова! Не дай бог, он стал бы его искать, и тогда хлопот не оберешься! Ваш Красавин вам помог, он человек влиятельный. Малыша увезли в Углич, а вы на деньги Разлогова спокойненько построили себе убежище под Смоленском, тихое гнездышко великой актрисы и звезды, и уезжали туда, когда вам хотелось от всех отдохнуть, да?

— Откуда?.. Откуда?..

— Мы подняли архивы, — железным голосом сказала Глафира. — Это не так трудно. В конце концов, о том, что у вас был ребенок, знали многие. Например, Ольга Красильченко, отличная журналистка и просто хороший человек. А дальше все просто. Она разыскала бумаги из роддома, в котором вы лежали, и выяснилось, что был такой мальчик по фамилии Савушкин. А это фамилия Веры Васильевны.

— Это ничего не меняет, — хрипло выговорила

Марина. — Все равно. Мне все равно. Он умер моим мужем. И я свободна и богата.

— Он не умер, — поправила Глафира. — Вы просчитались. И уже никогда вы не будете свободной.

Она ринулась вон из квартиры, задыхаясь и трясясь, спотыкаясь, пробежала по лестнице, выскочила из подъезда и нос к носу столкнулась с Прохоровым.

Господи, за что мне это? Я больше не хочу. Я больше не могу. Я больше не выдержу.

— Глаша, мне нужно с тобой поговорить.

— Как ты меня нашел?

— Я... ехал за тобой. Ну какая разница, Глаша?!

Глафира нашарила в кармане брелок и открыла машину.

— Как поживает кошка Дженнифер?

— Что?

Глафира полезла в джип.

— Андрей, я не хочу с тобой разговаривать. Никогда. Ни о чем. У меня правда нет больше сил.

— Ты должна со мной поговорить, Глафира.

Она запустила двигатель. В горле саднило, и в глазах все странно плыло.

— Я тебе ничего не должна, Андрей. Я Дэну Столетову должна десять рублей, он мне на улице подал. — Прохоров вытаращил глаза. — Но мы с ним сами разберемся. Пока. Дженнифер привет передавай.

— Глафира!

— Если ты хочешь говорить про журнал, то это не ко мне, а к Разлогову. Вот он прилетит, поговори с ним. Может, он тебе его продаст?

— Как... прилетит? Откуда он прилетит, Глафира?!

Она махнула перчаткой куда-то в небо:

— Оттуда.

— Да ладно!

— Да точно тебе говорю! У Варьки на этот счет целая теория есть.

— Марк, ты в институте учился? Это называется, для необразованных, вероятностный процесс. Случайный.

— Это называется естественный отбор, Разлогов! Побеждает сильнейший.

— И что это значит?

— Это значит, что будет мальчик. Глафира после твоего феерического возвращения так раскисла, что...

— Ничего не понял, — признался Разлогов, выкручивая руль. — Ни слова. Какая теория-то?!

— Очень простая. Мне Варька уже полгода ее излагает. Побеждает сильнейший, понимаешь? Не кто больше денег зарабатывает и не тот, кто начальник, понимаешь? А тот, кто уверенней себя чувствует. Тот, кто в паре более... защищен. Тот, кто знает, что его никогда не бросят, не предадут и... В общем, тот, кто сильнее. Вот у нас с Варькой может быть только девочка. А у вас мальчик.

— Потому что ты ее никогда не бросишь и не предашь или потому, что она сильнее?

Волошин посмотрел с подозрением — не смеется ли. Разлогов был чрезвычайно серьезен.

— Хорошо, а у нас тогда почему мальчик?

— Да потому что Глафира совсем раскисла, говорю же! Висит у тебя на шее день и ночь.

— А мне это нравится.

— Очень хорошо. Но в данный момент ты победитель, а не она!

— Ахинея какая-то, — подумав, сказал Разлогов. — Заедем в школу, а? Глафира велела Вовку тоже привести.

— Заедем, — согласился Волошин.

Джип повернул в тесный, уставленный машинами переулок в центре старой Москвы и стал медленно пробираться к зданию школы.

— Как он? — спросил Волошин, разглядывая школу. — Привык?

— Привыкает потихоньку. В субботу пошли к Белоключевскому лошадей посмотреть, так он потом три часа рыдал, что жеребят держат в отдельном загоне. Он думал, что это такой лошадиный детский дом. Насилу мы его успокоили.

— А про мать не спрашивает? — осторожно поинтересовался Волошин.

— Глафира ему мать, — отрезал Разлогов, — и точка! И не хочу я больше вспоминать, Марк! Все. Только вперед.

— А ты не думал, что...

— Сто раз думал! И ничего не придумал. Доказать ничего нельзя. Вера умерла от сердечного приступа, как и я должен был, если бы тогда Глафира не подоспела! Мы заключили с Мариной соглашение. Я не пытаюсь ее посадить, а она не пытается испортить мне жизнь. Из Иркутска не выезжает, играет там в театре. Это я могу проконтролировать. И все. Правда, больше не хочу, Марк. — Он вдруг нацепил на нос темные очки. — Я хочу свою жизнь. Я слишком долго жил какой-то чужой.

— Ненастоящей, — подсказал Волошин.

— Ненастоящей, — согласился Разлогов, — театральной. А у меня жена, работа и полтора ребенка.

— Я думал, что для тебя самое главное — Марина. Я долго так думал! Я не понимал, что у вас за отношения с Глафирой! У тебя бабы, у нее мужики...

— У нее был только один, — поправил Разлогов. — И то потому что я... Я ее послал, вот она и пошла туда, куда я ее послал. То есть искать мужчину своей жизни. — Он как-то моментально вышел из себя. — Я никому не доверял после... Марины. Не мог и не хотел! Ну как же иначе?! Я все время подозревал Глафиру в том, что она тоже играет, а она всегда была настоящей, не театральной, понимаешь?! Только я не мог и не хотел в это верить!

— Что ты орешь?!

— Я не ору. Я говорю. Я думал, если буду правильно защищаться и больше никого и никогда не пущу в свою жизнь, у меня все как-нибудь наладится. А наладилось все только с Глафирой. Но я очень ее боялся. Я думал, что у нас вполне могут быть просто хорошие отношения, а любовь эту я видал в гробу! И когда я понял, что это она меня видала в гробу, а я ее люблю, на самом деле люблю, вот тогда я и решил, что пора завязывать с девицами и разводиться с Мариной... И вообще!.. Что ты пристал?! Я и так нервничаю.

— Смотри, вон один из твоих полутора детей!

— Вовка! — крикнул Разлогов в окно. — Давай сюда быстрей, здесь машинам стоять нельзя!

Маленький Разлогов подбежал и, деловито сопя, полез на заднее сиденье. Портфель он волочил за собой, и он никак не влезал в салон. Разлогов перегнулся и помог.

— Пап, а ты чего сам приехал?

— А мы сейчас с тобой и с мамой в больницу заедем.

— Ой, я не хочу, — перепугался маленький Разлогов. — Давай не поедем, а, пап?

— Мама просила нас приехать, — объяснил большой Разлогов. — Нам сегодня должны сказать, кто родится, мальчик или девочка.

Маленький Разлогов подумал немного.

— А может, жеребенок, пап? Они такие... волшебные!

«Волшебные» — это было Глафирино слово, и у Разлогова ни с того ни с сего защипало в носу.

— У людей рождаются мальчики или девочки, а

жеребята у лошадей, — объяснил смеющийся Волошин. — Так что у тебя будет брат, а с жеребятами играть будешь у соседей.

— А может, сестра? — предположил Разлогов-старший.

— Побеждает сильнейший, — убежденно сказал Волошин, — вот увидишь!

Глафира, бледная, отекшая и пузатенькая, долго целовала Вовку, как будто не виделась с ним много лет, потом долго целовала Разлогова, словно обрела его только что вернувшимся с войны, потом, не в силах остановиться, обняла Марка и сказала ему, что очень рада его видеть.

— Да мы утром виделись, — растерянно сказал Волошин и погладил ее по спине, — ты же заезжала!..

— Ах да, — спохватилась Глафира, — но все равно я очень, очень рада тебя видеть!

— И так все время, представляешь? — жалобно спросил Разлогов у Волошина и обнял хлюпающую носом супругу. И поцеловал в губы.

— Мальчик, — твердо сказал Волошин. — Точно тебе говорю, мальчик!

...В кабинет они зашли вдвоем, Волошин с Разлоговым-младшим остались в больничном скверике встречать запоздавшую Варю.

Глафира долго возилась, не решаясь улечься на узкую кушетку, вокруг которой громоздились сложные странные приборы, поглядывая на врачиху, и вид у нее был перепуганный.

— Ничего, — сказал Разлогов и улыбнулся дрожащей улыбкой. — Давай. Все самое страшное позади.

— Только вперед? — спросила Глафира и поцеловала его прямо при врачихе. Та фыркнула насмешливо.

— Что это вы, мамочка? Боитесь, что ли? Ничего-ничего, все у вас отлично, анализы прекрасные, а сейчас все своими глазами увидите! Ложитесь аккуратненько, вот так.

Разлогов судорожно вздохнул и отвернулся. Ему было страшно, даже руки покрылись «гусиной кожей», как от холода.

...Кто там! Побеждает сильнейший?..

— Так что волноваться не надо, — приговаривала жизнерадостная врачиха, — это всего лишь ультразвук, и он сейчас все покажет...

Глафира лежала затаившись, в окна светило солнце, отражалось от сложных замысловатых приборов!

— Ну, — торжествующе сказала врачиха, — ну вы только посмотрите, какая красота! Мамочка, сюда смотрите, в монитор! И вы, папочка, тоже. Прекрасный ребенок! И родите вы легко, на одном дыхании, это я вам точно говорю, у меня опыт большой!

Разлогов закрыл глаза.

— Мальчик?..

— Девочка! Уж такая девочка, что ни с каким мальчиком не перепутаешь! Да вы смотрите, смотрите, что вы там жмуритесь?

Разлогов распахнул глаза в угольно-черных прямых ресницах и уставился на монитор.

— Девочка, — довольным голосом подтвердила врачиха, — а вы что, мальчика хотели?..

Разлогов захохотал.

— Наш старший сын хотел жеребенка, честно.

— Жеребенка? — переспросила врачиха, растерявшись немного.

— Ну да! А нам и девочка сойдет. Побеждает сильнейший.

Литературно-художественное издание

РУССКИЙ БЕСТСЕЛЛЕР

Устинова Татьяна Витальевна

НА ОДНОМ ДЫХАНИИ!

Ответственный редактор *О. Рубис*
Редактор *Т. Семенова*
Художественный редактор *А. Стариков*
Технический редактор *Н. Носова*
Компьютерная верстка *С. Кладов*
Корректор *В. Назарова*

ООО «Издательство «Эксмо»
127299, Москва, ул. Клары Цеткин, д. 18/5. Тел. 411-68-86, 956-39-21.
Home page: **www.eksmo.ru**   E-mail: **info@eksmo.ru**

Подписано в печать 27.05.2010.
Формат 70×90¹/₃₂. Гарнитура «Таймс». Печать офсетная.
Усл. печ. л. 14,0.
Тираж 300 000 экз. Заказ 2768

Отпечатано в ОАО «Можайский полиграфический комбинат».
143200, г. Можайск, ул. Мира, 93.
Сайт: www.oaompk.ru тел.: (495) 745-84-28, (49638) 20-685

ISBN 978-5-699-43068-0